Antonio Carlos Jobim

Antonio Carlos

Helena Jobim

Jobim

Um Homem Iluminado

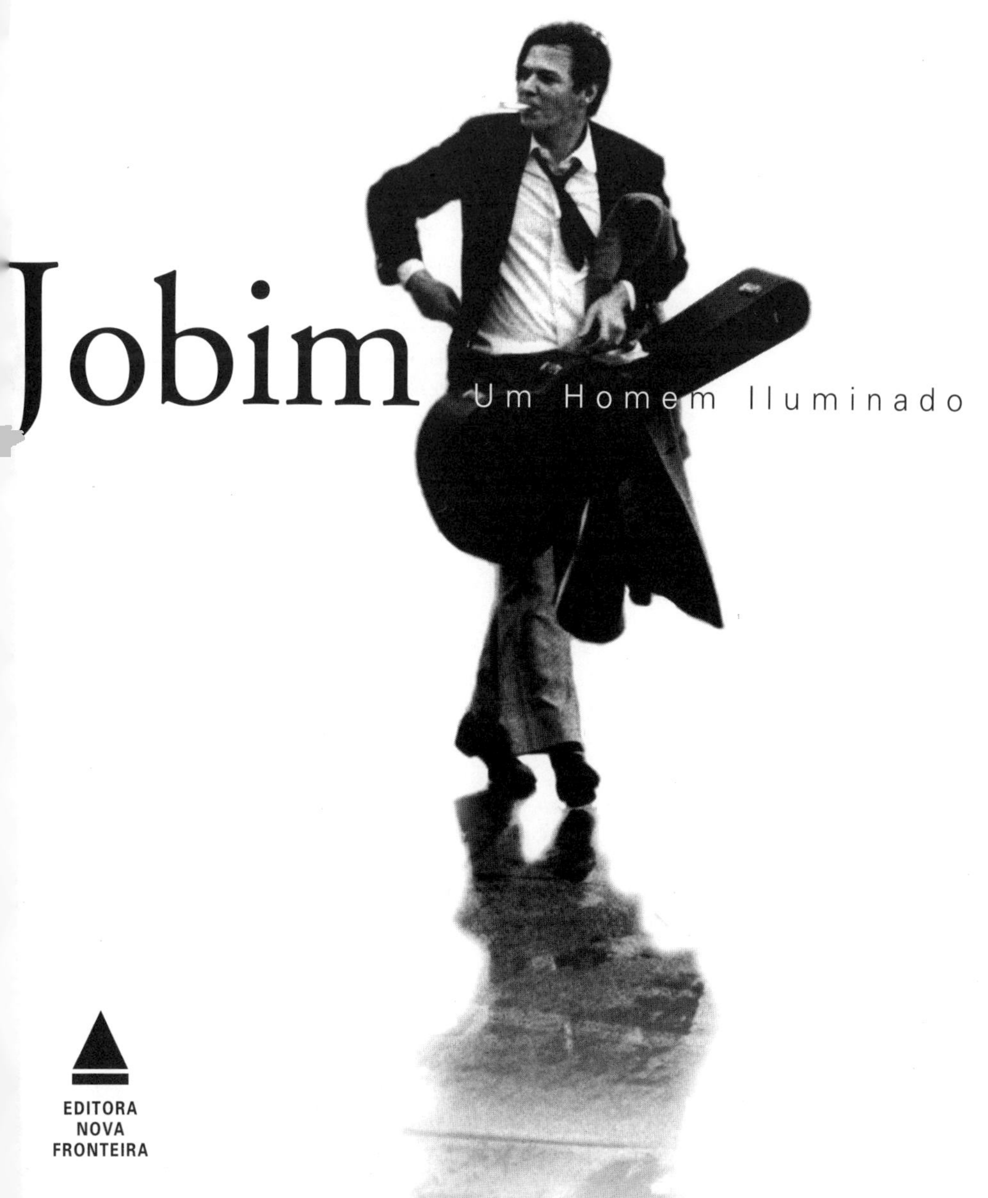

EDITORA
NOVA
FRONTEIRA

Foto de capa
© Rubens Barbosa/Agência JB

Os créditos das fotos utilizadas neste livro estão mencionados junto a cada uma delas.

Discografia © Jobim Music Ltda.

Direitos de edição da obra em língua portuguesa no Brasil adquiridos pela
EDITORA NOVA FRONTEIRA S.A.
Rua Bambina, 25 - Botafogo
CEP: 22251-050 - Rio de Janeiro - RJ - Brasil. Tel: 537 8770 - Fax: 286 6755
Endereço Telegráfico: NEOFRONT

ASSESSOR DA ESCRITORA:
Manoel Malaguti

PREPARAÇÃO DE ORIGINAIS:
Maria Angela Villela

REVISÃO TIPOGRÁFICA
Ana Lúcia Kronemberger
Angela Nogueira Pessoa
Antônio dos Prazeres

DESIGN
Victor Burton

DESIGNERS ASSISTENTES
Adriana Moreno
Míriam Lerner

Agradecimentos especiais

A Maria Carmen de Mello Correia, que me ofereceu hospedagem, carinhos e atenções neste momento difícil de minha vida.

Ana Lontra Jobim
Chico Buarque de Holanda
Daniel Canetti Jobim
Elianne Canetti Jobim
Paulo Hermanny Jobim
Thereza Otero Hermanny
Vera Alencar
Yolanda Brasileiro Madeira

Agradecimentos

Alberico Campana, Almerinda Leal Netto, Almir Joaquim Pereira, Alvaro Sá, Antonio Pedro, Antonio Veronese, Arnaldo Jabor, Assis Silva, Bianor Marins Esteves, Caetano Veloso, Carlos Vereza, Célia Silva da Silva, Cleonice Berardinelli, Dagmar Souza Mello, Daniel Malaguti Bueno e Silva, Danilo Caymmi, Duduka da Fonseca, Eduardo Lerina, Edu Lobo, Elizabeth Hermanny Jobim, Esther Pereira da Silva Sá, Franklin Correia da Silva Neto, Geneviève Castello Branco, Gilda Mattoso, Helena Meneses, Heloísa Buarque de Hollanda (Miúcha), Heloísa Maria Madeira, Henrique Gandelman, Hilda Rosário de Oliveira, Isnaldo Chrockatt de Sá Rodrigues (Kabinha), Ivan Matta Machado, Jacques Morelenbaum, Jael Coaracy, João Francisco Lontra Brasileiro de Almeida Jobim, Joel Rosa Soares, José Jackson Panaro Dias, Josef Lewgoy, Josefa Xavier Felipe (Tilde), Júlia Acácio dos Santos, Júlia de Abreu, Lúcia Garcia da Fonseca, Luiz Carlos Seixas, Luiz Fernando Jobim, Luiz Roberto de Oliveira, Luiz Washington Ferreira (Esquerdinha), Lygia Malaguti Weglinski, Malu Novaes, Prof. Manuel Soares Pinto Barbosa, Marco Jobim Albano Feitosa, Marco Altberg, Marcela Jobim Feitosa, Maria Ana Pires da Silva (Nininha), Maria Luiza Helena Lontra Jobim, Maria Luiza Machado, Mário Adnet, Marleide Silva, Mario do Carmo Silva (Dadá), Marilena Lerina, Marisa Gandelman, Marise Rampini, Manon Macedo da Costa, Maúcha Adnet, Mauro Cezar Esteves Cunha, Miguel Faria, Nana Caymmi, Narciso da Silva, Nilo Batista, Nivaldo da Silva, Ophélia Cardoso P. Rodrigues, Otto Reis e Silva, Oziel Teixeira Portilho, Paula Morelenbaum, Paulo Braga, Paulo Silva, Paulo Venâncio, Ce. Historiador Pedro Jacinto de Mallet Joubin, Raimundo Nonato Felipe Santiago (Ratinho), Ricardo Pavão, Roberto Menescal, Ronaldo Bastos, Silas Pires da Silva, Sílvia Botelho, Simone Malaguti Caymmi, Sonia Jobim Feitosa, Tárik de Souza, Tereza Moreira Lagos, Thereza Márcia Mendes Matta Machado, Tião Neto, Vânia Reis e Silva, Vera Malaguti Batista, Vera Malaguti Osório, Walmir Novaes, Ziraldo.

A Vida, a Morte, A Criação

"A morte, o problema da morte, é outra questão sobre a qual não se pode deixar de pensar. A obra de Tom Jobim daqui a cinqüenta anos, o que será? Falar em cem ou duzentos anos é imprudência nesse mundo em que tudo passa muito depressa e muda vertiginosamente. A partir de alguns anos, tudo é imprevisível. Penso, no entanto, que o futuro vai conhecer uma visão mais espiritual das coisas, o que talvez aumente o interesse pela obra de um Tom Jobim. Muitas vezes, conversando com os amigos, eles me perguntam o que estou fazendo agora. Costumo responder: 'Estou escrevendo para a posteridade, estou trabalhando para a estátua.'

"A criação é um ato de amor, alguma coisa que se comunica a toda a humanidade. Um artista não pode fazer nada que contribua para piorar o mundo. Acho que tenho deveres para com as pessoas com quem convivo.

"A vida tem um sentido oculto, certamente. Fui criado em ambiente cético, de maneira agnóstica. Diante da natureza, sinto que toda a negação é ingênua, que Deus não nos teria criado para o nada.

"As pessoas estão hoje muito mais rudes e agressivas do que há alguns anos. Numa rua perdida, num bairro tranqüilo, onde brincam crianças, um carro passa a toda velocidade pelo simples prazer de correr ou por qualquer outro motivo, indiferente a tudo e a todos. Se ao menos estivesse apressado para chegar a algum lugar. O aprendizado é difícil, a gente tem que se reeducar para não violentar os outros e para não se deixar violentar. Apesar de tudo, a vida pode ser agradável para quem gosta do que faz. Ali em cima daquele piano há músicas inéditas que precisam ser trabalhadas. Se tudo correr bem, se o avião não cair, a gente grava, a gente escreve, para deixar aí para os moços, para quem quiser e puder fazer melhor no futuro.

É isso aí o que eu queria dizer."

Antonio Carlos Jobim

(Fragmentos da última página do seu depoimento às Faculdades Integradas Estácio de Sá, publicado pela Editora Rio, em 1982.)

Tom e Helena aos 6 e 2 anosArq jobim music

Para meu irmão,
esse amor constante,
na vida e na morte.

Arq. Manchete

Sumário

Introdução
10

Abertura
13

Trajetória
31

Desfecho
267

Discografia
281

Premiações
439

Introdução

"— Entrego os originais de *Um homem iluminado* ao meu editor Carlos Augusto Lacerda. Despedimo-nos no portão da bela casa onde fica a Editora Nova Fronteira.
Atravesso ruas congestionadas pelo trânsito, neblinada cidade sob a chuva fina, oníricas pontes, atravesso o mundo inteiro até chegar à praia.
E detenho-me um momento para olhar o mar, esse mar encarneirado pelo vento, esse mar que é meu, do Tom, de todos nós — águas que me conduziram da primeira à última página deste livro.
Tive como insubstituível assessor Manoel Malaguti.
Trabalhamos juntos, de dia e de noite, no riso e em nossas desoladas lágrimas. Foi difícil, foi fácil, muitas vezes beirou o impossível, mas de repente foi também resplendor e alumbramento, fantástica viagem.
Agora aí está. Não pretendi, nestas páginas, esgotar tão grande assunto. Essa foi a minha abordagem, meu enfoque, resgate que nem escolhi, mas inconscientemente busquei.
A Abertura e o Desfecho foram escritos na primeira pessoa e são trechos intimistas. Mas precisei afastar-me durante a Trajetória, usar a terceira pessoa e olhar de cima a fabulosa paisagem.
Emocionou-me muito o prefácio de Chico Buarque — surpreendente e preciosa oferta! — e ouvir meu irmão, seu piano limpo, suas brincadeiras, foi ver nítido e perto o inesquecível rosto.
Um homem iluminado não termina no ponto final da última página. Continua se escrevendo, se fazendo e crescendo sozinho.
Nem tampouco se finda na palavra que deixo aqui, adeus."

Helena Jobim

Toda vez que uma árvore é cortada aqui na terra, eu acredito que ela cresça outra vez em outro lugar — em algum outro mundo.
Então, quando eu morrer,
este é o lugar para onde quero ir.
Onde as florestas vivam em paz.

Antonio Carlos Jobim

Foto: Arq. Jobim Music

Abertura

Arq. Thereza Hermanny

Eram dez horas da manhã de uma quinta-feira, e o dia estava muito claro. As primeiras névoas tinham desaparecido dos morros e das vidraças. Esse dia de sol parecia extraordinariamente luminoso, depois de muitas semanas de chuva. Era primavera, outubro, dia 20, 1994. Estávamos no sítio e Oziel plantava mudas de buganvílias encarnadas, completando as falhas na cerca viva da frente do jardim. Foi nesse momento que veio o chamado. Nossa pequena vira-lata, Funny, corria de um lado para o outro, radiante, tentando abocanhar o jato d'água da mangueira de borracha. Neo lavava o piso escorregadio da varanda, repleto de folhas amolecidas, grudadas no cimento. Estava descalço, as calças arregaçadas até os joelhos, e assobiava.

Lembro-me bem quando a caminhonete entrou, subiu a rampa de pedras ladeada de canteiros e parou em frente à porta da casa. Era José Alonso, filho do Amador. Trazia um recado de minha sobrinha Beth, filha de Tom. Pedia que telefonássemos para a casa de meu irmão, ainda naquele dia. "Mas não é nada demais", dizia o P.S. do bilhete.

Enquanto meu marido entrava em casa para trocar de roupa, pedi a Diná que trouxesse café, e ali mesmo na varanda fiquei conversando com José Alonso. Mas logo ele se despediu, dizendo que ainda tinha de ir a Teresópolis. Pouco depois, Neo e eu já estávamos no carro, em direção a Valverde, o telefone mais próximo de nosso sítio em Poço Fundo. Em menos de dez minutos chegamos à venda de seu Amador. Um empório desses bem típicos do interior, com araras azuis pintadas na fachada. Sobre o balcão, um telefone moderno contrastava com as prateleiras de garrafas e sacos de mantimentos. Bonecas rosadas e nuas, de celulóide, pendiam do teto, empoeiradas, ao lado de botinas de sola de pneu e tênis coloridos. Neo comprou fichas e conseguimos a ligação na mesma hora. Foi Beth quem atendeu:

— Vou ter que levar Maria Luiza para Nova York. Ela está com muita saudade dos pais. Aninha pediu para vocês ficarem uns dias aqui no Rio com João.

— Meu irmão está bem?

— Está. Está sim. Terminando os exames. Viajo com Lulu no sábado à noite.

Sábado de manhã descemos a serra. Chegamos ao Rio antes do meio-dia. A viagem foi rápida. Neo buzinou em frente ao portão da casa de pilotis. Nivaldo apareceu, alto e grande, no uniforme branco, sorrindo muito.

A rampa, o pequeno lago, o ipê florido. Subi as escadas, atravessei a sala de visitas e entrei no estúdio de meu irmão. Pareceu-me estranhamente deserto. As janelas abertas emolduravam a conhecida paisagem: pedreira, Cristo Redentor, Lagoa iluminada de sol e um pedaço, longe, de mar. Um silêncio pesado me envolveu. A atmosfera abafada, sem vento. Os pássaros mudos no calor forte. Lá fora, nenhuma folha se movia. Fiquei um tempo parada, olhando. Dois pianos de cauda, um deles com a tampa aberta, o marfim das teclas amarelecido. No sofá, jornais amontoados. Nas estantes, os livros desarrumados, naquele jeito dele.

Aproximei-me devagar. Sobre um dos pianos, a coleção de óculos, o copo de canetas e lapiseiras, as partituras muito limpas. Caixas ainda fechadas de charutos, retratos emoldurados.

Não sei por quantos minutos fiquei ali, tocando seus objetos. Mas logo Neo me chamou, ouvi seu riso na cozinha e a fala dos empregados. Um odor doméstico de refogado despertou em mim remotas lembranças. Tilde me festejou, me abraçou, nos beijamos.

— E Beth?... E Maria Luiza?

— Dona Beth viajou ontem à noite com Lulu. Deixou um bilhete para a senhora.

— Mas não era hoje que elas iam?

— É que de repente dona Betinha conseguiu duas passagens para ontem. Maria Luiza estava muito chorosa... — Tilde parecia atrapalhada.

— E João?

— Joãozinho está em Itaipava, na casa dos avós de Zeca. Mas volta amanhã.

Subimos, abri a mala, pendurei algumas roupas no armário de meu irmão, entre seus ternos. Às duas horas nos sentamos para almoçar. Beth tinha me deixado envelopes com cheques, dinheiro, contas para pagar, listas de obrigações extracurriculares de João.

Nesse dia ligamos várias vezes para Nova York. Não atendiam do apartamento. Telefonamos para a casa de Paulo, ele combinou que viria nos ver de noite. Começava a chover brandamente. As luzes do jardim me deixavam ver fagulhas d'água caindo inclinadas. Traziam uma vaga tristeza. Às nove horas meu sobrinho chegou.

Paulinho conversou comigo e Neo até bem tarde, fumando muito, o rosto entristecido. Mas eu não conseguia acreditar. Em nossa família não há casos de câncer. "Cigarro", me explicaria depois o médico. "E charuto também. Ataca mais o pulmão e a bexiga."

Não dormi essa noite. Várias vezes me levantei e acabei desistindo de procurar o sono. Fiquei debruçada na varanda do quarto, olhando a chuva cair, fina e incessante, o aroma da terra encharcada pairando sobre o jardim. O primeiro clarão do dia surgiu por cima do mar. Tinha esfriado muito. Neo acordou e me viu ali:

— Vem deitar. Seu irmão vai ficar bom.

— Eu sei.

— Mas vem... você vai se resfriar.

Entrava pelo quarto a lividez do céu da madrugada.

No dia seguinte, domingo, João chegou de Itaipava. Tinha emagrecido, estava bonito, mais alto, parecido com o pai. Abraçou-me com seu jeito brusco e terno:

— Que bom que vocês vieram...

Largou a mala no chão, subiu a escada correndo, ligou o som no quarto. Ao mesmo tempo, já tentava falar com os amigos pelo telefone.

Lembrei-me de uma frase de minha mãe: "Os adolescentes, velozes e impalpáveis." Esta recordação me fez sorrir. Já tínhamos sido, Tom e eu, esses adolescentes.

Falávamos todos os dias por telefone. Meu irmão parecia bem, cheio de esperança. Durante o tempo que passou em Nova York, fez angioplastia, "o balãozinho", como ele chamava. Uma das artérias do coração se retraía logo após o cateterismo. Aventaram a hipótese de ser algum fator genético — mas a verdade é que Tom estava com todas as artérias do corpo obstruídas. Segundo os médicos, não havia possibilidade — nem resolveria — de operar seu coração. Dias depois, foi submetido a uma microcirurgia de bexiga, com anestesia peridural, para a retirada dos pólipos e nova biópsia.

Dois meses antes de sua viagem para Nova York, num fim de semana em Poço Fundo, ele me revelou: "Minhas carótidas estão quase fechadas. O perigo é alguma placa de gordura se soltar e se alojar no cérebro. Se isso acontecer...", interrompeu-se, o rosto virado para a lareira acesa. Eram dez horas da manhã e fazia muito frio. Estávamos sozinhos na sala de sua casa em Poço Fundo e dali podíamos ouvir as risadas das crianças lá fora. Sentado no sofá, o corpo inclinado para a frente, iluminado pelo clarão das chamas, o capote de lã sobre o pijama. Os ombros caídos e as mãos abandonadas mostravam um grande desalento. Disse ainda em voz mais baixa: "Tenho sentido umas dores atravessadas no peito", e erguendo-se abruptamente, com um gesto vago completou: "Mas isso já não tem mais nenhuma importância."

Tentei falar com naturalidade. Mas o medo de perdê-lo e a sensação de que não suportaria essa dor, me paralisaram a respiração. Disse apenas:

— Você vai viver muito. Tenho certeza.

Ele desviou os olhos:

— Preciso criar Luiza. E orientar Joãozinho. Ele já vai fazer 15 anos.

— Mas você vai criar seus filhos! Vai dançar no baile dos 15 anos de Luiza...

Ele riu, meio amargo, meio irônico, pois era tão antigo o que eu dizia, e talvez naquele momento já pressentisse que não teria muito tempo de vida. Fomos para a cozinha, sentamos em frente à mesa comprida, coberta por uma toalha xadrez. A cristaleira de madeira escura deixava ver através dos vidros as xícaras azuis dependuradas. Era também uma cena antiga, uma paisagem de outras eras. Num gesto muito seu, Tom estendeu a mão por cima da mesa, apertou a minha de leve. Nininha entrou, empurrando a porta de tela:

— O senhor quer as sardinhas agora?

Parecia refeito, como se nossa conversa sobre a vida e sobre a morte não tivesse existido. A pele do rosto, ainda lisa, conservava vestígios de mocidade. Abriu a garrafa de cerveja que Silas tinha acabado de trazer da barraca de Joel e me serviu no copo comprido, calculando a espuma. Observei com ternura as pintas brancas no dorso de suas mãos. Ele era como eu, glabro, e à proporção que íamos ficando mais velhos a carga genética se acentuava e nos tornava parecidos.

Participávamos juntos, uma vez mais, sem imaginar que seria a última, deste ritual em Poço Fundo: antes do almoço, um tira-gosto e uma bebida. Seus dedos hábeis separavam com destreza as espinhas das sardinhas e amassavam com um garfo a carne tenra misturada com cebolas picadas.

A bebida agora era cerveja ou chope. Quando a cerveja não estava bem gelada, punha gelo no copo. Tinha sido proibido de tomar uísque.

Há quanto tempo? Poucos meses. Agora me parecem séculos. Depois do resultado da segunda biópsia, meu irmão soube que teria de se submeter a nova cirurgia. Dessa vez com um corte profundo no abdômen. Provavelmente teriam que tirar um pedaço de sua bexiga. Os médicos lhe deram três semanas para descansar, devido a seu estado de tensão e à precariedade de seu sistema circulatório.

Então ele voltou para o Brasil.

Fomos buscá-lo no aeroporto. O avião pousaria no Galeão às dez horas, depois de uma parada em São Paulo. Meu marido foi dirigindo o carro de Tom. Meus sobrinhos Paulo e Elizabeth já estavam lá.

Esperamos pouco tempo. Pelos vidros, avistei num grupo a figura de meu irmão, nitidamente mais magro. Seu modo de andar era o mesmo, muito peculiar, gingando levemente o corpo. Usava calças de flanela e por cima da camisa uma suéter amarela. Trazia no braço um blusão grosso de fecho ecler. Na cabeça, em vez do habitual panamá claro, um chapéu novo, de feltro marrom. Junto dele, Ana, Maria Luiza e Marleide. Ainda às voltas com a bagagem, nos viu e acenou, sorrindo.

Quando as portas de vidro se abriram e eles passaram com os carrinhos de bagagem, pude ver de perto seu rosto. Parecia bem-disposto. Durante algum tempo ficamos todos nos abraçando, nos beijando e nos olhando. Mas Tom queria chegar logo em casa.

Na volta ia se surpreendendo, como sempre, com o mar, as ilhas da baía, o Pão de Açúcar, a Lagoa na saída do túnel. Falava muito, animado. Quando o carro parou junto ao portão de sua casa, apontou: "Olha lá... o ipê floriu! É amarelo-Deus." Entrou e foi direto para o estúdio; reparou no vaso de rosas amarelas que tínhamos colocado em cima do piano para ele. Era sua cor predileta. Foi examinando tudo, como se tivesse estado longe por muito tempo.

Tilde trouxe café e queijo branco. Nivaldo e Assis apareceram na porta e meu irmão era o mesmo de sempre. Conversava com interesse e humor com os empregados, querendo saber tudo da vida de cada um durante sua ausência. Eu não me cansava de olhar seu rosto, a vivacidade de sua expressão, os olhos curiosos. Não parecia nem um pouco cansado. Observou-me um instante e repetiu a frase costumeira:

— E então, minha irmã?

Depois foi para o piano. Descansou os dedos sobre as teclas, mas antes de apertá-las deteve o olhar na esplêndida paisagem vista da janela. Apontou o Cristo:

"Lá está Ele..." Tocou acordes esparsos. A família agora estava toda reunida. Nós o ouvíamos atentos.

Durante três semanas estivemos juntos. Neo e eu tínhamos pensado em ir até Poço Fundo. Mas Tom pediu: "Fica aqui. Agora que eu preciso tanto de vocês..." Ficamos. Quando penso nesses vinte e um dias em que aproveitamos um ao outro, como há meses não fazíamos, imagino que o destino armou esse tempo para nós. Se ter tido Antonio Carlos Jobim como irmão foi um privilégio, esses dias foram uma despedida, uma revivescência dessa nossa encarnação juntos. E fico de novo pensando. Leio no dicionário: "Encarnação: cada uma das existências do espírito materializado, segundo a crença espiritista." É nisso que acredito?

Lembranças, muitas lembranças. Às vezes doem tanto. Eu acordava cedo, deixava Neo dormindo, fechava com cuidado a porta do quarto. Ana, João e Luiza também dormiam. Descia a escada principal e parava no último degrau. A porta do estúdio estava aberta. O sol inundava tudo, fazia calor. Antes que meu irmão me visse, olhava-o por alguns segundos, mergulhado na leitura dos jornais. Aproximava-me, ele sorria ao me ver. Largava o jornal. Nos beijávamos, era nosso costume. Como me são nítidos esses últimos dias!

— Você dormiu bem? — eu perguntava... eu perguntei em cada manhã.

— Dormi muito bem. Mas quando a gente vai ficando velho, acorda cada vez mais cedo. Aproveito e vou buscar o pão e o jornal, pra não estressar os empregados.

Rimos. E eu perguntava, sabendo a resposta:

— Já tomou café?

E ele respondia sempre do mesmo modo:

— Já. Mas te acompanho num cafezinho.

Sentávamos um em frente ao outro à mesa de mármore da cozinha, como quando éramos crianças. A porta que dá para o quintal já estava aberta, uma lufada de vento mexia as folhas do pé de feijão-guando que ele mandara plantar. Podíamos até imaginar nossa mãe chegando, amada aparição, ouvir de novo seu riso. Mas logo os cachorros entravam, vindos da área de serviço e pulavam em nossas pernas, pedindo carícias. Ainda assim, o encanto não se quebrava. No jardim, entre as folhagens da piscina, Panto, o gato negro, nos vigiava com enigmáticos olhos verdes.

Ana aparecia, em seguida Neo, e comentávamos as notícias dos jornais. Meu irmão se interessava pelas notícias do Brasil e do mundo. Suas observações sempre nos faziam pensar.

O dia começava. A atmosfera da casa comandava falas, gestos, pensamentos. João e Luiza desciam para o café. Chloe e Isabel chegavam. João saía com Zeca e Lucas para andar de bicicleta na Lagoa. O telefone tocava sem parar. Jornalistas queriam entrevistas. Tom reclamava um pouco, mas sempre concordava. Minha neta Marcela tinha chegado de Belo Horizonte.

Neo marcou uma ida ao Centro Espírita Frei Luiz. Danilo e Otto ajudaram. Danilo comunicava-se diariamente com o músico Márcio Ramos, freqüentador do Centro. Otto intercedeu junto ao seu amigo dr. Gazolla, diretor da Casa.

Tom era uma visita muito especial. Havia filas imensas de pessoas aguardando a vez de serem atendidas. Pelos alto-falantes, colocados nos jardins, uma voz de homem pedia silêncio. "Por favor, as Entidades já estão chegando." Era a voz de Carlos Vereza, que fora curado ali. Subimos em um pequeno elevador. Passamos por uma sala de recepção onde Neo ficou nos esperando. Em seguida atravessamos — Tom, Ana, Paulinho e eu — um salão escurecido cheio de cadeiras, e entramos em outra sala, também na penumbra, com vários leitos. Era o lugar dos tratamentos, das operações espirituais, e se possível, das curas. Havia ali pessoas vestidas de branco, agrupadas, conversando em voz baixa. Luzes azuis, esparsas, mal iluminavam o aposento. Homens, mulheres, às vezes crianças, iam entrando e sendo encaminhados aos leitos.

Nós quatro ficamos juntos. Tom segurou a mão da mulher e a minha. Um médium que incorporava um doutor aproximou-se dele. Fez vários passes sobre seu corpo, tocou-o. Depois falou junto ao seu ouvido. Eu não escutava o que dizia, mas Tom perguntava muitas coisas. Depois o médium veio para perto de Ana e de mim, nos deu passes com as mãos espalmadas. Um alto-falante começou a tocar "Sabiá". "Vou voltar... sei que ainda vou voltar..." Ana e eu choramos.

Na volta para casa Neo ia dirigindo o carro, Tom ao lado dele. Minha cunhada e eu, sentadas no banco de trás. Tom fazia graça a propósito de tudo, ria, mostrava as gaivotas mergulhando. Era uma tarde calma, a primeira estrela já brilhava no céu. Meu irmão respirava fundo a maresia. Naquele momento tinha esquecido a doença, o medo, a dor. Virou-se para trás, já quase em Ipanema, e apontou o recorte do morro dos Dois Irmãos:

— Sabe Nena, eu sempre achei que aqueles dois irmãos éramos nós.

Nessa noite, ouvimos muitas vezes o disco Antonio Brasileiro. *A capa feita por Ana ficou linda. Além de um retrato dele, ela fotografou também seus objetos pessoais. Ouvimos depois o disco do Frank Sinatra em que meu irmão canta com ele a faixa "Fly Me to the Moon". Essa canção foi a última que gravou. Foi considerada a melhor do disco e recebeu ótimas críticas de jornais de vários países. Tom observou:*

— Gravei essa música sob as piores condições... Já sabia que estava doente. Improvisei quando disse: "Francis, let's fly!..."

Estava feliz. Levantava-se de sua poltrona vermelha e voltava a se sentar. Tomava cerveja com Neo. Movimentava os braços parecendo reger. Lulu dançava. João ia sair com os amigos. Marcela ria muito, surpresa com o arrebatamento do tio. Neo pediu que ele tocasse o choro "Bate-Boca":

— Você tem de gravar isso.

— Vou gravar. O Chico vai botar letra.

Era bom ver meu irmão assim. Fazia muito tempo... Ficamos até tarde juntos no estúdio conversando.

No dia seguinte, minha sobrinha Beth veio com André, neto mais novo de Tom, tomar banho de piscina. Ficaram para o almoço. Paulo e Elianne chegaram com seus filhos. Eduardo e Marilena, primos de Ana, vinham todos os dias.

Meu irmão tocou piano toda a manhã. Sua música varava as salas, a casa inteira, como um vento, um perfume. Até os empregados estavam tomados de euforia. Aninha planejava uma festa surpresa para João Francisco, que tinha completado 15 anos quando eles estavam em Nova York.

Tilde preparou o almoço do jeito que Tom mais gostava: arroz branco, feijão-preto temperado com muito alho, churrasco, farofa, e uma salada de alface, agrião miúdo, rúcula, tomate e rabanete. Vinho tinto, "apenas um copo para combater o colesterol". Era raro comermos alguma sobremesa. Mas neste domingo, Ana mandou preparar "coupe camargo", lembrança de nossa infância: abacate amassado com pouco açúcar, misturado com licor de cacau.

Depois do almoço, Tom se deitou no sofá da sala e Célia chegou. Trabalha com nossa família há vinte anos. Tom dizia que ninguém fazia massagem melhor do que ela. Já com olhos sonolentos, ele me pediu:

— Nena, fala para mim aqueles versos do Sá-Carneiro que eu gosto.

— "Um pouco mais de sol eu era brasa / um pouco mais de azul eu era além / para atingir faltou-me um pequeno golpe de asa / se ao menos eu permanecesse aquém..."

Célia interrompeu. Isso acontecia sempre. Todo dia tinha um sonho para contar. Sonhos longos, cheios de detalhes e cores:

— Sonho muito com a mãe de vocês. Ela aparece sempre tão bonita... e com as unhas pintadas de vermelho. No dia em que fui fazer congelado na casa do irmão dela...

— Celinha... Deixa eu me virar, pra você apertar minha barriga.

Ela se esquecia do sonho. Tom voltava à nossa conversa. Já sabia o que ele ia me pedir agora:

— Fala aquele teu texto da bailarina. Quero ir para Nova York me lembrando dele.

— "Minha alma é uma bailarina que atravessa constantemente um abismo por um fio. Mas meus pés têm a memória da terra firme."

— É bonito, Nena. É a tua cara. Acho que essa memória da terra firme é que te salva.

— Nem sempre me salvo...

Célia se levantou dizendo que ia buscar creme de massagem. A sala pareceu mais escura como se a tarde tivesse caído de repente. Na penumbra que se fazia, meu irmão adormeceu com o braço caído para fora do sofá.

Jornalistas, fotógrafos e equipes de televisão chegavam de manhã e ficavam trancados no estúdio com Tom por muito tempo. Nessas semanas a casa esteve cheia de amigos. Meu irmão e eu conversávamos até tarde no estúdio, o zumbido leve dos dois aparelhos de ar-condicionado ligados. Matávamos a saudade um do outro, deste ano inteiro que havíamos nos visto tão pouco. Ele com suas viagens e eu morando em Poço Fundo, escrevendo e me recuperando do acidente de carro no qual quase perdi a vida. Tom se preocupava ao me ver ainda às voltas com fisioterapia e dor. Poucos dias antes dele viajar para Nova York, para a segunda operação, me disse:

— Não entendo esse teu acidente. Vou ralhar com Deus.

A noite da festa de João foi muito animada. Alberico tinha trazido uma caixa de vinho branco alemão, e eu tomei várias taças. Meu irmão ficou radiante quando me viu dançando.

— Nena, você já está boa!

Fiz de conta que sim. O que eu mais queria naqueles dias era alegrá-lo, deixá-lo menos tenso com a expectativa da operação.

Fomos pela segunda vez ao Centro, dias antes de sua partida. De novo penetramos na penumbra daquela sala, de novo nos demos as mãos. Tom conversou outra vez com o médium, sempre em voz baixa. Depois dos passes sobre o corpo, do toque das mãos, descansamos algum tempo antes de nos mandarem levantar e sair. Eu não me mexia, não sentia dor, mas ia percebendo que minha roupa, na altura da barriga, se umedecia. Meu irmão também estava imóvel e em silêncio. Quando saímos da sala para a luz, vimos nossas roupas manchadas de sangue na altura do ventre e do estômago. Havíamos sido operados espiritualmente. Uma moça aproximou-se dizendo que tinha sido curada naquele Centro, depois de ter sido desenganada por muitos médicos.

Meu irmão foi ao banheiro e expeliu coágulos de sangue. O médium explicou que o dr. Frederick tinha retirado tudo de ruim que ainda havia em sua bexiga.

A volta de carro foi de novo muito alegre. Pegamos outra vez o caminho do mar. Há muito tempo não via meu irmão tão brincalhão. Estava eufórico. Contava histórias engraçadas e ríamos muito. Disse de repente:

— Meu Deus, eu nesse estado e rindo assim.

— Você parece aquele Tom de antigamente.

— É que agora eu tenho esperança...

De noite ele ligava a televisão, assistia ao jornal e também um pouco da novela. Meio distraído, às vezes atento, conversando com a gente. Não estava mais sentindo dor nem urinando sangue. Mas à medida que se aproximava o dia da partida, foi ficando muito ansioso. Ana tentava convencê-lo a tomar um calmante, coisa que ele sempre evitou. Mas acabou concordando.

Dois ou três dias antes da viagem, mostrou-me o bando de saíras que vinha sempre pousar no pé de curindiba. Era uma tarde muito clara e nos sentamos na varanda detrás da casa esperando o momento do Cristo se iluminar. Tom descobriu um começo de fogo no morro da Guarda, do outro lado da Lagoa. À medida que o fogo crescia, ele previa sua direção. Tinha um profundo conhecimento da natureza.

— Como é que você sabe dessas coisas todas, Tom?

Ele balançou a cabeça:

— É só prestar atenção. As pessoas não estão mais interessadas no que é de fato importante.

No dia seguinte, de manhã bem cedo, me chamou para junto do piano. Ficamos nos lembrando das canções americanas que cantávamos juntos, quando jovens: "The man I love", "Night and day", "I've got you under my skin", "Love letters"...

Uma sombra passou pelo seu rosto, uma tristeza aflorou aos seus olhos.

— Decidi com Ana que Maria Luiza não vai com a gente para Nova York. João já não ia mesmo. Vocês podem ficar com eles?

— Claro. Você vai e volta logo. Nós te esperamos.

A melancolia em seus olhos aprofundou-se:

— Qualquer coisa que me aconteça... — interrompeu-se — Não quero que Lulu sofra. Não quero que me veja sofrer. Nem que passe por qualquer situação constrangedora para ela.

Escurecia devagar. Neo chegou da rua:

— Vi uma lua enorme nascendo. Vamos lá fora ver ela nascer de novo?

No mesmo instante meu irmão já parecia outro homem. Era bem dele essa capacidade de recompor-se, de ser muitos ao mesmo tempo:

— Vamos.

Olhando as luzes da Lagoa se acenderem, combinamos para o dia seguinte um almoço na Plataforma. Meu irmão não queria viajar sem estar com Alberico, seu grande amigo. Aninha se juntou a nós.

Uma lua começava a surgir por detrás do Corcovado.

Plataforma. Estávamos lá, na mesa em que meu irmão se sentava sempre, na véspera de sua partida. Alberico serviu vinho. Tom tinha trazido uma pescada, comprada num bar do Leblon. Pareceu-me que jamais havia comido um peixe tão saboroso. Alguma coisa em mim talvez soubesse ser esta a última vez ali com ele.

Nesta tarde Célia veio de novo. Meu irmão estava muito nervoso. Os cachorros entraram em casa. Ele brigou com minha cachorrinha Funny, que insistia em subir no sofá para ficar perto de mim. Disse irritado:

— Você tem que dar umas palmadas nessa cachorra!

Protestei:

— Nunca vou bater nela. Ela me ajudou nesse ano difícil em que fiquei sozinha com Neo em Poço Fundo.

Na mesma hora, Tom chamou Nivaldo e disse:

— Avisa Tilde e Assis que só a Funny pode entrar em casa. Avisa Marleide também. Ela ajudou minha irmã.

Nessa mesma noite, Tom abriu a porta de nosso quarto e se deparou com a cena que já nos era familiar: João deitado no colchonete, Lulu, Neo e eu na cama, e Funny dentro de sua cestinha no chão.

Sem dizer nada, fechou a porta devagar.

A luta interna de meu irmão — se deveria voltar ou não para Nova York para operar a bexiga pela segunda vez — foi torturante. Perguntou-nos muitas vezes: "Vou ou não vou? Já mexeram muito comigo. Estou cansado." Os médicos americanos diziam que era preciso cortar um pedaço da bexiga para ver se não ficara nada daquela doença. Era a única maneira de saber.

Meu irmão continuava sem pronunciar a palavra câncer. Contou que durante a primeira operação o doutor raspou tanto que não se conteve: "Cuidado doutor! Não vá furar minha bexiga." E o médico, a fisionomia impassível: "Já perfurei duas..."

— Eu tinha tomado anestesia peridural. O tempo todo conversei com os médicos. Não senti nada. Ana me disse que voltei corado para o quarto.

Tom imaginava que faria outra vez anestesia peridural. Nós também pensávamos isso.

— No Centro me garantiram que eu não tenho mais nada "daquilo" na bexiga.

Fiquei calada. Não sabia o que dizer. Tom me chamava toda hora para junto dele. Foram três semanas assim. Nesse final de tarde estava sentado em sua poltrona predileta, a camisa desabotoada, as calças de linho branco, as meias de algodão.

— Põe a mão aqui em cima da minha barriga, Nena.

Segurou meu pulso com delicadeza, que esse era o jeito dele, conduziu a palma de minha mão até seu baixo-ventre. Senti a pele quente.

— Você acha que ainda tem alguma coisa ruim aqui dentro? — e sem me dar tempo de falar, prosseguiu: — Você acha que algum dia fiz mal a alguém?

— Você sempre foi um homem bom. Nunca fez mal a ninguém. Ao contrário, sempre ajudou os outros.

Seu olhar fugiu para longe, além do Cristo iluminado, além da Lagoa negra, além das luzes do mar.

— Recebi muitas cartas em minha vida. Pessoas que não conheço e me escreveram dizendo que deixaram de se matar por causa das minhas músicas.

Virei o rosto. Não queria que visse minhas lágrimas.

— Você acha que devo ir para Nova York? Tenho uma espada em cima da cabeça. Não dá para viver com uma espada em cima da cabeça.

— Então... — Mas ele me interrompeu. Viu meu rosto aflito e não me deixou terminar a frase:

— Sei que só eu posso decidir.

— Você acreditou naquilo tudo do Centro?

— Senti muita paz ali.

— Todas aquelas pessoas me pareceram sérias.

Aquele era o penúltimo dia. Anoitecia devagar. A escuridão tombava sobre a casa, sobre o jardim, sobre nós. Apagava nossos traços, escondia a expressão de nossos rostos. Estava escrito. E nem que eu gritasse, que chorasse ou soluçasse, poderia mudar o destino desenhado nas linhas da mão. Das nossas mãos, tão espantosamente semelhantes.

Meu irmão se levantou, tirou a camisa, disse que estava muito calor. Andou de um lado para o outro, acendeu de novo o charuto que se apagara no cinzeiro.

— A gente não entende nada. Por que eu fui ter essa doença e por que você se acidentou tão gravemente? — apontou para o meu retrato em cima do piano: — Quando você esteve entre a vida e a morte eu rezei. Rezei todas as tardes. Acendi muitas velas. Pedi que mandassem bater os tambores na Bahia. Pedi aos crentes, aos católicos, aos espíritas. Pedi a Deus para que você se salvasse.

Era assim que meu irmão falava. Ele acreditava em tudo com tanta fé! Podia ser uma entidade num centro espírita, uma mãe-de-santo do candomblé ou um Cristo sangrando numa cruz, afirmando que morreu para nos salvar.

Desta vez ele também orou muito, pedindo por sua própria vida, lendo os salmos em voz alta no apartamento de Nova York.

Então o vi de novo, como naquele dia em que nadou de um lado ao outro da Lagoa e saiu da água debaixo de uma salva de palmas. Vi-o como antes, iluminado. E as mínimas gotículas da água da Lagoa voltaram. Rodearam-no mais uma vez, uma última vez o envolveram. E tornou a se revelar aquele ser jovem que me acompanhou por toda a vida. Vi seu rosto transfigurar-se, vi o rapaz tão excepcionalmente belo. Seus olhos brilharam agudamente, olhos de um castanho muito rico, e o corpo perdeu a flacidez e a brancura da maturidade. Foi novamente o corpo esguio e bronzeado, invulnerável, que um dia eu julgara imortal. Falou-me como antigamente:

— Você gosta de entrar na floresta?

Deixei-o falar. Não haviam se passado tantos anos. Por um fugaz instante fomos outra vez muito jovens. Meu irmão repetiu:

— Você gosta?

Caíra um silêncio sobre a sala. Eu havia sonhado? Será que ele também me via assim, resplandecente de mocidade? Continuou:

— Eu entro na floresta. Às vezes fico quieto lá dentro. Só ouvindo. Mas mesmo quando caminho elas vêm...

— Elas quem?

— As músicas. Elas vêm prontas. Ouço músicas inteiras dentro da floresta.

Ele havia me revelado isso quando começara a compor. Fez um movimento inesperado com a mão, como quem afasta uma lembrança. O sortilégio havia se desfeito. Era de novo o homem ansioso e entristecido que sabia de sua doença. Outra vez o olhar maduro e atento por detrás das lentes dos óculos. Quietos, ouvimos o vento passando lá fora, pelas folhas da curindiba onde as saíras pousam. Vieram da rua vozes de crianças. Ele me estendeu a mão, apertou a minha de leve:

— Passou tão rápido, minha irmã. Há tão pouco tempo éramos nós, brincando na calçada.

As primeiras luzes do outro lado da Lagoa brilharam. Estenderam cores naquela seda lisa e escura.

Nunca mais.

Último dia. De manhã bem cedo, o mesmo ritual dessas semanas. Tom me acompanha num segundo cafezinho. Diz que quando voltar de Nova York vai descansar um mês em Poço Fundo e fazer churrasco de frango na brasa.

No estúdio, pára junto à prateleira e pega um livro. São poemas de Paulo Mendes Campos. Abre numa página marcada: "O cavalo Joaquim era vermelho / Com duas rosas brancas no abdômen; / À noite o vi comer um girassol; / Era um cavalo estranho feito um homem."

— Que bonito. Leva pra você ler, quando sair do hospital.

— Não. Fica com você.

Luiza entra na sala, corre para ele:

— Vamos, pai?

— Vamos. Vamos sim.

Haviam combinado um passeio ao Jardim Botânico. Já na porta, meu irmão se virou para mim. Sorriu e me disse tchau, com um leve aceno.

— Sabe que você está muito bonito?

Pareceu surpreender-se, como se há muito tempo tivesse se desligado de qualquer vaidade:

— Estou?

Depois, apontando para o livro na minha mão, disse:

— A literatura é a mais bela de todas as artes. Mas é também a mais solitária.

Tom e sua filha demoraram para voltar. Percorreram alamedas muito verdes, cheias de sombras. Deram miolo de pão para as carpas no lago das vitórias-régias. Como nosso pai fazia. Enquanto isso, Ana arrumava as malas.

João chegou de sua volta de bicicleta pela Lagoa. Já era quase uma hora da tarde quando Tom voltou com Luiza.

O almoço transcorreu em paz. Bebemos à saúde uns dos outros com um vinho escuro, muito seco.

No andar de cima, Zezé, o pequenino poodle *preto de Ana, em desespero com a partida dos donos, espalhava poças de pipi pela casa.*

O dia passou muito depressa. A noite caiu toda de uma vez. As pererecas, na escuridão do jardim, emitem pequenos sons verdes que lembram trinados de pássaros. Tom desce as escadas de banho tomado, os cabelos lisos, ainda molhados, penteados para trás. O avião vai partir às dez horas.

Ele atravessa a porta dos fundos da casa. Os empregados estão perfilados para a despedida. Nunca haviam feito isso antes. Acho estranho. Meu irmão entra no carro, impaciente. Ana está atrasada. Ele sai do carro, aperta a mão de cada empregado, abraça-me com força e me beija de novo. Diz em voz baixa: "Se o Ari Barroso e o Villa-Lobos morreram, eu também posso morrer." Fico estática. Ana chega. Entram no carro. Tom inclina a cabeça para fora da janela e diz para meu marido:

— Cuida dos meus filhos.

Fico olhando o carro descer a rampa devagar. O grande portão verde se abre e se fecha novamente. Ana acena.

Fotos: Arq. Jobim Music

Trajetória

Antes de Nilza, mãe de Antonio Carlos Brasileiro de Almeida Jobim, viveram as três gerações de Emílias. A trisavó Emília Eduarda (Loló), a bisavó Emília Henriqueta (Emilie) e a avó Emília Aurora (Mimi).

Emília Eduarda, trisavó de Antonio Carlos, era morena, de olhos negros, cabelos lisos de índia. Educou-se em casa. Naquele tempo era vedado às mulheres estudar. Seu pai, homem avançado para a época, trouxe-lhe os melhores professores de línguas e artes. Durante toda a vida teve sua sala de trabalho, com piano e cavalete de pintura. Casou-se três vezes. O primeiro marido foi-lhe apresentado pelo pai: "Venha conhecer seu noivo." Loló tinha apenas 18 anos e sem que o pai soubesse, já namorava um belo rapaz, o homem de seus sonhos: bilhetes furtivos entregues pela mucama, rápidos encontros. Chorou muito com a decisão do pai (que apesar de adiantado para seu tempo, ainda achava que os maridos das filhas deveriam ser escolhidos por ele, e que o amor viria depois), mas obedeceu.

Vasco de Freitas, primeiro marido de Loló era um português muito rico. Viajava e trazia jóias da Índia. Ainda existe na fam lia o pequeno baú de carvalho, arrematado em prata, que ele havia trazido cheio de pérolas. Foi desse casamento que nasceram seus filhos. Mas Loló ficou viúva muito cedo. Algum tempo depois, casou-se novamente e, desta vez, com a paixão de sua juventude, que também estava viúvo. Mas durou poucos anos esta felicidade. Novamente viúva, casou-se pela terceira vez aos 50 anos.

Sua filha Emília Henriqueta, Emilie, bisavó de Antonio Carlos, sem ser uma mulher bonita, agradava a todos por sua elegância e fina educação. Casou-se com Afonso Luiz Pereira da Silva. Seu marido era do Ceará, da cidade de Aracati, assim chamada por ter sido a região dos índios aracatis.

Formado em Farmácia, não exerceu a profissão. Dedicou-se ao comércio e tornou-se um homem de muitas posses. Viajava sempre para o Rio de Janeiro. Foi lá que conheceu Emilie, e com ela se casou. Foram morar em Aracati. Era um homem ambicioso, gostava de vestir-se bem e andava pelas ruas da cidade para ser reconhecido e cumprimentado por todos.

Em certas tardes, atravessava a praça da igreja para o beija-mão tradicional de seus apaniguados políticos. Era o sinal para que fossem depois ao seu escritório, na parte da frente da loja, tratar de política. Seus modos rudes escondiam suas emoções. Na cidade corriam histórias sobre sua generosidade, mas ele não permitia que ninguém lhe falasse sobre isso.

A cidade de Aracati estava ficando pequena para seus negócios. Voltava para casa pontualmente às sete e meia e depois do jantar contava seu dia a Emilie. Apenas a ela abria seu coração. Ficavam os dois no escuro da varanda, as redes trançadas de palha balançando na brisa, os vaga-lumes piscando verdes na escuridão da alameda de coqueiros.

Foi numa dessas noites que Emilie lhe confessou sentir muita saudade do Rio de Janeiro, de seus parentes e do mar de sua cidade. Queria que seus três filhos estudassem nos melhores colégios da capital. Foi o bastante para que Afonso Luiz, marido amantíssimo e fiel, providenciasse a mudança. Dois meses depois já estavam no vapor com os filhos e toda a criadagem.

Foram morar num belo casarão na Tijuca, famoso por suas dezessete janelas no corredor. Naquela época era o bairro elegante do Rio. E foi ali que Emilie revelou ao marido estar novamente grávida: "Se for mulher, levará o teu nome", Afonso Luiz decidiu naquele mesmo instante.

Nasceu Emília Aurora, Mimi, avó de Antonio Carlos. Foi cercada de todos os cuidados que a grande cidade proporcionava. Veio ao mundo ajudada pelas mãos eficientes de uma parteira. Foi um parto fácil e rápido e o bebê chorou pouco ao nascer, não precisando sequer da quase inevitável palmada. Tornou-se uma criança linda, muito loura, de grandes olhos verdes luminosos e pele de querubim.

Passeando de carrinho com Mimi, ainda bebê, por uma quieta rua do bairro, sua mãe, Emilie, foi parada por um transeunte que se impressionou com a beleza da criança: "Nunca vi faces tão rosadas, parece uma aurora." Quando a mãe a crismou, acrescentou-lhe este segundo nome.

Mimi foi criada por sua avó, Loló, depois que a mãe teve um desentendimento com a ama-de-leite. A ama fez uma má-criação para uma visita e foi despedida imediatamente. Loló, vendo a neta sem o peito que a amamentava, carregou na mesma hora babá e criança para sua casa. Combinou que devolveria a neta assim que as coisas se arranjassem. Isso nunca aconteceu. Mimi cresceu em meio ao luxo e à riqueza. Educação esmerada, piano, francês, bordado. Possuía ouvido absoluto, tocava "Catari" ao piano, cantando com voz de soprano.

Aos 15 anos ganhou da avó uma criada de quarto. Esta criada era responsável por tudo o que dissesse respeito à moça. Mimi nunca precisou guardar um só vestido no armário. Fiinha fazia tudo. Encerava as tábuas do assoalho até ficarem brilhantes como espelhos, trocava os lençóis de linho todos os dias. Era a única pessoa que tirava o pó dos abajures de opalina e guardava as jóias espalhadas na penteadeira. Tinha ainda a obrigação de lhe desapertar os espartilhos e passar a ferro as fitinhas de cetim de seus vestidos. Religiosamente trazia-lhe, todas as noites, uma bacia de prata com água cristalina, onde boiavam pétalas de rosas, para que ela retirasse qualquer vestígio de poeira que houvesse pousado em sua face de porcelana.

Mimi tinha 22 anos quando conheceu seu futuro marido, Azor Brasileiro de Almeida, o avô materno de Antonio Carlos Jobim. Ao contrário dos Pereira da Silva, Azor era de família muito modesta. Nascido em Capivari, São Paulo, foi criado em Dois Córregos, pequena cidade próxima. Registrado Azor de Almeida Leme, já homem feito trocou seu nome para Azor Brasileiro de Almeida, por amor à sua pátria e influência do positivismo, popular naquela época.

Maria Umbelina, mãe de Azor, cumpriu apenas seis meses de estudos. Era, segundo contam, inteligentíssima. Quando enviuvou, muito moça (o pai de Azor morreu de varíola aos 26 anos), Maria Umbelina viu-se sozinha e pobre, com três filhos para criar. Lutou bravamente para sobreviver. Mandava à rua os dois escravos que possuía para vender doces. Um parente aconselhou-a a vender seus escravos e com o dinheiro comprar uma casa. Foi o que fez. Alugou essa pequena casa aos Correios da cidade de Dois Córregos. Viviam deste aluguel e do parco ordenado que recebia já como agente dos Correios, condição exigida por ela para alugar a casa.

Azor começou a trabalhar aos 12 anos, criando em Dois Córregos a entrega domiciliar de cartas. Acordava muito cedo, atravessava a madrugada rumo à Estação, para buscar o saco da correspondência que o trem deixava.

Com o primeiro dinheiro ganho comprou um par de botas, e muitos anos depois contava rindo aos netos que havia andado de um lado para outro na loja, e não resistindo à tentação, pediu ao vendedor: "Moço... põe uma rangideira nela."

Estudava muito. Cursou primário e ginasial; dava aulas para os colegas mais atrasados. Aos 14 anos prestou concurso para ocupar uma vaga como funcionário dos Correios. Passou em primeiro lugar. Foi preterido por um familiar de pessoa influente. Sozinho, viajou de trem para a capital de São Paulo, conseguiu audiência com o diretor daquela instituição, e expôs o problema com jeito sereno e firme, exigindo o que lhe era de direito. Foi imediatamente nomeado. Ficou morando com duas tias por algum tempo. Uma delas, quando Azor chegava atrasado em casa, negava-lhe comida. Mas a outra, a tia Brasilina, guardava escondido para ele um prato de refeição.

Quando sentou praça, conheceu diversos estados brasileiros. Lutou no Nordeste, na Guerra de Canudos, contra Antônio Conselheiro. Na trincheira, perdeu um companheiro, que à noite, enquanto conversava com ele, acendeu um cigarro. A brasa do cigarro serviu de alvo para inimigo. Atingido mortalmente, seu corpo caiu sobre Azor que ainda tentou salvá-lo em meio ao tiroteio, sendo ferido por estilhaços de granada. Em sua volta, depois da batalha, foi condecorado por ato de bravura. Foi morar no Rio de Janeiro aos 20 anos e entrou para a Escola Militar. Foi a maneira que encontrou para poder continuar os estudos.

Participou também da Revolução Constitucionalista de 1932. Ficou preso no navio *Mocanguê*, por não abrir mão de suas posições democráticas. Foi nessa ocasião que adotou Brasileiro em seu nome.

Durante toda a sua longa vida, lecionou. Formou-se em Engenharia e Direito. Descendente de holandeses (Lemle), era bem-apessoado, traços regulares, olhos de diáfanas avelãs. Pele alva de estrangeiro, glabro, dizia que tinha "perna de macaxeira".

Esse avô Azor (*roza* ao contrário, na grafia antiga), teria grande importância na vida de Antonio Carlos Brasileiro de Almeida Jobim.

Num encontro na rua do Ouvidor, no centro do Rio de Janeiro, na famosa Confeitaria Colombo, Azor foi apresentado a Emília Aurora. Ela era irmã de seu colega da Escola Militar, Raul Emílio Pereira da Silva. Convidado por Raul a sentar-se com eles, Azor não se fez de rogado. O local era deslumbrante. O grande salão, cercado por altos espelhos, refletia e desdobrava imagens e luzes por todos os lados. Garçons, vestidos a rigor, passavam com bandejas de prata, levando às mesas finas iguarias. Os balcões em mármore de Carrara aparavam os embrulhos dos fregueses e seus grandes armários, revestidos com espelhos de cristal francês, davam ao templo da moda um cunho alegre e requintado. Na parede do fundo, uma escultura em carvalho, de uma caravela, lembrava a viagem de Cristóvão Colombo à América. Para completar, um céu de clarabóia em vitrais coloridos com trabalhos de artistas europeus, decorando toda a abóboda do salão.

Mimi, diferentemente das moças da época, era desenvolta e culta. Azor surpreendeu-se agradavelmente. Além do mais, era muito bonita. Mergulhou em seus olhos verdes sem qualquer timidez. Foi uma paixão fulminante e correspondida.

Casaram-se logo, sem nenhuma oposição da rica avó de Mimi, pois Azor era um homem encantador. Houve apenas uma exigência: que fossem morar com ela no grande casarão. E foi o que fizeram. Azor trabalhava muito. Além de dar aulas na Escola Militar, tinha alunos particulares em casa. Desdobrava-se, não queria que faltasse nada à sua Mimi. Desta feliz união nasceram quatro filhos: Nilo, Yolanda, Nilza e Marcello.

Mimi, além de muito espirituosa, tinha gênio forte e resposta pronta em qualquer situação. Sua presença de espírito ficou famosa. Estava no bonde, indo para o centro da cidade com seus filhos, quando Marcello, o caçula, sentado na ponta do banco, balançou tanto os pés que um dos sapatos voou para fora do bonde e caiu na calçada. Imediatamente Mimi se curvou, arrancou o outro sapato e atirou-o também na calçada. Nilza, espantadíssima, perguntou: "Por que você fez isso, mamãe?" E Mimi: "Porque assim, quem achar, poderá usar o par!"

Outra história que contavam dela, mostra bem sua rapidez de raciocínio. Uma amiga, invejosa de seu feliz casamento com Azor, inventou uma mentira:

— Você pensa que seu marido lhe é fiel? Pois saiba que já por duas vezes, quando vai para o trabalho, na condução, fica tentando namorar a Rosilda.

Mimi conhecia Rosilda, uma moça feíssima. Fingindo espanto e raiva, retrucou:

— É mesmo?... Pois agora, por castigo, eu espero que ele consiga!

A casa onde moravam tinha um quintal grande, cheio de árvores. Mangueiras, sapotizeiros, goiabeiras. Nilza e Marcello viviam encarapitados no alto das árvores, enquanto Yolanda ficava no quarto de costura, ajudando a mãe. Era tão quieta, que Azor às vezes lhe oferecia um níquel para que ela subisse numa árvore. Nilo, o mais velho, pálido e franzino, tinha uma enfermidade congênita no coração. Não podia correr nem brincar como os outros irmãos. Morreu aos 7 anos.

Depois desse triste acontecimento, Mimi revelou uma faceta até então desconhecida. Durante dois anos não abriu o piano e não deixava que ninguém cantasse em casa. Consumia seus dias entre a igreja e o cemitério. Yolanda, Nilza e Marcello acompanhavam a mãe quando ela ia levar flores ao túmulo de Nilo. Acostumaram-se a brincar de correr em volta das sepulturas. Sua depressão era tão grande que um dia Nilza perguntou:

— Mamãe, por que você não dá *nóis* pra d. Afonsina?

D. Afonsina era uma grande amiga da família que adorava crianças. Mimi só saiu desse profundo desgosto quando, um dia, o padre Alberto alertou-a:

— Deus aprecia a fidelidade de seus devotos, as muitas horas que a senhora passa aqui ajudando nos trabalhos da igreja. Mas acho que faria melhor e agradaria mais a Ele, se ficasse em casa, cuidando de seus deveres de mãe e esposa. Não se esqueça de que a senhora tem três filhos que não têm culpa de estarem vivos.

Essas palavras a despertaram de novo para a vida. E quando Nilza raspou todo o cabelo, vestiu as calças de Marcello e foi jogar bola com os meninos, ela pôde rir outra vez.

Nilza. Numa família de mulheres fortes e bonitas, foi sem sombra de dúvida a mais bela, herdeira natural do matriarcado das Emílias.

Ano de 1775. Família Jobim. A mando do rei de Portugal, José Martins da Cruz Jobim, nascido na freguesia de Santa Cruz de Jobim, no bispado do Porto, chegou ao Brasil como tenente dos Dragões. Veio defender as fronteiras do atual Rio Grande do Sul, um posto avançado do domínio português. Como recompensa por seus serviços na guerra do Prata, recebeu uma sesmaria de campo, estabelecendo uma estância de criação de gado na região de Rio

Pardo. Foi um dos primeiros fazendeiros na época da conquista do Sul, um dos fundadores da sociedade latifundiária rio-grandense.

Fez grande fortuna. Chegou a possuir mais de dez léguas de terras. Teve quatro filhos homens e três filhas mulheres em seus dois casamentos. O filho mais velho, conselheiro José Martins da Cruz Jobim, doutor em medicina, formado em Paris, foi fundador e diretor da Faculdade de Medicina do Brasil, médico da Casa Imperial e senador do Império. Tinha grande consciência familiar e pesquisou suas origens. Localizou as raízes européias da família Jobim. Nobreza militar, originária da França, que aparece em um dos brasões:

"Em campo azul um cavaleiro armado, de prata: chefe, de ouro, carregando uma cruz vazia, florenciada de vermelho." (Registrado no Cartório da Nobreza, livro VI, fls. 50 a 2-IV-1862).

Brasão de armas da família Jobim (primitivamente Joubin, Jovim), estabelecida no Rio Grande do Sul desde o século XVIII. Representada no Império do Brasil pelos quatro irmãos: Antônio Martins da Cruz Jobim, barão de Cambahy; doutor José Martins da Cruz Jobim, conselheiro e senador do Império; comendador Francisco Martins da Cruz Jobim e Manuel Martins da Cruz Jobim, grandes senhores rurais.

Suas três filhas do segundo casamento foram: Maria Joaquina Martins da Cruz Jobim (Maricota), nascida em 1815, Ana Maria e Isabel. Maricota foi a bisavó paterna de Antonio Carlos Jobim. Casou-se com um português fazendeiro, Bento José de Oliveira. Desta união nasceu o avô paterno de Antonio Carlos, Francisco Martins de Oliveira Jobim. Francisco, por sua vez, casou-se com Antônia Cândida da Trindade. Tiveram oito filhos: Maria Cândida, Luiz Augusto, Tereza, Francisca, Urbana, Julieta, Eliezer e onze anos depois dele, o temporão Jorge de Oliveira Jobim, pai de Antonio Carlos. Antonio Carlos Brasileiro de Almeida Jobim fazia parte da sexta geração dos Jobins no Brasil.

Jorge de Oliveira Jobim nasceu em São Gabriel, Rio Grande do Sul, em 23 de abril de 1889. Começou seus estudos em São Gabriel, foi secundarista em Porto Alegre e formou-se bacharel em Direito no Rio de Janeiro, pela Escola Livre, no ano de 1910.

Seguiu carreira diplomática, sendo primeiro secretário das legações em Quito, Buenos Aires, Lima, Valparaíso, e encarregado de negócios na Embaixada Brasileira no Peru, último cargo ocupado por ele no exterior. Devido a licença médica do embaixador, chegou a substituí-lo, assumindo a embaixada. Não suportou a solidão. Sofria de saudades do Brasil. Voltou para Porto Alegre, onde recomeçou a trabalhar como professor-assistente da cadeira de Direito Internacional.

Conheceu Nilza Brasileiro de Almeida em Porto Alegre, onde o capitão Azor, atendendo a ordens militares superiores, foi dirigir minas de carvão. Tinham nessa época uma boa situação e Mimi era uma mulher requintada. Nunca faltou à mesa, sobre a toalha de linho branco, a melhor louça, os talheres de prata, e os finíssimos copos de cristal para os vinhos.

Marcello resolveu parar de estudar. Azor, imediatamente, colocou-o como balconista numa mercearia da cidade. Era uma cena inusitada, quando no final da tarde, o Chevrolet com o motorista da família ia buscá-lo de volta para casa. Dois meses depois, Marcello achou melhor voltar aos estudos.

Jorge, aprovando a atitude do futuro sogro, tinha longas conversas com Marcello sobre música e poesia. Isso o aproximou mais da casa. Tinha 36 anos e era um belo homem.

Nilza tinha 15 anos, e possuía os mesmos olhos verdes luminosos de sua mãe Mimi. Tocava violão e cantava, com muita afinação e graça, em saraus familiares e círculos culturais. Começou aí seu turbulento namoro com Jorge Jobim.

Ao final de seu tempo de serviço no Sul, Azor voltaria com a família para o Rio de Janeiro. Jorge, já perdido de amor por Nilza, pediu-a em casamento. Casaram-se em 1926, em Porto Alegre. Uma grande festa na sociedade gaúcha, às vésperas do retorno para o Rio. Jorge agregou-se à família.

Houve um descompasso nesse casamento: a enorme diferença de idade entre eles. Jorge Jobim era um homem profundamente angustiado. Possessivo, desconfiado e ciumento. Possuía vastíssima cultura e talento, mas por seus problemas emocionais, deixou-se ficar como funcionário do Ministério da Educação, trabalhando como inspetor de ensino no Rio. Em solteiro, grande boêmio; recém-casado, já entediado para a vida social. Contam que voltou da lua-de-mel brigado com Nilza, por ciúmes, faltando ao jantar, repleto de convidados, com que Azor e Mimi pretendiam homenageá-los. Elegantíssimo e vaidoso, tinha hábitos muito peculiares: antes de começar a andar, olhava para o chão, como que para evitar um possível obstáculo. Possuía uma mala repleta de remédios, gostava de ler bulas. Amava os dicionários e consultava-os com freqüência. Atitudes estas que iriam se repetir em seu filho Antonio Carlos.

Poeta, escritor, crítico e jornalista, realizou conferências literárias, colaborou na imprensa do Rio de Janeiro e de Porto Alegre. Deixou livros de poesias e trabalhos inéditos. Poeta parnasiano, apreciador de Olavo Bilac, discípulo dileto do poeta Alberto de Oliveira. Foi condecorado com a Ordem do Rei Leopoldo por Alberto I, rei da Bélgica, em sua visita ao Brasil.

Teve com Nilza dois filhos: Antonio Carlos e Helena Isaura. Faleceu aos 47 anos, no Rio de Janeiro, em 19 de julho de 1935, na Casa de Saúde Dr. Eiras, de súbita e fulminante parada cardíaca.

Vinte e três cromossomos do pai, 23 cromossomos da mãe. Carregam em seus núcleos os genes determinantes das características do indivíduo. Antepassados enviam antiqüíssimas mensagens, códigos que os genes abrigam e transportam. Minúsculos corpúsculos buscam o grande centro à espera. Somente um mergulha ali a sua mínima, preciosa luz.

O bebê nasceu em casa às onze e quinze da noite, na rua Conde de Bonfim, 634, no bairro da Tijuca. A casa lembrava vagamente uma igreja, com uma ogiva em sua fachada. Na frente, um jardim mínimo cercado por grades e um portão de ferro. Um grande pé de oiti debruçava-se sobre as janelas. Era um menino. Dr. Graça Mello assistiu o parto demorado, difícil. Por uma curiosa coincidência, este médico foi o mesmo que, anos atrás, havia feito o parto do grande compositor Noel Rosa.

Moravam todos juntos: Azor, Mimi, Yolanda, Marcello, Nilza e Jorge. O irmão de Nilza, Marcello, tinha nessa ocasião 15 anos. Havia um conserto num cano da rua e faltou água naquele quarteirão. Cello foi mandado de táxi com panelas e baldes à casa de tia Sinhá, irmã de Mimi, que morava perto. Afobado, derrubou o primeiro balde no meio da escada e se molhou inteiro.

Dr. Graça Mello pedia café a todo instante. O pó tinha acabado. Yó, a um último pedido do médico, recolheu disfarçadamente os restos de cada xícara, juntou com um pouco d'água e requentou. Deu exatamente para mais uma xicrinha, que ela levou vitoriosa ao dr. Graça Mello, depois de tirar uma minúscula mariposa que boiava ali.

Antonio Carlos Brasileiro de Almeida Jobim nasceu com quatro quilos, mas era um bebê magro. Media quase sessenta centímetros. Enrolaram-no numa toalha para Nilza não ver que ele tinha um lado do queixo afundado e uma parte mais alta no crânio. O médico explicou: "Ele deve ter ficado com o maxilar esquerdo apoiado no osso da bacia da mãe. Mas isso conserta com o tempo." Nilza chorava olhando aquele filho que nascera com os olhos muito abertos e as pestanas retas. Dois meses depois já estava gordo e bonito, perfeito. Nilza tinha muito leite e a criança era voraz.

Foi batizado Antonio Carlos em homenagem à mãe de Jorge, Antonia. Seus padrinhos foram seus tios Yolanda e Marcello.

Jorge quis logo ir a Porto Alegre mostrar o filho às irmãs. Por essa época, seus pais já haviam morrido. Nilza concordou e foram os três de navio. Depois, Jorge não quis voltar para o Rio de Janeiro. Mas não era o combinado. Afinal, Nilza e Jorge retornaram com o filho para a casa da Tijuca. Quando o menino completou um ano houve uma grande festa.

Pouco tempo depois, por questões financeiras (Jorge ganhava pouco e os alunos de Azor haviam escasseado), mudaram-se para Ipanema. O bairro era na época um grande areal. Por sua praia quase deserta corria um vento livre açoitando as pitangueiras. Havia poucas casas e nenhum prédio construído. Instalaram-se em uma casa alugada na rua Barão da Torre, rua ainda de terra, perto do Bar Vinte, ponto final do bonde.

Não havia postos de salvamento na praia de Ipanema. Iam a pé tomar banho de mar no Posto Seis, em Copacabana. Antonio Carlos, montado no pescoço de seu tio Marcello, acompanhado por sua mãe e sua tia. Jorge aborreceu-se com Nilza. Não gostava que a mulher saísse sem ele. Mas Nilza, com apenas 18 anos, era voluntariosa. Continuou indo à praia com o filho e os irmãos.

Jorge, com seu ciúme doentio, tentava cada vez mais tolher a liberdade de Nilza. Proibiu-a de usar roupa de banho e de nadar. Ela era uma exímia nadadora e adorava o mar. Depois, não permitiu que usasse qualquer pintura no rosto. E quando chegava alguma visita em casa, se fosse homem, mandava que fosse para o quarto. Foi apertando o cerco cada vez mais, até chegar ao ponto de não deixá-la ir sozinha ao armarinho da esquina.

Muitas vezes, quando Jorge chegava em casa, Nilza ia fazer alguma costura. Jorge tirava seu terno, ia para o banho, voltava para o quarto, vestia o pijama. Era seu hábito ficar em casa de pijama. Quando se sentava na sala, só então, Nilza, de pirraça, dizia que faltava uma linha de costura. Ele se vestia de novo, e a acompanhava até o armarinho. Outra vez em casa, outra vez de pijama, Nilza dizia que tinha se esquecido dos alfinetes. Jorge mais uma vez era obrigado a se vestir. Essa situação não podia perdurar. Ele avisou que ia descansar uns dias em Petrópolis. Foi e não voltou. Desapareceu assim, sem carta ou notícia, abandonando o filho e a mulher.

Angustiada e saudosa, Nilza recebeu todo apoio de Azor e Mimi. Meses depois de tê-la deixado, Jorge mandou buscar seus livros. Nilza entregou ao mensageiro um bilhete ferino — dizem que ditado por sua mãe: "Tratada como qualquer rapariga, vendi seus livros para meu pagamento. Foi pouco. Meu preço é maior."

Jorge ficou ausente de casa por quase dois anos. Anos de grande sofrimento. Começavam a se acentuar os sintomas de sua doença nervosa. Um belo dia apareceu, não sem antes mandar perguntar a Nilza se o aceitaria de volta. Ela respondeu com a frase daquele tempo: "A mesma porta que você deixou aberta ao sair, continua aberta."

Mudaram-se para a travessa Trianon, transversal à Siqueira Campos, em Copacabana. Era uma rua sem saída, com casas de um lado só. Moravam na última. Tinha apenas um andar, mas era grande, com vários quartos. A ausência de Jorge fez com que Antonio Carlos se apegasse ainda mais à mãe, aos avós e aos tios. Jorge, ciumento como era, não pôde compreender o afastamento do filho. Não soube cativá-lo. Em vez disso, distanciou-se dele.

Vovó Mimi era louca pelo neto. A criança era o centro das atenções da casa. Com um ano aprendeu a cuspir. Até que um dia resolveu cuspir na avó. Nilza ralhou com o filho. Mas Mimi aceitava tudo dele:

— Em mim ele pode cuspir. Isso é uma coisa entre nós dois.

Muito pequeno, já possuía noção de ritmo. Era moda incentivar a exibição das crianças. Diziam para ele: "Acabou-se o que era doce, quem comeu arregalou-se." Ele repetia, errando as palavras, mas mantendo o ritmo: "Aabo-se doce, quem comeu a,a,a,o-se." Ensinavam a Antonio Carlos versos que ele recitava no meio da sala para as visitas: "A mote, a mote... déia niguém icapa. Icapo eu! Pego uma panéia, meto-se dento déia, a mote vem... aqui não móia niguém..." (A morte, a morte... dela ninguém escapa. Escapo eu! Pego uma panela, meto-me dentro dela, a morte vem... aqui não mora ninguém...) Com três anos ganhou um automóvel de pedal. Puxou o carro para dentro de casa e começou a martelar a lata do brinquedo. E quando sua mãe reclamou, argumentou com muita lógica: "Esse automóvel é meu ou não é meu? Se é meu, eu posso martelar."

Nilza era ainda uma adolescente. Às vezes fazia de seu filho um brinquedo. Num carnaval, vestiu-o de holandesa e fotografou-o sentadinho no degrau da cozinha. Inventou para ele o nome de Jandira. Muito mais tarde, olhando a foto, ele costumava dizer, meio sério, meio rindo, que por pouco deixara de se tornar homossexual. Mas pelo hábito de sua mãe, talvez premonitório, de fotografar o filho, Antonio Carlos foi fotografado em todas as fases da infância, desde o seu nascimento.

Antonio Carlos só dormia ouvindo música, embalado em uma cadeira de balanço. Mimi ou Nilza cantavam e tio Marcello acompanhava ao violão. Certa noite em que o tio não estava, Nilza começou a cantar e o menino reclamou. Sentiu falta do violão. O avô Azor — que era muito desafinado e dizia que não conseguia assobiar nem o Hino Nacional — teve que pegar o violão de Marcello e passar os dedos nas cordas fazendo qualquer som. Só assim a criança dormiu.

Em outra ocasião, Antonio Carlos insistiu durante vários dias para que lhe cantassem "*avia fala*". Levaram algum tempo até descobrir a música que o menino queria: "Mulher querida, desconhecida, a quem a vida no mar salvei... quero encontrá-la, *ouvir-lhe a fala*, quero adorá-la com louco ardor..."

Antonio Carlos gostava de escolher as músicas para ser adormecido: "Saloia", "Boi surubi", "Pobre peregrino", "Casinha pequenina", "Minha terra", "A cabocla"...

A constante dessas músicas era quase sempre o amor entre um homem e uma mulher, junto à natureza. Florestas, pássaros, rios, índios, mar, vento. Era um menino extraordinariamente contemplativo. Ficava um tempo infinito sentado no degrau da cozinha, olhando para o céu, para o quintal cheio de árvores. Nestes momentos se isolava de todos. Se o chamavam de dentro da casa, não ouvia, olhando para o tempo, muito quieto. Uma prima de Mimi dizia que gostaria de ver "as coisas lindas que Antonio Carlos vê".

Um mês depois de completar 4 anos, nasceu sua única irmã, Helena Isaura. Antonio Carlos não demonstrou qualquer ciúme. Ao contrário, apegou-se a ela e a protegia em qualquer situação. Essa ternura e esse cuidado foram uma constante em toda a sua vida.

Antonio Carlos ainda não tinha completado 5 anos quando, no dia 17 de agosto, Mimi morreu de infecção, depois de uma cirurgia de hérnia abdominal. Tinha 53 anos. Antonio Carlos sentiu grande falta da avó: "Minha avó não volta nunca mais?", perguntava constantemente. Disseram a ele que ela estava se tratando em um sanatório, até que esquecesse a avó que adorava.

Depois da morte de Mimi, Azor passou um tempo mergulhado em melancolia. Nunca mais pensou em outra mulher. Nilza, tentando minorar a dor do pai, resolveu mudar-se daquela casa que tanto lembrava sua mãe. Foram para a rua Constante Ramos, 68, no mesmo bairro. Era um simpático sobrado de janelas verdes, num quarteirão próximo ao mar. Antonio Carlos continuava mais ligado ao avô do que ao pai. Era a figura masculina mais importante e presente em sua vida.

O menino já tinha liberdade para sair sozinho. As ruas eram pouco movimentadas. Ia olhar o mar ou assistir às matinês no cinema próximo a sua casa. Ao mesmo tempo que possuía essa independência, mostrava em certos momentos uma grande insegurança. Não podia ouvir a mãe contar qualquer caso sem interrompê-la: "E eu? E eu?..." Queria estar presente em todos os acontecimentos. Afirmava ter assistido ao casamento dos pais. A mãe o contestava: "Meu filho, você ainda não havia nascido. Não podia estar lá." Ele se afligia: "Eu estava mamãe, eu estava!... Vestido com a minha marinheirinha azul."

Desenhava muito e ficava desesperado quando não entendiam seus desenhos. Corria para a mãe e mostrava o papel: — O que é isso, o que é isso? A mãe res-pondia: — É um morro. — Não é um morro não! — Então é um chapéu?... Antonio Carlos se exaltava: — Também não é um chapéu não. É uma casa! A mãe concordava, paciente: — Ah... é mesmo. Mas sem porta e janela? O menino ficava muito nervoso: — Aqui nessa casa ninguém entende nada de desenho.

Certa manhã, resolveu fugir. Arrumou em sua lancheira um pão, um pedaço de queijo e biscoito. Estava muito ofendido. Repetiu para tia Yó:

— Aqui nessa casa nada dá certo e ninguém entende de desenho.

Quando deram por sua falta estava quase chegando à rua da praia. Nilza correu atrás do filho. Alcançou-o e foi andando atrás dele, tentando convencê-lo a voltar:

— Mas o que é que você vai fazer quando sua comida acabar?

Tom respondeu dramático:

— Vou andando, andando... até cair!

Mas olhando de repente o rosto transtornado da mãe, teve pena. Começou a caminhar mais devagar e quando viu, já estava de mão dada com ela, voltando para casa.

Jorge tinha, como grande amigo, o pintor Oswaldo Teixeira. Presenteava Jorge com seus trabalhos. Desenhou Tom dormindo em um sofá de sua casa. As dedicatórias eram extremadas: "A Jorge Jobim, pai de um príncipe toscano, grande plástico da língua e vigoroso escultor de ritmos." Outra, que a família guarda até hoje: "Ao poeta e amigo J.J., mago oriental da prosa e feiticeiro sutil de poemas alados."

Antonio Carlos tinha 7 anos quando seu pai abandonou o lar pela segunda vez. Nilza e Jorge já dormiam em quartos separados. Ele estava muito doente dos nervos. Durante o ano que ainda viveu, só pôde buscar os filhos para passear uma vez. Já estava fora de casa havia um ano.

Foi internado na Casa de Saúde Dr. Eiras, em Botafogo. Sua angústia tornara-se insuportável. Contam que da rua ouviam-se seus gemidos. Naquela época a medicina ainda não dispunha de tratamentos que pudessem ajudá-lo o bastante.

O pintor Oswaldo Teixeira visitava-o sempre. Foi a ele que Jorge confidenciou:

— Venho acompanhando o meu estado há algum tempo. Noto que minha afetividade está desaparecendo. Se tu chegasses aqui e me dissesses: "foi atropelado fulano ou beltrano, aqueles grandes amigos", eu não sentiria nada. A única coisa que ainda me liga à vida és tu, que vens aqui todos os dias, e meus filhos pequeninos, Antonio Carlos e Helena.

Pegou sobre a mesa-de-cabeceira umas folhas de papel e entregando-as ao amigo, completou:

— São versos que escrevi para eles. Guarde-os. E quando eu me for deste mundo...

Oswaldo Teixeira interrompeu-o:

— O que é isso Jorge? Ainda ficaremos por aqui muito tempo.

Jorge sorriu tristemente:

— Não posso viver com Nilza e não posso viver sem Nilza.

Na calçada da Casa de Saúde Dr. Eiras, o pintor Oswaldo Teixeira leu emocionado a poesia que Jorge Jobim acabara de lhe entregar:

Felicidade

Por cima justamente do meu quarto
É que fica o aposento onde meus filhos,
Fortes e lindos, mansamente dormem,
Cheios de graça, o sono da saúde.
Ele, cansado de ferir batalhas
Com soldados de chumbo, e ela, cansada
Da cirandinha e o anel que tu me deste,
Com a noite buscam a fofêz do leito.
E, por dormirem cedo, acordam cedo;
De maneira que, às vezes, quando a aurora
Mal embranquece os vidros da janela,
Ei-los soltos os dois; a pequenita,
Descalça ainda,
Com o seu andar miudinho
De boneca de mola,
Vai e vem pelo quarto, e tagarela.
O garoto, entretanto,
Com pé mais firme e mais pesado,
Já consegue fazer que, com seu passo,
Tremam de leve as tábuas de assoalho.
E ouço às vezes cair um objeto,
Estalar uma límpida risada
Ou bater uma porta.
O que, porém, mais me enche de alegria
É muitas vezes, quando veem raiando
As madrugadas frescas e doiradas,

Senti-los a cantar lá em cima os dois,
A cantar e a pular nesse sadio
Transbordamento da vitalidade,
De que se orgulham tanto os pais que se amam.
E eu cá de baixo, do meu quarto exíguo,
Que ainda está na sombra,
Tenho a impressão estranha mas feliz
De que sou a raiz,
Dolorosa e obscura,
De uma árvore pujante,
Em cujos ramos,
Cheios de orvalho ou pranto,
Dois ágeis passarinhos encantados
Soltam lá em cima a voz, e, saltitantes,
Riçam as penas, festejando a Vida.

Ha certas madrugadas em que eu deixo
De ser do Volga um mísero barqueiro,
E sou, entre os coxins, as púrpuras e as sedas,
Um príncipe feliz das Mil e uma noites...

Jorge Jobim
24-10-933

Tinha acessos de alucinações tão fortes que lhe aplicavam injeções de morfina. Seu coração se enfraquecia. Queixava-se constantemente de solidão e abandono.

Na véspera de sua morte, seu amigo Oswaldo Teixeira esteve com ele. Jorge disse:

— Estou acabado, Oswaldo.

Morreu dormindo.

O avô Azor chamou o neto para conversar. Estavam os dois sozinhos em casa e chovia muito. De manhã, Antonio Carlos havia surpreendido a mãe chorando. Sentou-se na velha poltrona de couro, de frente para o avô. A tarde cinzenta deixava ver do lado de fora a água escorrendo pelas vidraças. O menino sentiu frio. Sentiu que alguma coisa ruim ia ser dita para ele naquele momento. Nunca vira o avô tão atrapalhado. Num jorro, Azor contou ao neto tudo o que havia acontecido. Buscou as palavras mais adequadas para um menino de 8 anos. Difícil falar da morte. De olhos muito abertos, fitando o avô, Antonio Carlos disse:

— Não me importo não — e um pouco consolando o avô: — A gente quase não conhecia ele, não é?

Mas de noite teve pesadelo e gritou. Azor socorreu o neto. Nilza tinha o sono pesado. O menino ficou agarrado às mãos de Azor. No dia seguinte, disse para a mãe que as mãos do avô eram boas e peludas como as de Kala, a macaca que criou Tarzan.

Depois da morte de Jorge, Nilza passou por uma grande depressão. Apesar de jovem e muito bonita, achava que a vida tinha acabado. Enchia cadernos de versos amargos e chegou a procurar um médico psicanalista.

A casa da rua Constante Ramos entrou em reforma. Bem em frente havia uma pensão com um jardim imenso. Era a pensão de d. Josefina e d. Adelaide, tias solteironas de João Lyra Madeira, futuro marido de Yolanda. A família mudou-se para lá durante algum tempo. Para Antonio Carlos e Helena foi uma época muito feliz. Ali esqueceram a tragédia da orfandade. Ou pensaram ter esquecido. Ele corria de bicicleta pelas alamedas sombreadas, subia nas árvores, apanhava sapotis e carambolas. Ela andava de velocípede, tentando alcançar o irmão. Adorava-o. Não sabia ainda falar Antonio Carlos e chamava-o de Tom-Tom.

Nesse mesmo ano, Tom entrou para o Colégio Mallet Soares, em Copacabana. Alfabetizou-se rapidamente pelas mãos de Fabíola Araújo. Era um aluno inquieto. Nasceu canhoto e tornou-se ambidestro. Naquele tempo forçava-se as crianças a usarem a mão direita. Ele aprendeu. Durante toda a sua vida usou com desembaraço as duas mãos. Escrevia com a direita e desenhava com a esquerda.

O perfeccionismo era desde então uma característica de Antonio Carlos Jobim. Na escola, as redações perfeitas, a tal ponto que uma professora duvidou da autoria de uma delas. "Autobiografia de um gavião", em que o menino se punha como sendo um gavião de penacho, fugindo dos tiros dos homens matadores. Em seus cadernos escolares, inventava e desenhava histórias completas, tendo sempre por tema os bichos.

Celso Frota Pessoa era muito amigo de Marcello, irmão de Nilza. Começou a freqüentar a casa. Tinha 25 anos, a mesma idade dela. Era um matemático, com idéias socialistas, agnóstico. Moreno, cabelos e olhos muito escuros, um tipo bem brasileiro. Sem ser bonito, possuía magnetismo, inteligência e equilíbrio. Exímio enxadrista, enfrentava dois adversários de uma só vez, jogando de costas para os tabuleiros. Quase sempre vencia.

Deviam se passar alguns anos, antes que um descobrisse o outro e se apaixonassem. Aos poucos, Celso a conquistou. E o amor tranqüilo que ela não tinha conhecido com Jorge, descobriu maravilhada com Celso. Ele era simpático e gentil. Jamais a ofendia e confiava nela. Resolveram se casar. Nilza pediu licença ao filho. Antonio Carlos autorizou.

Nilza foi feliz nessa união. Celso amou Tom e Helena profundamente. Em todos os momentos de sua vida, os estimulou e compreendeu. E seria ele, alguns anos mais tarde, quem primeiro acreditaria no grande talento musical de Antonio Carlos Jobim, ajudando-o em sua difícil decisão de tornar-se músico.

Paulo Emílio, irmão de Mimi, tinha com sua mulher Isaura um grande hotel em Javari, perto de Miguel Pereira. Eram os padrinhos de Helena. Quase todas as férias, os irmãos iam para esse lugar paradisíaco. Havia um grande açude, belo e misterioso, rodeado de eucaliptos. Suas águas de garapa escondiam um segredo no fundo. Era o que contavam no lugar. Tom atravessava o bosque que rodeava este açude, pisando as folhas secas que estalavam sob os pés. Brincava de carrapeta com as cascas das sementes e procurava pássaros por ali. Diziam que eles não faziam ninho no lugar por causa do odor forte que emanava dos grandes pés de citriodoras, que muitos anos depois Tom reconheceria como "cheiro de sauna".

Rabilongas subiam feito macacos nas árvores, saíras chegavam para se embriagar do néctar das florações brancas. Algum sanhaço no alto das copas, guachos negros. E o zumbido azul das abelhas. De tardinha, no eucalipto mais alto, um jacu vinha dormir.

Iam para Javari de trem. Era preciso fazer baldeação. Alvoroçados, Tom e Helena viam os pais pegarem rapidamente as malas no porta-bagagem. Corriam atrás, sempre com um pouco de medo de perder o outro trem. E o susto com o chiado forte do escape do vapor quente da locomotiva, as luzes embaçadas. O cheiro da noite na estação. Meninos gritavam: "Creme de Vassouras! Creme de Vassouras! Quem vai querer?" Era um queijo branco que vinha numa caixa redonda de madeira. Vendiam também cachos dourados de banana-ouro. Já acomodados no segundo trem, os corações se tranqüilizando, comiam deliciados aquelas bananas pequenas, dulcíssimas.

Nilza foi assídua em Javari. Primeiro com Jorge, depois sozinha com os filhos, e mais tarde com Celso. Era inventiva, de imaginação muito fértil. Sem dúvida, era também uma artista. Além do violão e das canções, chegou a pintar alguns quadros e escrever versos. Mas não se dedicou a nenhum desses dons. Fazia parte dela — o que era também um dom — rir de si mesma. Costumava dizer, divertida, que era a "falsa baiana". Mas tudo em que botava as mãos saía bem. Tinha prazer em enfeitar a casa, costurava, fazia tricô, cozinhava divinamente. Muito mais do que isso, Nilza foi a mãe de Antonio Carlos e Helena Isaura, e a mulher de Celso. E sem dúvida, com seu desmedido amor por todas as crianças, foi também a brilhante professora e fundadora do Colégio Brasileiro de Almeida, ao qual se entregou de corpo e alma.

Suas distrações ficaram famosas na família. Numa reunião, apresentou sua irmã Yolanda a um amigo: "Essa é Nilza, minha irmã", para o riso de todos. Trocava os nomes das pessoas constantemente. Parecia viver no mundo da lua. Foi levar seu filho a um médico que ela conhecia há anos. Quando entrou no consultório com Tom, chamou o médico de dr. "Agrião". O médico, espantadíssimo, retrucou: "Aragão, minha senhora." Nilza, completamente distraída, repetiu: "Doutor Agrião." E o médico de novo: "Aragão!" Quando saíram do consultório é que Tom pôde rir. De outra vez, na loja de um famoso sapateiro, chamou-o o tempo todo de sr. Pacelli. O homem corrigia, impaciente: "Spinelli, minha senhora." Mas não adiantava. Ela continuou chamando-o, a vida inteira, de Pacelli.

Em Javari, acordavam muito cedo. Mal raiava o dia, Tom estava pronto para pular da cama. Pegava um copo na cozinha, corria para o curral atrás das cocheiras. Bebia o leite tirado na hora. Às vezes cavalgava sozinho de madrugada para assistir ao nascer do sol, atrás do morro. No carnaval brincava com a irmã no grande salão do hotel, fantasiados de ciganos.

Uma noite foi ver os hóspedes jogarem sinuca. Era tarde, havia poucas pessoas ali. De repente, entrou cambaleando na sala o gerente do hotel. Tinha as duas mãos sobre o ventre, onde se via cravado um facão de cozinha. Andou alguns passos e caiu. Uma mulher começou a gritar. Um homem disse: "Foi o cozinheiro, o Ângelo, peguem ele!" Tom fugiu. Chegou ao chalé ofegante e assustado. Celso o fez beber um cálice de vinho do Porto. Ele tremia.

Helena acordou, chegou à porta da sala. Queria saber o que tinha havido. Ele se controlou. Disse para a irmã: "Vai dormir... não aconteceu nada."

Mas vomitou de noite e teve febre três dias seguidos.

Outra experiência traumatizante na adolescência de Tom aconteceu em Garça, cidade do interior de São Paulo, onde o irmão de Azor tinha uma grande fazenda. Tom e Helena adoravam ir para lá. Na cama de casal dos tios-avós, muito antiga, havia um enorme colchão e grandes travesseiros feitos de penas de peito de ganso. Brincavam de pular ali, e quando se cansavam, deitavam e dormiam naquele colchão que de tão macio afundava e quase se fechava sobre eles.

Nessas férias chegou Paulo, primo dos dois e futuro marido de Helena. Trazia com ele uma arma de caça. Ofereceu-a a Tom para experimentar. Garoava mas, mesmo assim, os primos foram para o quintal treinar tiro ao alvo. Paulo deu vários tiros e, sendo bom de pontaria, acertou quase todas as balas no centro do alvo. Depois passou a arma para Tom. Hesitante, Tom tentou imitar o primo mais velho. A chuva já caía forte e um vapor branco subia do chão. A roupa colava-se ao corpo. Paulo disse:

— Atira!

Tom atirou, procurando, sem enxergar muito bem, o alvo preso ao tronco de uma árvore. Ouviu-se um ganido forte. Eles correram na direção do som, assustados. Debaixo do alvo, o cachorro de Paulo estava caído. Durante alguns segundos, sob efeito do choque, Tom ficou imóvel e um grande silêncio o rodeou. Paulo se abaixou para examinar o cão. Disse baixo, contendo-se:

— Está morto. A bala pegou bem na cabeça. Vou chamar o Tião para me ajudar a enterrá-lo — e depois de uma pausa: — Isso acontece.

Quando, algum tempo depois, Paulo voltou com o empregado da fazenda, Tom estava deitado de bruços no chão, soluçando. Foi impossível para Paulo convencê-lo a sair dali. A chuva aumentava. Tom chorava muito:

— Matei o Valente... matei o Valente...

Apesar de sentido com a morte do cão, Paulo comoveu-se com a dor do primo:

— Não fique assim... você não teve culpa... fui eu que te mandei atirar...

Tom chorava cada vez mais. Paulo tentava levantá-lo:

— Vamos para dentro. Você tem que tomar um café quente.

Mas Tom não ia. Imóvel, debaixo da chuva forte, continuava inerte, soluçando.

Paulo foi correndo chamar Celso, que veio logo, e levou Tom para dentro de casa.

Rua Sadock de Sá, 276, entre a Lagoa e o mar. Uma casa cinzenta de pó de pedra, de dois andares. Na porta dormia o velho Chevrolet preto, empoeirado. Um *flamboyant* vermelho. Muitas amendoeiras. As crianças faziam guerra de amêndoas na calçada. No andar de cima moravam a tia Yolanda com o marido João e os primos Marcello e Lúcia. No andar de baixo, Nilza com seu segundo marido, Celso, Tom, Helena e o avô Azor.

Foi com o avô que Tom fez suas primeiras incursões na mata da cidade, subindo o morro do Cantagalo no final da rua. Aprendeu com ele sobre os ventos, sobre as águas, os bichos, o nome dos pássaros, o canto de cada um. Aprendeu também sobre muitas plantas, árvores, pau-de-abraço que ainda havia por perto. Começava aí sua identidade com a natureza, seus grandes passeios solitários pelas montanhas que circundam o Rio de Janeiro. Levava sempre com ele sua espingarda de chumbinho. Caçava rolinhas para comer.

Como um pássaro, olhava de cima sua cidade. De dentro da mata, avistava a fantástica aquarela: a Lagoa, o branco areal recortado de espumas, o mar das safiras, as ilhas, os grandes transatlânticos que pareciam imóveis na linha do horizonte. Isso passou a ser parte dele.

Percebeu que as pessoas ficavam assustadas com sua espingarda. A cidade crescia e ele tinha que atravessar ruas e mais ruas carregando a arma. Escolheu um lugar na boca da mata para enterrá-la. Subiu o morro dos Dois Irmãos, parou junto a um enorme jequitibá, num lugar chamado Sétimo Céu. E entre suas profundas raízes, escondeu a arma.

Sem saber, já sabia, que um dia não precisaria mais caçar.

O bonde passava por toda a praia de Copacabana. Tom voltava do colégio olhando o mar, a brisa salgada no rosto. Quando o bonde chegava à praia de Ipanema para dar a volta na praça General Osório, entusiasmava-se. Via seu mar. Sua praia. Observava as ondas para saber se mais tarde poderia nadar. Sua identidade com o grande oceano fez dele um escoteiro do mar. Todos os domingos se reunia com os colegas para os treinamentos.

A vida era boa. De tarde tinha lanche em casa, de mesa posta. A mãe chamava. Tom prendia a linha da pipa na goiabeira do terreno baldio que dava para a Lagoa. Enquanto lanchava, espiava pela janela da copa a pipa parada no ar. Ele mesmo as fazia, com perfeição. Comprava linha Urso, no Bazar Enigma. Dois carretéis, para a pipa viajar bem alto. E papel de seda de todas as cores.

Subia o morro do Cantagalo buscando a moita de taquaruçu. Trazia gomos grandes de bambu para casa e sentava-se à mesa com tudo o que era necessário para a delicada construção. O canivete afiado preparava as varetas, depois cuidava do equilíbrio da armação com a linha e finalmente ia para a cozinha fazer a cola de farinha de trigo. Esticava bem o papel para a pipa não trepidar. Gostava de sentir o vento na mão. O vento constante na pipa levava-o a uma convivência estreita com o espaço.

Natal e Ano-Novo eram muito festejados na família de Antonio Carlos e Helena. Nilza ia à chácara de plantas e comprava um pinheiro vivo, plantado em uma lata. Cobria a lata com papel celofane vermelho e colocava-a junto da janela que dava para a rua. Tirava do armário do corredor as caixas guardadas desde o último Natal, com os filhos atrás dela, pedindo para ajudar. Em cima da mesa de jantar as caixas eram abertas e os irmãos iam prendendo, junto com a mãe, as bolas cintilantes. Depois ela trazia o rolo de algodão que esgarçava em pedaços e dava para os filhos colocarem sobre os ramos verdes, fingindo neve. Finalmente, enrolavam por toda a árvore um fio comprido de pequenas luzes, que acesas, piscavam. E na escada de madeira que dava para o segundo andar, penduravam fios coloridos e pequenos enfeites natalinos. Na porta da casa prendiam uma máscara grande de Papai Noel, alegre e sorridente.

Da rua, quando Antonio Carlos ia chegando em casa, via as pequenas luzes coloridas acendendo e apagando junto da janela. Corria para a cozinha, espiava a mãe e a empregada Bolão atarefadas no preparo dos requintados pratos da ceia. Castanhas, passas e figos, tâmaras do oriente, nozes, amêndoas e avelãs. O pernil de porco com calda de melado de cana e rodelas de abacaxi, o peru com farofa, arroz com molho de cereja. Uma ceia aguardada o ano inteiro. Champanha para os adultos e guaraná para as crianças. Os presentes, embrulhados em papéis festivos, amontoavam-se junto ao pinheiro enfeitado. Celso, com todo o seu agnosticismo, colocava na vitrola “Noite Feliz”.

Na passagem do ano também havia ceia e quando Antonio Carlos e Helena ficavam com muito sono e dormiam, eram acordados antes da meia-noite para assistirem ao Ano-Novo chegar. Havia um ritual na família, religiosamente cumprido, desde o tempo de Mimi. Quando o relógio de parede ia começar a bater as doze badaladas, fazia-se um suspense. Em cada prato, um cacho de uvas. A superstição era de que atravessar a passagem do ano comendo uvas traria prosperidade.

Esse hábito, Tom conservou a vida inteira.

Na rua Marquês de São Vicente, na Gávea, a família de João Lyra Madeira, marido de tia Yolanda, tinha um casarão com um jardim cheio de jaqueiras. Antonio Carlos gostava de ir lá, ouvir o tio tocar. Bach, Tárrega, Villa-Lobos. Admirava a agilidade dos dedos que puxavam as cordas com tanta precisão. João estudava com o professor Isaías Sávio, que ensinou também a Luiz Bonfá, outro grande violonista. Pertencia a uma família de doze irmãos, vinda do Recife. Era engenheiro, atuário, e presidente da Sociedade de Astronomia. Tinha em casa um telescópio para mostrar os anéis de Saturno aos filhos e sobrinhos. Robusto e agitado, barba negra, zigomas salientes e olhos levemente oblíquos, acesos, de índio. Seu tipo contrastava com o de sua mulher Yolanda, muito loura e frágil, de cândidos olhos garços.

Esse tio, como bom nordestino, era fogueteiro. Sendo o mais abastado da família, comprava uma quantidade enorme de fogos de artifício. Nos dias de São João e São Pedro, chamava todos para soltar os fogos à beira da Lagoa. Tom gostava de ver as luzes coloridas abrirem-se em inesperados desenhos no céu e caírem em gotas cintilantes dentro d'água. Chuva de ouro, chuva de prata.

João e Marcello pegavam o violão e tocavam cantigas juninas. Todo mundo cantava. Cantavam também quadrilhas com letras em francês antigo, ou já com sua pronúncia deturpada pelo tempo. Falavam fluentemente o francês, como grande parte da *intelligentzia* daquela época. O modelo era Paris, a cidade-luz, com seu grande movimento cultural.

Tio Marcello era o boêmio da família. Agrônomo, amava a terra e trabalhava muito. De noite ia para os bares. Grande bebedor de uísque e profundo conhecedor de literatura. Recitava poesias. Era atraente. Levava no rosto e na alma os traços de Azor e Mimi: dela, os lábios cheios e sensuais, a ironia; do pai, a expressão firme, a compaixão por todo o ser vivente e a alegria de estar vivo. Tom gostava de ouvi-lo falar dos grandes poetas e do seu repertório de músicas populares. Marcello compunha canções bonitas, fazendo a música e a letra. Colecionava anedotas. O trabalho e a boemia exigiam dele esforço. Para acordar cedo, desdobrava-se. Um dia, sonolento, saltou do bonde na praça XV para pegar a barca que atravessa a baía de Guanabara. Pensou que a barca já ia sair, correu e pulou do cais. Derrubou várias pessoas. A barca vinha chegando.

A lagoa Rodrigo de Freitas era azul e tinha muitos peixes. A areia na beira d'água, dura, cinzenta e fria. As conchas brancas e foscas. Garças, gaivotas, biguás, socós, martins-pescadores. A pista de carros era ainda estreita e pouco movimentada. Suas águas de seda refletiam os morros à volta: Cantagalo, Sacopã, Cabritos, Da Guarda e o grande maciço do Corcovado.

Nilza não gostava que os filhos tomassem banho na Lagoa. Contavam histórias dramáticas de crianças que ficavam presas no lodo e nas plantas aquáticas do fundo. Mas Tom ia assim mesmo. Meio escondido, esgueirava-se pelo quintal da casa. Pulava o muro e atravessava correndo o terreno baldio até alcançar a calçada da rua da Lagoa. Encontrava os amigos na sombra das casuarinas e ficava ali conversando. De repente, uma brisa arrepiava a pele lisa da Lagoa. À luz do sol, um punhado de estrelas mergulhava naquelas águas. Piscavam lantejoulas, pedrarias de doer nos olhos.

Naquele dia inesquecível, ele nadou pela primeira vez até o outro lado. Era uma grande façanha. Os amigos ficaram alvoroçados, esperando e torcendo. Foi e voltou, tranqüilo, num nado ritmado. Saiu da água vitorioso. Todos bateram palmas. Era alto para a sua idade, forte e magro. Por um instante o sol iluminou toda a sua figura, incendiou os pingos d'água, tornou-os cintilantes, formando uma auréola à volta de seu corpo. Ria seu riso claro, destacado na pele bronzeada.

Muitas vezes Celso acordava a família no meio da noite para irem à praia da Barra da Tijuca. Deitavam-se na areia fria e aquele pai ia mostrando e ensinando as grandes constelações. Incentivada por Celso, Nilza criou Tom e Helena sem preconceitos, com muita liberdade. Essas características incomuns que cercaram a formação de Antonio Carlos Jobim, ajudaram-no em sua criatividade. Talvez por isso, anos depois, pudesse ter dito: "Posso ir a qualquer lugar, desde que vá inteiro."

Nas noites serenas de Ipanema, nas noites silenciosas, uma estrela cadente cruzava veloz o céu. Os irmãos fechavam os olhos e faziam pedidos. O avô Azor, com seus olhos de diáfanas avelãs, sentado à mesa de jantar, espalhava cartas e jogava paciência. Celso e Nilza armavam o *puzzle* de mil peças, construindo a tranqüila paisagem holandesa de moinhos. Ventava leve, as cortinas brancas de *voile* se enfunavam como velas. E até se podia sentir — ou imaginar sentir — que a maresia evaporada do negro oceano daquela hora chegava até ali, depois de percorrer as ruas com seus úmidos véus. E entrelaçava-se a esse irresistível perfume do mar, o castíssimo eflúvio do jasmineiro que subia pelo telhado.

Paulo tinha vindo do interior de São Paulo morar com eles para estudar. Queria ser piloto e acompanhava fascinado as notícias das batalhas aéreas. Entusiasmava-se. Era muito jovem, ainda não sabia da morte, do sangue, da dor. Entrou para a Força Aérea Brasileira e durante sua curta vida foi amigo de Tom em todos os momentos. Era um grande desportista e fez parte da Esquadrilha da Fumaça. Foi o primeiro marido de Helena.

Aos 14 anos Tom teve apendicite aguda. Foi internado às pressas na Casa de Saúde Arnaldo de Moraes, em Copacabana. Correu risco de vida. Ainda não havia antibióticos. Paulo ficou quatro dias e quatro noites ao lado dele, ajudando Nilza e Celso. Só saiu do hospital quando retiraram o dreno e não havia mais perigo de infecção. Essas horas de medo da morte e pavor de hospital ficariam registradas para sempre na cicatriz oblíqua e fina, aderente, que Tom carregaria no ventre por toda a vida.

Em 1940, Nilza abriu o Colégio Brasileiro de Almeida, homenageando o pai. Construiu um segundo andar sobre a garagem da casa. Alugou um piano e colocou-o nessa garagem, para as aulas de ginástica dos alunos, no pátio. O colégio começou a funcionar apenas com um pequeno Jardim de Infância, em moldes modernos para a época. Era regido pela máxima de Celso Frota Pessoa: a escola deve sempre estar à disposição das crianças.

Um bom exemplo disso comprovou-se anos mais tarde, quando um pai desesperado procurou Nilza, pedindo que aceitassse seu filho como aluno. Era um menino problema. Já havia sido expulso de vários colégios. Nilza aceitou o desafio. Mandou trazer o garoto para uma primeira entrevista. Ele disse que só gostava de geografia. "Então está bem, você vai estudar só geografia. Mas vai ter que saber *muita* geografia."

Tempos depois, esse aluno já precisava de matemática para fazer as escalas dos seus mapas. Assim começou seu interesse por essa matéria. Hoje é um grande economista.

Tom, adolescente, morria de vergonha de morar num colégio.

Foi na garagem que Tom se aproximou do piano. Chegava da praia e, ainda de calção, ia para lá. Seus dedos buscavam combinações de notas e harmonias. Ficava horas naquele lugar quieto. Deitava-se no chão frio de cimento. Esquecia o mundo lá fora. O *flamboyant* deixava cair suas folhas, atapetando a calçada de confete amarelo.

Apesar de toda a sua fascinação pela música, apesar de passar horas debruçado sobre o piano, Tom ainda não estava convencido do seu destino. Dizia para a mãe que o piano era para ele uma distração como soltar pipa. Mal sabia que essa brincadeira já era uma forma de adoração.

Antonio Carlos viveu uma meninice privilegiada. Tinha ao alcance das mãos a vasta biblioteca do avô. O violão erudito de João Lyra Madeira e o popular, tocado de ouvido, por Marcello Brasileiro de Almeida, já casado com Maria Lydia Lima e Silva, colega de trabalho de sua irmã Yolanda.

Eram noites fantásticas. Yolanda e Nilza cantavam, e cantavam bem. Pixinguinha, Bororó, Custódio Mesquita, Noel Rosa, Lupiscínio Rodrigues, Ari Barroso, Dorival Caymmi, Ataulfo Alves. Aos sábados os serões se prolongavam. O avô lia Monteiro Lobato para os netos. Lia Olavo Bilac, Castro

Alves, Casemiro de Abreu, Gonçalves Dias, Vicente de Carvalho, Raimundo Corrêa, Guilherme de Almeida, Guerra Junqueiro...

Nilza e Yó serviam licor de cacau com biscoitos de polvilho.

A rua dormia.

No verão, Celso chegava mais cedo do trabalho. A família inteira ia para a praia com o cachorrinho Toy. O sol mergulhava lentamente no mar das safiras. O entardecer roseava as águas e o céu era cor de framboesa. Catavam tatuís, enfiavam os dedos nos furos que as espumas das ondas deixavam na areia quando recuavam. Ficavam dentro do mar até escurecer, até a primeira estrela. Na volta para casa já era noite. As luzes das ruas acesas, neblinadas pela maresia. E os pés descalços no asfalto ainda morno. Passavam pela igreja, atravessavam a praça da Paz. E a rua por onde caminhavam era uma catedral de oitizeiros. Ipanema.

A empregada gorda e preta cozinhava os tatuís com arroz. Comiam, deliciados, sentindo nos dentes alguns grãos de areia. O rádio grande em cima da cristaleira tocava Glenn Miller.

Na noite quente, Tom e a irmã deitavam-se no chão da varanda, espiando a corrida elétrica das lagartixas no teto. Mudos e imóveis, observavam quando, num átimo de segundo, abocanhavam mínimas mariposas e insetos hipnotizados. Em suas barrigas transparentes descobriam as sombras dos bichos devorados. Riam de tudo. Davam nome aos bichos, inventando uma semelhança com as pessoas que conheciam: Zulmira, a mosca; Osório, o sapo; Pânfila, a borboleta; Aristides, o bode; Narcisa, a garça. E as lagartixas Kita, Lita e Zita.

Trocavam confidências. Jogavam o jogo da verdade:

— Você acha ela bonita?... Já beijou ela?

O riso branco no escuro da varanda:

— E você com aquele pirralho?

Nas costas, o frio da cerâmica vermelha da varanda. As duas redes brancas dependuradas. O portão. A cerca viva de fícus. A lua correndo por cima de uma nuvem. A mãe quase chamando para dormir.

Quando entravam, iam beijar o avô antes de irem para a cama. Azor, apesar de agnóstico, lhes dava a bênção:

— Deus os crie para o bem!

E quando ele chegava de suas andanças pelos "sebos" da cidade, ou de suas aulas, dizia solene no umbral da porta de entrada:

— Deus esteja nesta casa.

E toda a família respondia em coro:

— E o diabo na casa do padre!

Os meninos e as meninas da rua reuniam-se debaixo dos lampiões. Da luz amarela brotavam os cupins de asas em grande jorro. A mãe colocava em cima da mesa o banco da cozinha, bem debaixo do lustre da sala e, sobre o banco, uma bacia de zinco cheia d'água. Os cupins viam o reflexo da lâmpada, caíam ali e se afogavam. Explicava que fazia aquilo para evitar que roessem toda a mobília da casa, quando perdessem as asas.

De noite, Tom e a irmã sentavam-se juntos para estudar na mesa redonda da sala. Às vezes ele trazia escondido debaixo da camisa o livro de poesias infantis de Olavo Bilac. Lia em voz alta: "Negro com os olhos em brasa / Bom, fiel e brincalhão / Era a alegria da casa / O corajoso Plutão..." Essa poesia contava a história muito triste de um menino e seu cão. No final, o menino morria e o cachorro, dias depois, era encontrado morto em cima da sepultura. Helena corria em volta da mesa tapando os ouvidos com as mãos e gritando. Tom corria atrás dela, o livro aberto, lendo cada vez mais alto. A mãe aparecia, ralhava. Voltavam ao estudo.

Celso descia a escada dos fundos da casa para fechar a garagem.

"As ondas do mar vão e voltam. Há conchas muito rosadas por dentro. Outras lembram, abertas, asas de borboletas. Há correntes frias que chegam às praias no verão. Há peixes que voam. Há outros, cegos, que moram na escuridão do fundo do oceano. Há o vento que sopra da terra, há o vento que sopra do mar. Existem grandes baleias. Uma delas levou Jonas em seu ventre. Há pessoas que dizem ter visto de perto sereias de cabelos verdes."

Sentado na areia fria da praia, Tom ouvia atento as histórias de Isaías, um velho pescador que estava sempre por ali de tardinha. No final da praia, a floresta se aproximava: morro dos Dois Irmãos, pedra da Gávea. E podia ver, bem em frente a ele, já quase sumindo no lusco-fusco daquela hora, as ilhas que abrigavam a dormida dos biguás. Voavam para lá em formações perfeitas quando caía a noite. O pescador falava da solidão do homem que mora no horizonte, na última ilha, e de sua importante tarefa: acender a luz do farol — duas vezes branca, uma vez vermelha, duas brancas, uma vermelha, duas brancas, uma vermelha... — para afastar os barcos dos rochedos.

De repente, os lampiões da rua da praia de Ipanema se acendiam. Tom, enfeitiçado pelo mar, sobressaltava-se com a escuridão. Corria de volta para casa. Nilza, já aflita, esperava por ele no portão.

Em 1942, o Brasil entrou na guerra contra o Eixo. De noite tinha treino de *black-out*. A mãe colocava panos pretos nas janelas. Quando começava a tocar a sirene, as luzes das casas e das ruas se apagavam. Antonio Carlos corria para debaixo do grande *flamboyant* de flores encarnadas. Ficava ali, inocente, pensando no que acontecia no mundo. Não entendia a guerra. Ficou estarrecido quando uma tarde apedrejaram a casa vizinha das duas amigas alemãzinhas, Babete e Beatriz. Elas eram como ele. Corriam pelas calçadas de patins e bicicleta, faziam parte do Clube. Dançavam nas festinhas organizadas pelo grupo, com sanduíche de presunto e grandes jarras de laranjada. O que era aquilo, então? Guerra eram os gritos que toda a rua escutava de noite, vindos da casa verde, de uma mãe muito nervosa que brigava com os filhos. Guerra era a mulher da casa de muro alto, que jogava água de esguicho em cima das crianças porque não suportava a algazarra. Como desforra, criaram o hábito de tocar a campainha de seu portão e sair correndo.

O amolador de facas tocava "Cidade maravilhosa". O vendedor de frutas passava de porta em porta, pesando cachos brilhantes de uvas nos pratos de sua balança antiga. Zé Meladeiro apregoava em voz cantada: "Doce de leite, cocada, pé-de-moleque, cocadinha, tem da branca, tem da preta, mulatinha..."

Antonio Carlos tinha crises de ansiedade. Ouvia no rádio as notícias dos navios afundados e das mortes de tantos homens. Começou a comer demais, engordou. Às vezes comia tanto que custava a se levantar da mesa. Decidiu freqüentar a casa do Sinhozinho, afamado lutador, quase na esquina da Sadock de Sá. Ia com os rapazes do bairro fazer exercício para ficar forte. Treinava com pesos. Ficou muito orgulhoso quando conseguiu levantar noventa quilos. Começou a lutar boxe, mas não havia nele agressividade. Passou a jogar capoeira.

De tarde, passava um realejo com sua velha canção. O periquito verde pegava com o bico os bilhetes da sorte: "Viverás 93 anos e ganharás na loteria com o número 5.840." De noite, quando a escuridão abraçava a casa, bilhetes misteriosos apareciam presos nos postes. O Cobra, o Aranha, o Cavaleiro Alado... Quem será? Quem pode ser? Era Tom o Cavaleiro Alado. Havia nele o elemento alado: seu signo de Aquário, as aves que amava, as pipas que subiam tão altas até desaparecerem no céu. E o vento no cimo dos morros, o vento nas mãos, berço do som. Sua música.

Nos dias cinzentos, subia no telhado e escondido ali, sob uma pequena marquise, olhava de cima as copas das árvores da rua. Nesse esconderijo, entregava-se aos pensamentos mais secretos. No rosto sério, o enigma. Dúvidas nos olhos que ainda tinham muito que viver.

Quando chovia forte, a mãe deixava tomar banho de chuva. Deslizava de pés descalços pelas calçadas lisas e molhadas. Numa dessas vezes correu tanto que escorregou e cortou o queixo. O iodo ardia, a irmã soprava.

Quando Tom sabia que a água do mar estava entrando na Lagoa pelo canal do Jardim de Alá, na desova das tainhas, dos robalos, ia ver. As tarrafas dos pescadores voavam pelo ar, rápida nuvem, súbitos véus.

Juntava gente e era igual a festa.

Praia de Ipanema deserta. Areias alvíssimas e finas. Rangia debaixo dos pés. Areal extenso e escaldante queimando. Pitangueiras. Moitas de flores roxas, espinho-de-paca espetando dedo. Dunas. Águas verdes, azuis, transparentes. Cardumes de minúsculos peixes passavam rente às pernas. Tom subia nas ondas, radiante e livre de toda a dor. Caminhava por aquelas areias até o Arpoador, subia nas pedras e mergulhava do alto. Via passar a sombra do cação.

Acordava de madrugada para ir ao Posto Seis, em Copacabana, olhar o arrastão. Os pescadores puxavam a rede, os peixes pulavam, prateados. A maresia abria espaços no peito. E o gosto do sal na boca.

As espumas iam e vinham pelo mar das safiras, que reino encantado.

Tom não gostava dos canhões enormes presos à calçada da praia em trilhos de ferro. Quebravam a harmonia da paisagem. Suas bocas negras, de aço, apontavam ameaçadoras para o mar. "Sujam a praia", reclamava em casa. Tinha longas conversas com o avô sobre o que considerava inexplicável: sempre os homens brigando uns com os outros, sempre as guerras. O avô tentava elucidar o neto com argumentos em que nem ele próprio acreditava.

Nilza providenciou um professor de piano para o filho. Hans Joachim Koellreutter, alemão fugido da guerra. Trazia da Europa a novidade do atonalismo. Foi com ele que Tom começou a estudar com afinco, passando horas debruçado sobre as teclas de marfim, praticando escalas e aprendendo a ler música. Estudava os clássicos, queria ser concertista. Estudava às vezes dez horas seguidas. Com a tenacidade que seria nota constante em seu temperamento. Aproximava-se, corajosamente, de uma profissão difícil e mágica. Debussy, Chopin, Bach, Ravel, Stravinsky, Rachmaninoff, Villa-Lobos. Recolhia-se ao que mais tarde ele próprio denominaria *"o cubo de trevas"*.

Foi para sua segunda professora de piano, Lúcia Branco, que Tom revelou a preocupação que tinha com a pouca abertura de suas mãos. "Polegar preso", dizia. Estava obcecado. Lúcia Branco observou: "Por que ser concertista? Pelas músicas que você já me mostrou, acho que seu talento é para compor. Você pode ser um grande compositor se quiser." Ela falou também do toque sutil que ele possuía. Do seu *touché*.

Tom não acreditava. Continuava a estudar com determinação para ser concertista. Passou a dedicar-se ao estudo de harmonia, com o professor Paulo Silva. Um negro bem-vestido, sempre com uma gravata vermelha. Admirava

Brasão da família Jobim

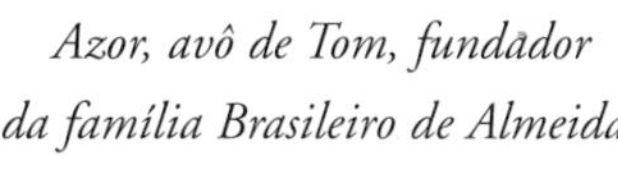

Azor, avô de Tom, fundador da família Brasileiro de Almeida

ARQ. JOBIM MUSIC

Ao lado:
Avó Mimi, próximo a seu prematuro desaparecimento

ARQ. JOBIM MUSIC

Na página ao lado:
Yolanda, Marcello e Nilza (mãe de Tom), filhos de Azor e Mimi

ARQ. HELENA JOBIM

Acima:
Nilza às vésperas do casamento

Ao lado:
Jorge Jobim, pai de Tom

ARQ. HELENA JOBIM

Jorge Jobim, elegantíssimo e vaidoso

ARQ. HELENA JOBIM

Acima:
Antonio Carlos em seu primeiro ano de vida

ARQ. HELENA JOBIM

Abaixo:
Antônia, avó paterna de Antonio Carlos

ARQ. HELENA JOBIM

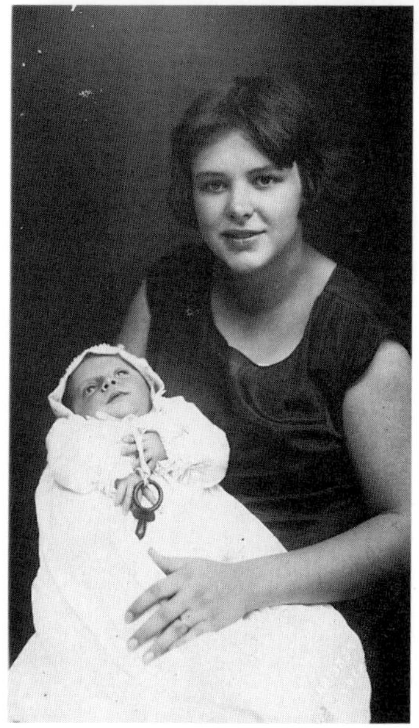

Antonio Carlos e sua mãe adolescente

ARQ. JOBIM MUSIC

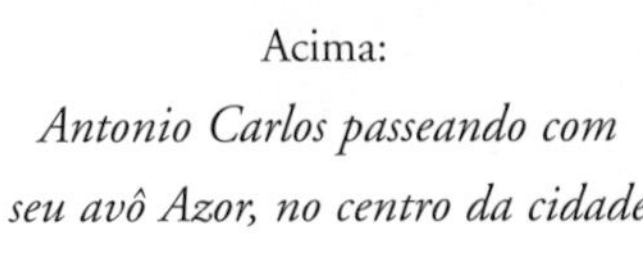

Acima:

Antonio Carlos passeando com seu avô Azor, no centro da cidade

ARQ. JOBIM MUSIC

Ao lado:

Antonio Carlos, usando sua roupa predileta

ARQ. JOBIM MUSIC

O pouco tempo que Antonio Carlos e Helena estiveram com o pai

ARQ. JOBIM MUSIC

Nilza, Tom e Helena, em Javari

ARQ. THEREZA HERMANNY

Ao lado:
Tom e Helena aos 6 e 2 anos, em Javari

ARQ. HELENA JOBIM

Helena e Tom fantasiados no Carnaval

ARQ. JOBIM MUSIC

Celso e Nilza, um casamento feliz

ARQ. HELENA JOBIM

Ao lado:
Celso Frota Pessoa, o "padrasto-pai" de Tom

ARQ. JOBIM MUSIC

Tom e Helena. 1934, Copacabana

ARQ. JOBIM MUSIC

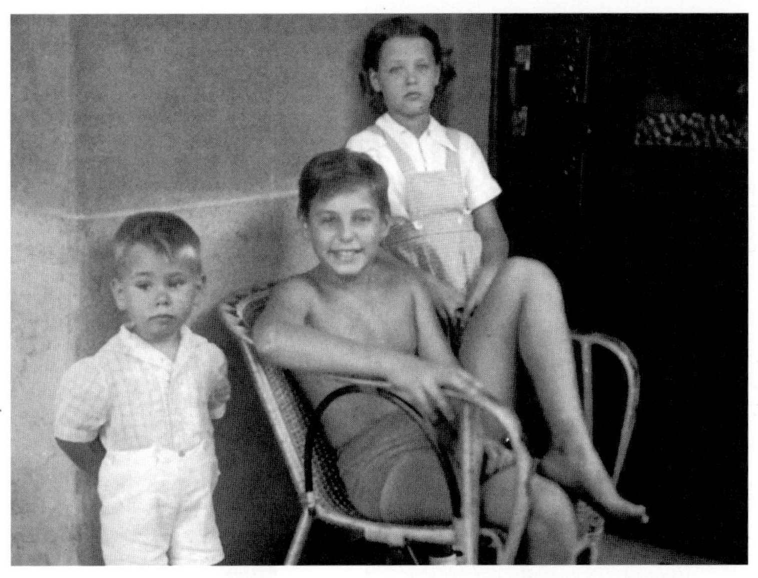

Varanda da Sadock de Sá — Tom, Helena e primo-irmão Marcello

ARQ. JOBIM MUSIC

Abaixo:

Uma de suas primeiras redações e desenhos

ARQ. HELENA JOBIM

6

O maior ofilro
das aguas doce
do Brasil.

Marcello Brasileiro de Almeida e João Lyra Madeira, os tios que influenciaram Tom em sua formação musical

ARQ. HELENA JOBIM

esse professor clássico, embora implicasse com as regras rígidas impostas por ele. Em seu aprendizado, Tom teve outros professores: Tomás Teran, Léo Peracchi, Alceu Bocchino.

Buscava nas rádios a música popular que tanto ouvira em sua infância. Mas era pouco comum naquela época as rádios dedicarem programas ao que se considerava boa música brasileira. O que mais tocavam eram guarânias, rumbas, derramados boleros. O que as gravadoras queriam dos autores nacionais eram músicas de carnaval.

A cultura norte-americana invadiu o país. A literatura, as revistas, a cinematografia. Tom gostava de assistir aos filmes musicais norte-americanos. Chegando do cinema, cantava as trilhas sonoras em casa e para os amigos. Vieram os luxuosos cigarros com suas charmosas propagandas. Também os enormes e confortáveis automóveis.

A música norte-americana conquistou as rádios e consagrou entre nós o foxtrote, o *jazz* e os *blues*. O ritmo quente dos negros americanos, os lamentos e a liberdade de improviso. Marcaram uma geração. Bons compositores como Glenn Miller, Cole Porter, George Gershwin tornaram-se famosos entre nós. As orquestras trabalhavam os arranjos harmônicos com perfeição. O disco *Chet Baker Sings* influenciou muito a Tom e a todos da Bossa Nova, até na maneira de cantar.

Muitos anos depois, ficaria bem claro que a música de Antonio Carlos Jobim influenciou o *jazz*. A Bossa Nova, movimento do qual fazia parte, invadiu a América do Norte e ganhou o mundo.

Algumas vezes, Tom tocava violão enquanto seu amigo Kabinha pescava. Já dominava a harmônica-de-boca e o violão. Tocava na praça General Osório com os amigos, entre eles seu futuro parceiro Newton Mendonça. Muitas vezes tocava em casa, acompanhando os tios Marcello e João. Mas sentia medo. Era voz corrente que "seguir a profissão de músico era passar fome e acabar na sarjeta".

Nessa mesma praça, encontrava Eutichio Soledade, Tico, amigo bem mais velho, professor de Educação Física, grande caçador e pescador. Tinha duas irmãs musicistas, uma pianista e outra violoncelista, com quem Tom gravaria muitas vezes mais tarde. Nas águas limpas do Arpoador, povoadas de peixes, Tico pescava tubarões e arraias com arpão. Era um contador de histórias, e chamavam-no de "professor de besteirol". Sua graça era surrealista, com gestos muito próprios. Dizia sem mais nem menos: "Era um homenzinho de paletó curto e sapatos da mesma cor." Ou então apontava um lugar fora do corpo e se queixava: "Estou desde ontem com uma dor aqui." E Tom inventava que tinha uma roça de milho no asfalto, e o milho crescia muito bem. E quando chovia, ele pescava capivara de tarrafa no pontal do Leblon.

Olhavam as moças que passavam na calçada, do outro lado da rua, em frente ao Cine Ipanema. Era ali o *footing*. Foi com Tico que Tom aprendeu a piar inhambu. Ele trazia sempre pios da melhor qualidade, que ele mesmo fabricava. Ia mostrando e ensinando. Era uma cena insólita. Ficavam horas piando na praça. Pessoas intrigadas paravam para olhar. Tom, perfeccionista, e Tico Soledade, muito exigente. Um inhambu em Ipanema... Até os guardas já sabiam que eles ficariam ali por horas. Mas sabiam também que eram loucos mansos.

Sentia-se importante ao entrar à noite na sinuca que havia na rua Teixeira de Mello, junto à praça General Osório. Começava a desvendar os mistérios da noite, a ser parte dela. Jogava e ria até altas horas.

Em incursões noturnas com os amigos, conheceu uma mulher negra, bonita, que passou a recebê-lo em casa. Era pessoa simples e afetuosa, madura e experiente. Tom subia sem medo a favela da Catacumba, lugar que conhecia bem. Muita gente acostumara-se a vê-lo ali em suas andanças. Era discreta essa relação. Foi inesquecível em sua vida porque o ajudou a encarar o sexo com naturalidade.

Sua segunda experiência de sexo foi catastrófica. Uma moça loura, bonita, alguns anos mais velha que ele, chamou-o na praia para conversar. Ele percebeu encantado que de perto ela era ainda mais bonita, dona de grandes olhos verdes e corpo escultural. Marcaram um encontro para essa mesma noite na casa dela, que ficava do outro lado da Lagoa. Escolheu a melhor roupa, e partiu nervoso para a aventura. Dias depois, foi obrigado a ir ao médico, que constatou sífilis. Celso tratou dele com injeções de bismuto.

Coube também a Celso a difícil tarefa, muitas vezes quase impossível, de tirá-lo da cama de manhã cedo, depois de suas noites insones. Uma vez foi obrigado a levantar Tom à força, e depois de colocá-lo em pé e soltá-lo; ele caiu, ainda dormindo, ao comprido no chão. Nilza zangou-se com Celso e, como birra, mandou o filho usar, para ir a uma festa, o impecável terno branco que Celso vestiria no dia seguinte.

Os amigos, os namoricos, os estudos e todos os dias e todas as noites, o piano. Se já seria complicado para um pai equilibrar esta situação, para um padrasto, muito pior. Tom passou pela *via-crucis* do estudante diferente, sem saber ao certo o que queria ser. Diversos colégios, muitos professores. Mallet Soares, Mello e Souza, Paula Freitas, Rio de Janeiro, Juruena, Andrews...

Quando cursava o segundo grau no Juruena, presenciou um acidente aéreo. Um estrondo ensurdecedor, o choque de dois aviões, praticamente em cima de sua escola. Era hora do recreio. O corpo do piloto do avião menor caiu no meio do pátio.

De toda essa babel de colégios, Tom se referia a alguns professores com carinho. Malba Tahan, pseudônimo de Júlio César de Melo e Souza, professor de matemática e escritor, seu irmão João Batista, professor de geografia e história, Carlos Flexa Ribeiro, que admirava muito os mapas greográficos que Tom desenhava. E o professor Crespo, que lhe dava aulas particulares.

Dona Estefânia, a diretora do Mallet Soares, era uma figura extravagante e temida. Os alunos costumavam faltar às aulas escondendo-se no cinema Roxi, perto da escola. Quando ela descobriu, foi até lá e mandou interromper a projeção do filme, acender as luzes, e tocando uma sineta, botou os alunos em fila, levando-os de volta ao colégio. Entre eles, o irrequieto e piadista Antonio Carlos Jobim.

Aos 16 anos, já namorava Thereza. Uma menina linda, morena, que junto do mar tinha olhos verdes. Descendente de pai alemão e de mãe com sangue espanhol. Tinha-a conhecido na praia de Ipanema, em frente à rua Montenegro, hoje Vinícius de Moraes. Descobriu que era sua vizinha de poucas quadras, morava na rua Barão da Torre. Esse namoro começou com Tom implicando com ela. Thereza tinha apenas 12 anos. Era colega de colégio de Helena e ele a tratava como uma menina igual a sua irmã. "Uma pirralha."

Mas o interesse foi surgindo lento e profundo. Quando ainda apenas conversavam na esquina de casa, seu Arthur, o alemãozão pai de Thereza, passou e viu a filha se desmanchando para o rapaz. Sem nenhuma explicação, pegou-a pelo braço e levou-a para casa. Um susto para Tom. Mas os encontros continuaram. Ele já sabia dos poetas, ela não. Tom começou a ler poemas para a namorada no banco da praça. Drummond, Bandeira, Jorge de Lima, Alceu Wamosi, Raul de Leoni. Traduzia T.S. Eliot e Rimbaud. Como resistir?

Nas festinhas dançava só com ela, os corpos se tocando levemente. Cantava em seu ouvido as letras das músicas. Seu timbre de voz lembrava o de Frank Sinatra. A paixão era inevitável.

Mas eram ambos muito jovens e tinham todos os conflitos comuns aos adolescentes. Quando fez 18 anos, Tom viveu o desespero. Tinha brigado com Thereza, e ela começou a namorar outro rapaz. Nilza, preocupada com o filho, tinha com ele longas conversas. Convenceu-o a procurar o mais famoso psiquiatra da época. Três vezes por semana, Tom ia ao consultório do dr. Myra y Lopes e lá desabafava seus problemas. Mas interrompeu o tratamento. Preferiu buscar sozinho o seu caminho. Só bem mais tarde compreenderia sua necessidade de analisar-se.

Buscou mais ainda o contato com a natureza. Só ali encontrava serenidade. A pesca, o mar, a caça e a floresta. Na mata, piava inhambu, pelo prazer de vê-lo chegar, atraído pelos pios que soprava tão bem. Pio de macho, pio de fêmea. Quando ouvia o rumor das folhas amassadas pelos pés cautelosos da ave chegando, o coração disparava.

Para afastá-lo do Rio e ver se ele esquecia Thereza, foi convidado por primos de Celso para passar férias na fazenda Paraíso, em Leopoldina, Minas Gerais. Avisaram-no que para entrar na mata fechada, tinha de ir armado. Emprestaram-lhe uma espingarda para caça de aves. Uma arma espanhola, com o cabo lindamente trabalhado em madrepérola. Tom ficou fascinado. Mas o que ele queria mesmo, era penetrar na grande floresta, enveredar pelas gigantescas catedrais verdes formadas por árvores seculares. Abrigavam o pulo dos grandes símios, e sob suas sombras, habitava toda a sorte de animais: tamanduás enormes, veados, pacas, lentas preguiças, tapires, capivaras de beira d'água, tatus-peba, teiús. Dentro da mata buscava sobretudo o silêncio úmido, a penumbra que às vezes deixava passar uma réstia de luz, iluminando a heráldica figura de um lagarto petrificado.

Acordou muito cedo, ainda escuro. Espiou pela fresta da janela. Uma última estrela brilhava no céu roxo. A friagem despertou-o de todo. Vestiu-se rapidamente, jogou os pios no embornal, esquentou um café na cozinha. Juntou aos pios uma garrafa de café tampada com sabugo de milho. A casa ainda dormia. Sem fazer barulho, atravessou o grande quintal, passou pelo curral e pegou a estrada de barro vermelho.

Andou légua e meia, vendo o dia nascer lentamente. Sabia que dentro da floresta ouviria temas inteiros de músicas. Sabia que os sons o procurariam. E naquele momento, acreditou que tinha nascido e se criado para isso: tornar-se vulnerável no corpo e no espírito, ele inteiro apenas sensibilidade, sem medo desta fatal entrega. Era seu destino. Sua sentença. Não podia mais fugir. Chegou ao invisível portão da floresta. Mas antes de dar o primeiro passo para este reino, sentiu mais uma vez "o corajoso medo", que mais tarde colocaria na letra de "Matita Perê".

Com os sentidos alertas, caminhou até encontrar o seu lugar de poder. Pousou o embornal com os pios no chão acolchoado de folhas e ajeitou-se, meio escondido, encostado na forquilha de um tronco caído. Durante muito tempo piou e não ouviu resposta. Intrigado, virou-se para pegar a garrafa de café dentro do embornal e viu na outra ponta do tronco a carantonha de uma jaguatirica.

Tinha chegado ali seduzida pelos pios. Vinha em sua direção com o andar macio dos felinos. Rápido, Tom virou o cano da espingarda em sua direção. Ela assustou-se e fugiu. Ele ficou parado, de pé, algum tempo, assustado também.

Horas mais tarde, deitado no quarto da fazenda, escreveria sobre o incidente, à luz de uma lamparina.

O ritmo doméstico da vida de Tom foi rompido quando caiu dos ombros de um amigo fazendo exercício na praia. Trouxeram-no para casa carregado e cheio de areia, lívido. Tinha fraturado a apófise de uma vértebra. O tratamento foi longo. Deitado de bruços na cama larga dos pais, tomava injeções dolorosas nas costas. Muito mais tarde, Nilza diria que só tinha agüentado esse tempo porque o colégio a ocupava.

O piano já estava na sala. Haviam se mudado para a rua Redentor, 307. O Colégio Brasileiro de Almeida havia crescido, e precisava crescer mais. O som do piano continuava a ser uma constante na casa. Com uma chave, que tinha comprado aos 14 anos, brincava de afinar e desafinar o instrumento. Buscava a afinação perfeita. Muitos anos depois, já maestro, diria numa entrevista ao jornalista e escritor João Máximo:

Encontrei Koellreuter, meu primeiro professor, e conversei muito com ele. Falei que agora não estou mais trabalhando com 12 sons. Estou trabalhando com 35, que são os sons da música ocidental, ou seja, as 7 brancas, os 7 sons naturais, os 7 bemóis, os 7 sustenidos, os 7 dobrados sustenidos, e os 7 dobrados bemóis... o que nos dá 35 sons que o ouvido ocidental pode discernir...

O Koellreuter me olhou desconfiado porque eles, os atonalistas, reduziram tudo a 12 sons, o que é uma arbitrariedade também. Eles diminuíram as quintas, o piano está todo desafinado. As quartas estão desafinadas para cima. As quintas estão desafinadas para baixo, as terças estão alongadas. Você tocava uma música em dó no cravo, e quando você tocava uma música em ré, os intervalos eram diferentes. Então não havia uniformidade. Então pegaram as oitavas e dividiram em 12 partes iguais. E ficou essa música que nós conhecemos e que é desafinada...

A única coisa justa que tem no teclado são as oitavas. As oitavas são justas, e o resto do teclado você afina pelas quintas. De dó vem o harmônico sol, então, dó a sol, sol a ré, ré a lá, mi a si, a fá sustenido, a sol sustenido, a ré sustenido, a lá sustenido, a mi sustenido, e a si sustenido... Aí o si sustenido não era o dó. Não fechava então a escala harmônica. Ela vai para o infinito, ela não fecha, você não pode fazer 12 sons porque a escala vai mudando, ela sai em espiral, sai pelo espaço, aí não volta mais. Você nunca mais volta ao tom original, nunca mais...

Então eles desafinaram o teclado. Bach, o responsável pelo "Cravo bem temperado", foi quem temperou tudo. Eu tinha muita curiosidade dessas coisas que não conhecia. Comprei uma chave de afinar piano. Eu era garoto, tinha uns 14 anos, e vivia afinando e desafinando o piano. Depois li no livro que Debussy fazia isso também. Porque se você afinar o piano direito, ele não fecha a escala...

Hoje em dia eu tenho conversado com afinadores sobre isso, eles afinam o centro do piano com uma máquina que reproduz o som quatrocentas e tantas vibrações... eles têm o número de vibrações para cada nota. Então eles afinam o centro do piano. Agora, a parte de cima eles desafinam para cima, e a parte de baixo eles desafinam para baixo, para você pensar que está afinado... Quer dizer, para baixo há uma distorção, para cima distorção, então os sons mais agudos ficam mais apertados que na realidade.

(Entrevista concedida a João Máximo, para a Rádio Cultura.)

A vida inteira Tom conversou sobre isso com o seu afinador de piano, Gutemberg Padilha. E com seu grande amigo, o maestro Radamés Gnatalli.

Muitas vezes buscava a solidão. Andava descalço pelas areias da praia, rente às espumas. As ondas verdes iam e voltavam, sem tempo ou lugar. Sabia que obedeciam às marés, comandadas pela lua, pelas forças da natureza. Cobriam com seu marulhar macio as areias, deixando ali o que o mar traz à praia, os rastros do oceano. Revolvia com o pé pedaços de madeira apodrecidos, flores amassadas, algas. Encontrava garrafas vazias, tocos de velas, um anel azul de Iemanjá. O ruído do mar acalentava a praia deserta. O vento corria por cima da areia. Em seus ouvidos sentia esse vento. Trazia o tremular das velas enfunadas de um barco em pleno mar. Descobria marcas de pés de gaivotas, pegadas de pombos, de gente, promessas, lembranças de uma infância. Deitava-se na areia e ficava quieto, olhando o céu. E sua solidão aumentava, ouvindo o barulho longínquo dos motores de um avião, que passava prateado no aquário do céu. Não esquecia Thereza.

E de novo foi convidado para caçar, dessa vez na fazenda dos tios de Paulo, em Leme, interior de São Paulo. Depois de um mês, voltou para o Rio decidido a ter uma conversa definitiva com Thereza. Telefonou e marcou um encontro. Nesse encontro, disse que havia conhecido em Leme uma prima muito bonita e achava que estava começando a se interessar por ela. Queria saber se ainda existia alguma coisa entre eles dois. Thereza ficou abalada. Procurou o namorado e contou seu encontro com Tom. Ele disse apenas: "Olha, se vocês querem saber se ainda existe alguma coisa entre vocês, é porque existe." E acrescentou: "Tenho pena de você."

Voltaram um para o outro. Ainda brigavam muito, mas o amor e os períodos de felicidade eram maiores. Formavam um par bonito, que chamava a atenção.

Tom começou a freqüentar os bares de Ipanema: Zepelin, Jangadeiro, que se chamava Renânia, e o bar Lagoa, que era o Berlim. No bar Lagoa, uma noite, entrou um preto velho que se aproximou da mesa onde Tom estava com os amigos, numa roda de chope. Era um vendedor de rosas. Sem hesitar, dirigiu-se a ele. Tirou uma rosa vermelha da bandeja que carregava e lhe ofereceu. Tom recusou delicadamente:

— Não posso. Não tenho dinheiro para rosas.

O homem insistiu:

— Mas essa é especial. Dê para sua namorada. Como é o nome dela?

Tom sorriu. Os amigos que o acompanhavam começaram a olhar o preto velho com curiosidade. Apesar do insólito da situação, respondeu:

— Thereza. Quem é o senhor?...

Seus olhos antigos, neblinados de azul, olhavam serenos para ele. Os cabelos encaracolados eram brancos, a pele do rosto arredondado pura seda, veludo escuro. Usava um *smoking* puído e gravata com pássaros azuis pintados. Tom nunca esqueceu. A estranheza da figura, e aqueles olhos clarividentes. E também o que disse depois, apontando o copo de bebida:

— Seu lugar não é aqui. Sua vida é predestinada. Não se perca.

Estava muito apaixonado por Thereza, queria casar. Resolveu prestar exame vestibular para engenharia. A mãe tinha montado na garagem o escritório do avô. A cúpula de pergaminho do abajur iluminava mansamente o lugar. As paredes cobertas de estantes, repletas de livros. A mesa grande, escura, com vidro em cima — e debaixo desse vidro, os retratos das pessoas queridas. O tinteiro, o mata-borrão em feitio de canoa, e o pequeno jacaré de bronze que dentro carregava uma mulher nua e dourada. Sofá, poltrona, cadeira de balanço e um tapete grande com pavõezinhos azuis de caudas abertas. Os vizinhos estranhavam que o Chevrolet de Celso dormisse na rua e a garagem fosse um lugar cheio de livros.

Era ali que Tom estudava com os colegas quando chegava do curso: Eduardo Sued, que se decidiu pela pintura e tornou-se um grande pintor; Marcos Konder Netto, que se formou arquiteto e foi o primeiro do grupo a se distinguir na vida profissional; Marcelo Bhering, que também se formou arquiteto, voltou para Minas Gerais e Tom não soube mais dele.

À volta da mesa do avô debruçavam-se atentos, noites a fio, com o professor Righetto. Quando finalmente chegaram os dias das provas, Tom estava exaurido pelo esforço. Passou em sexto lugar. Tirou nota dez em desenho figurado e em matemática. Como a maior parte dos músicos, tinha muita afinidade com os números.

Escolheu cursar a faculdade de Arquitetura, depois de ter pensado em se tornar engenheiro. Mas a música já era o grande chamamento de sua vida. Tom conheceu muitos arquitetos que se tornaram músicos.

Seu Arthur Hermanny mudou-se com a família para Petrópolis. Além dos motivos econômicos, preocupava-o o namoro da filha com aquele rapaz belo e estranho, que passava horas a fio ao piano, em vez de fazer qualquer coisa mais "útil" para ganhar a vida. Todo fim de semana Tom subia de ônibus a serra para ver a namorada. Muitas vezes Thereza, pressionada pelo pai, terminava o namoro. Nessas ocasiões o rapaz entrava em desespero. Só o piano o ajudava a livrar-se da angústia infinita.

No pensamento de Helena, a doce Thereza só podia ser uma mulher fatal, para fazer o irmão sofrer assim.

Antonio Carlos marcou um encontro com o padrasto em seu escritório no centro da cidade. Foi nesse encontro que definiu sua vida.

— Quero trabalhar para ganhar algum dinheiro.

— Você está estudando música e arquitetura. Trabalhar para quê?

Tom, atrapalhado, repetiu:

— Para ganhar algum dinheiro.

Celso entendeu. O rapaz queria casar.

— Se você quer casar, então casa que a gente ajuda. Faço um puxado lá em casa, um quarto para você e Thereza. Mas você continua estudando. Até se preparar para o trabalho. Se o que você quer é música, que seja música!

Abandonou a arquitetura. Seu Arthur ficou ainda mais preocupado. Não era evidentemente o noivo que imaginara para a filha: um estudante de música sustentado pelo pai. A família de Tom compreendeu sem mágoa as aflições de seu Arthur.

Celso procurou-o e propôs que seus filhos se casassem e ficassem morando com ele durante cinco anos, até Tom completar os estudos. Fez um seguro de vida em seu nome, sendo Tom o beneficiário. A única exigência que impuseram a Thereza foi que ela não engravidasse nesse período. Foi fácil prometer...

Na casa da rua Redentor, Celso e Nilza reformaram e aumentaram o quarto de empregada, tirando uma parte da cozinha, para ser o quarto de Tom e Thereza. O amigo Marcos Konder projetou os móveis. As empregadas foram morar no quarto que ficava em cima da garagem.

Tom assinou um contrato pré-nupcial, abrindo mão de qualquer participação dos bens da família Otero Hermanny.

Casaram-se em 1949, na casa de uma tia de Thereza. Tom tinha 22 anos, Thereza 19. Tiraram muitos retratos, estavam felizes. O casamento foi simples, apenas no civil, mas ela se vestiu de noiva. As famílias reunidas, os amigos mais chegados. A quantidade de flores espalhadas pela casa mostrava a alegria daquele momento.

Passaram a lua-de-mel em Petrópolis, a cidade das hortênsias, numa rua que leva o nome do poeta Casimiro de Abreu.

A casa da rua Redentor vivia cheia de amigos: Mário Saliva e sua mulher Tereza Garcia, Regis França e Enir, Carlos Madeira, Tico Soledade, Marcos Konder. E muitos artistas de vanguarda: Newton Mendonça, Evandro Rosa, o pintor Eduardo Sued, os poetas Thiago de Melo e Moacir Felix. Thiago de Melo, com o poeta Geir Campos, tinha aberto a Editora Hypocampo. Com os parcos recursos que possuía, a editora funcionou um tempo na casa de Tom, durante a primeira edição de um livro de poemas de Carlos Drummond de Andrade. As poesias tinham que ser embaladas uma a uma e dobradas, para serem mandadas pelo correio. Uma noite, até altas horas da madrugada, Thereza e Tom ajudaram pacientemente a fazer as embalagens.

Às vezes, para relaxar, Tom pescava de noite com seu grande amigo Kabinha. Subia as pedras do Arpoador e ficava lá, quieto, olhando o mar, as espumas explodindo nas pedras. Certa vez Kabinha chegou mais tarde e Tom já estava com a linha dentro d'água. Perguntou: "Está dando peixe?" E ele respondeu: "Não sei..." Normalmente era Kabinha quem levava as iscas e estranhou quando o viu com a linha dentro d'água. Perguntou de novo: "Está dando peixe?" E Tom: "Não sei..."

— Mas você está com a linha n'água!

— É... mas estou sem isca.

Três vezes por semana, a grande amiga Sonia Herklotz aparecia. Era alta e magra, forte. Filha de ingleses, corada, de olhos muito azuis. Estudava piano com Tomás Teran. Lia música muito bem e acompanhava Tom a quatro mãos no piano. Divertiam-se tocando e cantando Bach. Cantavam os contrapontos. Quando se entusiasmavam muito, chamavam Evandro Rosa, também pianista, que morava perto e era aluno da Lúcia Branco. Era difícil, no mesmo piano, tocar a seis mãos. Mas eles tentavam, lendo a partitura do concerto para piano e orquestra de Rachmaninof.

O que Tom mais gostava era freqüentar o Teatro Municipal. Ia com Sonia e Thereza. Quando voltavam para casa, Sonia e Tom faziam duetos da peça que tinham ouvido no teatro. Começaram a falar em "resposta" do piano, da qualidade desta ou daquela marca. E diziam que seus pianos eram para principiantes.

Celso resolveu fazer uma surpresa de aniversário para o filho. Estava satisfeito com seus progressos. Comprou um piano *baby*, Pleyel novo, e mandou entregar em casa. Era de madeira clara, lindo. Mas o som era ruim. Tom não sabia como falar com o pai sobre assunto tão delicado. As mulheres resolveram o problema. Thereza falou com Nilza, Nilza falou com Celso. Celso disse a Tom que ele podia trocar o piano por um que gostasse. Tom passou dias com Abraão Medina — nessa época vendedor de pianos — percorrendo as lojas, até encontrar um meia cauda, malhado, muito feio, que Tom apelidou de "Leopardo". Tinha um ótimo som. Celso ficou devendo a diferença do preço, pois esse era bem mais caro.

No dia 4 de agosto de 1950, nasceu seu primeiro filho, Paulo Hermanny Jobim. Tom ficou perturbado. Pesou nele a responsabilidade de criar o menino. Tico Soledade foi visitá-lo. Conversou com ele um longo tempo, e ficou impressionado com seu estado de saúde. Tivera uma crise biliar e estava muito pálido.

Ficaram os dois sozinhos na sala, até as primeiras sombras da tarde chegarem. Tom quase não falava. Tomava muito café e acendia um cigarro no outro. Tico planejara uma caçada para setembro, início da temporada. Insistia para Tom ir, e Thereza, de forma desprendida, apoiava a idéia. Quem sabe seria bom para o marido acampar por uns dias no mato. Celso e Nilza concordaram também. Estavam sempre presentes para ajudar em tudo. E no início de setembro, Tom e Tico foram para a floresta de Mambucaba, perto de Angra dos Reis.

A viagem era uma aventura. Além das tralhas para a temporada de caça, o ônibus era velho e a estrada de terra toda esburacada. Sentou-se ao lado de Tom um companheiro de Tico, um médico, que vendo sua pouca idade, fez uma verdadeira preleção sobre os riscos das caçadas. Que as armas deviam sempre ser carregadas com os canos voltados para o chão, que havia o risco de um caçador se perder na mata e outro confundi-lo com alguma caça e baleá-lo, e mais outras considerações que já estavam deixando Tom impaciente.

Depois do ônibus, viajaram numa traineira de pescadores por duas horas. A embarcação jogava muito no mar aberto. Deu graças a Deus quando chegaram ao sopé da serra de Mambucaba. Lá, já os esperavam os companheiros de Tico: três mateiros e um preto velho, cozinheiro, especialista em caças.

Foram dois dias de subida na serra até encontrarem um bom lugar para o acampamento base. Sobre uma grande pedra, um espaço plano, e logo abaixo, uma nascente de água limpa. Os mateiros saíram atrás de esteios firmes e finos, e palha de indaiá para cobrir o rancho. Em pouco tempo estava tudo pronto e o cozinheiro já servia café para os caçadores. Tico pediu que esperassem para que ele demarcasse o território de cada caçador. Entrou na mata fechada.

Ficaram todos ocupados em ultimar a arrumação de suas bagagens, e o médico sentou-se em cima da pedra, com a arma no colo. Por trás da pedra, foi passando uma sombra escura, parecida com um guaxinim. O médico, precipitadamente, atirou. Acertou a cabeça do velho cozinheiro de raspão, com bala de chumbo própria para caça de aves. Havia confundido sua cabeça com um bicho. Tico voltou esbaforido para saber o que havia acontecido. Pegaram o velho no colo e o deitaram na cabana. O couro cabeludo levantado e cheio de pequenas partículas de chumbo. Enquanto era tratado pelo próprio médico, o velho se queixava: "Doutor, por que o senhor foi fazer isso comigo?"

A situação era crítica. Sem nenhum recurso, com as mãos trêmulas, suando muito, o médico limpava o ferimento a frio. Retirava da cabeça da vítima, uma por uma, cada partícula de chumbo. Lamentava não ter levado nessa viagem sua maleta com antibióticos. Tom se lembrou que trazia consigo uma quantidade enorme de sulfa, que tomava diariamente para sua pseudobrucelose. Ofereceu-a ao médico. Ele amassou os comprimidos, transformando-os em pó, usando-os na desinfecção do ferimento. Foram três dias descendo a serra, carregando o homem em uma maca improvisada. Tom ajudava, sabendo que seu remédio havia salvo o velho cozinheiro.

Voltou para casa apaziguado, para junto de sua mulher e do bebê de grandes olhos azuis.

Ficou muito intrigado quando percebeu que durante aqueles dias que ficou sem a sulfa, a medicação não lhe fez falta. Pela primeira vez começou a pensar se o fator emocional não seria o principal problema. Mais tarde se lembraria do diagnóstico do dr. Deolindo Couto, de que aquilo tudo era "psicada". Reviu com o médico todo o tratamento. Melhorou muito e foi aprendendo a lidar com suas emoções.

Durante alguns anos, manteve o hábito de fazer pequenas incursões nas matas próximas, com seus amigos caçadores, Mário Saliva e Sérgio Vahia. No Rio, no morro da Rocinha. Em Poço Fundo, nas terras da Maravilha. E em Rio Bonito e Macucos.

Um dia, em Poço Fundo, o amigo Otto Reis e Silva, piloto, colega de Paulo, viu Tom saindo muito cedo para caçar com o mateiro Narciso. Falaram-se e Tom afastou-se rapidamente, pegando a trilha da mata. Voltou ao cair da noite. Otto, vendo-o sem nenhuma caça, interpelou-o. Tom, velho caçador cheio de truques, respondeu:

— Piei o inhambu macho e a fêmea veio. Piei inhambu fêmea, e o macho veio. Saí de mansinho, e deixei os dois namorando...

A casa da rua Redentor tinha dois andares. Mas era pequena para a família. Embaixo, uma sala dupla, uma varanda mínima, uma copa, um lavabo, o quarto de Tom e Thereza e uma cozinha. Em cima, quatro quartos e um banheiro muito grande. Nilza, Celso, Azor, Helena com seu marido Paulo e sua filha

Sonia, Tom, Thereza e Paulinho. Tinham duas empregadas: Almerinda, que ficaria a vida inteira na família, e sua irmã Penha, com o filho Luizinho, de 3 anos. Para vigiar a todos uma cadela *dobermann*, a Ula. E mais a pequena gata Zizinha, que subia por dentro da cerca viva de fícus para pegar passarinhos.

Toda manhã, recebiam a visita de dez minutos de Yolanda. Geralmente vinha com seus filhos Lúcia e Marcello. Nilza achava graça da vida sistemática de Yó. Mas sabia muito bem que às dez horas e quarenta e cinco minutos em ponto, sua irmã tinha que sair para trabalhar no Ministério da Fazenda.

Quase todos os moradores da casa da Redentor saíam para suas ocupações. Nilza para o colégio, Celso para a Prefeitura, Paulo para a Escola de Especialistas da Aeronáutica, onde era instrutor de vôo. Helena lecionava no Colégio Brasileiro de Almeida, Thereza trabalhava na secretaria. Azor ficava em casa, jogando paciência ou lendo. Tom tocava piano o dia inteiro. Almerinda tomava conta das crianças. De noite chegavam os amigos. O bate-papo ia pela madrugada a dentro, com cantoria. Tudo regado só a cafezinho.

Os dias emendavam-se com as noites. O piano emudecia pela manhã. Os vizinhos nunca reclamavam. Já gostavam da música daquele rapaz educado e sedutor. Mas Celso, Nilza e Azor não tinham mais quase espaço na casa. Estavam cansados da movimentação intensa. Tom estudava muito, mas continuava ansioso com sua situação. Seus problemas digestivos voltaram.

Tom e Thereza mudaram-se para o Bairro Peixoto, em Copacabana, para um apartamento que Celso alugou para eles. Era térreo, num prédio de três andares. Os tios Marcello e Maria Lydia moravam no primeiro andar. Na sala pequena, só cabia o piano malhado, de meia cauda, e um sofazinho. Um dos quartos virou sala de jantar.

O dinheiro de Tom não dava sequer para terminar a pintura do apartamento. Os amigos iam para lá, e entre uma cerveja e outra, pintavam uma parede. A pintura era interminável. E a cerveja também. Tom não bebia, preocupado com a saúde.

Amigos e familiares combinaram um mutirão. Não só para acabar a pintura, como para arranjar móveis e utensílios. O sofá, duas poltronas e mais um guarda-roupa saíram da casa dos pais de Thereza. A mesa de refeições e as cadeiras eram de uma prima dela, e assim, aos poucos, foram completando o apartamento.

Nilza e Yolanda se sentaram com o já famoso caderninho de anotações de despesas e fizeram a lista do que faltava. Compraram e mandaram entregar. Thereza se espantou. Tinha tudo o que faltava. Desde o faqueiro, até o bule de café com coador de pano, abridor de garrafas, escovinha de unhas etc... Eram detalhistas e não deixaram escapar nada.

Marcello, preocupado com as dificuldades do sobrinho, arranjou para ele, através do maestro Alceu Bocchino, um trabalho de pianista na Rádio Clube, que naquela época era dirigida por seu amigo Victor Costa. Foi esse o primeiro emprego de Tom. O diretor da rádio era o escritor Dias Gomes e Alceu Bocchino, diretor musical, mais tarde professor de piano de Tom.

Tom já se interessava por instrumentação. Era "aprendedor" por natureza e queria saber de tudo. Ia perguntando e sempre encontrou pessoas generosas que o ensinavam e ajudavam a resolver suas dúvidas. Nunca teve paciência para fazer cursos formais, embora recomendasse a todos que os fizessem. Por ocasião das gravações, ele gostava de levar aos maestros, além da música escrita para piano, algumas sugestões sobre os arranjos, e ia perguntando se seria viável isto ou aquilo. Era assim que ia aprendendo. Com Lyrio Panicali, apesar de toda a simpatia e gentileza, percebeu que certos segredos jamais seriam revelados. Tom dizia:

— O Lyrio é sábio. Mora em Niterói e não tem telefone.

Passou a repetir a frase a respeito de certas pessoas: "Mora longe e não tem telefone." Tornou-se uma expressão simbólica.

Contava que o Lyrio tinha uma tabela de extensão dos instrumentos, tirada de sua prática na Rádio Nacional. Sabia os limites técnicos pessoais dos músicos que gravavam com ele. Era a tabela real. Tom comentava:

— Ele esconde a tabela. Tentei ver, mas o Lyrio me disse: "Tom, essas coisas a gente leva muito tempo para aprender..."

Mesmo com reservas, Lyrio ensinou muita coisa a Tom. Só com perguntas e respostas.

Começou a trabalhar também na noite. Bar Michel, onde tocava de seis às dez, músicas de entretenimento para jantares. Foi lá que conheceu o pianista Bené Nunes.

Continuava atormentado. O fantasma do aluguel ainda pairava sobre sua cabeça e assombrava suas noites. Celso arcava com quase tudo. Tom não conseguia se alimentar bem e fumava demais. Emagreceu muito. Perdeu quase dez quilos. Seu amigo Tico Soledade foi visitá-lo outra vez. Disse para Celso: "Tom está ficando transparente. Está se acabando. Alguma providência tem que ser tomada rapidamente. Venda este piano e mande Tom para a Clínica Mayo."

Celso se apavorou. Começou a pensar em como poderia mandar o filho se tratar na Clínica Mayo, na América do Norte. Tom fazia bateladas de exames. Passou a tomar mais remédios. Nada adiantava. Até que o dr. Dauro Mendes, agora médico clínico da família, percebeu ser tudo uma somatização de suas preocupações e de seu constrangimento em continuar sobrecarregando o padrasto. Receitou-lhe uma superalimentação. Tinha que comer de duas em duas horas. Ele protestou, dizendo ao médico que ia vomitar tudo. Dr. Dauro não deu confiança:

— Comer é um ato voluntário. Se vomitar, volte para a mesa e se alimente de novo.

Tom encontrou o compositor Pixinguinha no centro da cidade. Ele percebeu a tristeza que transparecia na fisionomia de Tom. Com calma, foi levando a conversa para ver o que havia com o rapaz. Aos poucos, ele começou a reclamar da vida de músico. Não dava para pagar o aluguel, não tinha nada, não podia proporcionar coisa alguma à sua família, e mais todo um rosário de queixas. O velho e bom Pixinguinha puxou Tom pelo braço e, olhando-o dentro dos olhos, disse-lhe carinhosamente:

— Antonio, o importante não é isso. O importante dessa vida é ser feliz.

Os temores da morte tomavam conta dele. Perseguiam-no em pesadelos terríveis. Thereza, exausta, voltou com Tom e Paulinho para a casa da rua Redentor. Disse para Nilza e Celso:

— Preciso da ajuda de vocês. Tom está sofrendo de "morte noturna". Fico acordada com ele a noite inteira e de dia não agüento cuidar do Paulinho... A Almerinda também não agüenta mais. Ontem quase botou fogo na casa dormindo em pé e deixando o ferro de engomar aceso em cima da tábua.

Mais uma vez, Nilza e Celso abrigaram os três. Tom largou a Rádio Clube e passou a trabalhar somente na noite. De dia, continuava a estudar.

Era difícil. A fumaça dos próprios cigarros, a fumaça do ambiente que nublava a boate e ardia nos olhos. A bebida que bebia e a que tinha de beber. Mulheres que se debruçavam sobre o piano, desvanecidas com aquele rapaz lindo. Mas ele continuava muito apaixonado por Thereza. Escapava ao assédio. Era famosa e comentada sua fidelidade a ela.

— A bala passou perto do meu estômago, junto ao baço. Furou o paletó do garçom e ficou cravada na parede.

Quando Tom contou a Thereza, ainda estava assustado. Mas tinha que continuar com esse tipo de vida.

Em 1952, já era chamado para tocar em muitos lugares. Drink, Bambu Bar, Arpège, Sacha's, Monte Carlo, Nigth and Day, Casablanca, Tasca, Alcazar, Tudo Azul, Bon Gourmet... Era difícil. Tocava rumba, bolero, fox, canções francesas, tango. Os músicos, nos intervalos de suas apresentações, afluíam para um pequeno bar na esquina da avenida Copacabana com Princesa Isabel, local estratégico entre a maioria dessas boates, chamadas na época de "inferninhos". Lá, podiam descontrair e conversar. Rir dos acontecimentos da noite que viviam.

Bené Nunes era um pianista autodidata, único na sua simpatia, virtuosismo fácil e humorístico. Tocava até com os cotovelos, fazendo sempre uma graça qualquer. Era o pianista das festas da alta sociedade. Era eclético em matéria de música. Apreciava músicos de várias tendências e faixas etárias. Amigo e apreciador do piano de Tom, convidava todas as pessoas para irem assisti-lo, onde quer que estivesse tocando:

— Você precisa conhecer um pianista novo, muito bom, o Tom. Só tem um problema, é um pianista meio paralítico.

Ele se referia ao estilo econômico de Tom. Talvez por causa dessa carinhosa propaganda maluca, Paulo Serrano tenha ido conhecer Tom e o convidado para gravar suas composições. Era irmão de Luiz Serrano, que trabalhava em Hollywood.

Em 1953, Paulo Soledade, compositor conhecido e homem da noite, foi ao Clube da Chave no Posto Seis, em Copacabana, para ouvir o pianista jovem que tocava um piano diferente. Era Antonio Carlos Jobim. Com certeza, esse piano diferente aliado ao violão singular de João Gilberto fizeram uma grande modificação na estrutura da música brasileira: a Bossa Nova.

O Clube da Chave era muito original. Imaginado por Humberto Teixeira, o "Rei do Baião", com verbas do Ministério da Educação, tinha um número limitado de sócios. A maior parte deles, artistas e intelectuais. Cada um possuía a chave da porta principal. Os músicos e cantores tinham total liberdade. Podiam cantar ou tocar o que quisessem. Iam lá compositores e cantores das mais diversas tendências da música brasileira. Do Nordeste, os sons vinham através de Sivuca, Jackson do Pandeiro, Luiz Gonzaga, Catulo de Paula, João do Vale, Luiz Vieira, Carmélia Alves. E mais o samba-canção, com Lúcio Alves, Dick Farney, Johnny Alf, Bill Farr, Bené Nunes, Dolores Duran, Ivon Cury, Luiz Bonfá, Billy Blanco, Braguinha, Paulo Soledade, Antonio Maria. Tanto autores e cantores consagrados, quanto valores emergentes.

Foi muito bom para Tom, que pôde então começar a mostrar suas músicas e seu piano com espontaneidade. Tocava o que tinha vontade, sem a exigência dos fregueses que faziam pedidos que nem sempre o agradavam. Foi ali que viu Vinícius de Moraes pela primeira vez, com seus amigos mais chegados à música. Ainda jovem e muito tímido, Tom não se aproximou do grande poeta. Ficou a distância, observando-o.

Em casa, falou com Thereza sobre esse encontro. Não podia imaginar que aquele "monstro sagrado" viria a ser, num futuro próximo, seu mais constante parceiro.

Mudaram-se de novo. Foram para a rua Francisco Otaviano, rua que liga a praia de Ipanema à de Copacabana. Ângelo Fróla, dono da transportadora

Veneza, e já amigo de Celso, espantava-se com tantas mudanças. Era um apartamento de dois quartos e sala, no edifício Einstein. Achavam a construção tão feia que o apelidaram de Frankstein. Por coincidência, Vinícius era vizinho deles na mesma rua. Tom o via freqüentemente, mas sempre de longe.

Já dava para pagar o aluguel do apartamento sem a ajuda de Celso. Billy Blanco, João Donato e João Gilberto eram assíduos freqüentadores da casa de Tom. Ele e Thereza iam muito à casa de Bené e Dulce Nunes, um casal simpático e acolhedor. Com o tempo, sua casa tornou-se o ponto de encontro obrigatório de artistas, compositores e amantes da música. Os compositores iam mostrar e ouvir as novidades e, às vezes, algum cantor escolhia uma música para gravar. Estas reuniões só terminaram quando o casal se separou e Bené resolveu fazer a faculdade de Direito.

O pianista Scarambonni também freqüentava a casa de Tom e o impressionava muito. Tocava na noite, e durante o dia era dentista, para manter um padrão médio de vida. Tom foi percebendo aos poucos que só trabalhando na noite, não dava para sustentar a família como queria. Teria que estudar harmonia e orquestração profundamente.

Telefonou para Celso e expôs-lhe o problema. Pediu que o ajudasse novamente. Celso concordou. Voltou a pagar aluguel e alimentação. O que Tom ganhasse, seria para fazer a feira uma vez por semana.

Como autodidata que era, Tom comprou vários livros sobre orquestração e mergulhou no estudo. Estudou principalmente dois autores: primeiro, Nicolau Rimsky-Korsakov. Mas passeando pela noite, nos lugares onde os amigos tocavam, ouvia de alguns deles queixas de que as orquestrações que estava fazendo eram difíceis. Só serviam para músicos russos. Ganhou de presente da sogra, d. Elizabeth, um livro de orquestração de Glenn Miller. Passou então a se adaptar ao gênero popular e às limitações dos músicos brasileiros da época. Considerava o livro muito bom. Continha várias partituras completas dos arranjos da famosa orquestra do autor. Indicava esta obra a todos os compositores iniciantes. Mais tarde, ainda estudaria instrumentação com Leo Peracchi.

Foi nessa ocasião que Alcides Fernandes, músico e parceiro de Tom, casado com sua faxineira e morador da favela do Pavãozinho, conseguiu um trabalho que interessou a Tom, na Editora Euterpe, onde ele também trabalhava. Começou a escrever para pequenos conjuntos, que na época chamavam "Combo".

Para relaxar, antes de dormir, lia *Caçando e pescando por todo o Brasil.* As histórias desse livro o divertiam muito. Deitado na cama, lendo, dava grandes risadas e dizia para Thereza: "Esse cara é um mentiroso..." Mas adorava.

Relaxava também indo pescar à noite, sozinho. Sentado nas pedras do Arpoador, com o molinete, esperando sentir na linha a fisgada de algum peixe, começou a ouvir vozes dentro de sua cabeça. Principalmente uma voz de mulher que discutia, sempre meio zangada, dando ordens e incitando-o a tomar decisões na vida. Essa voz o perturbou durante meses. Mas ele voltava sempre para escutá-la.

Seu filho Paulo já tinha 4 anos quando Tom conseguiu uma boa oportunidade de trabalho fora da noite. Queria acordar com o sol batendo na cama, ver o dia, olhar o mar, sentir seu perfume.

Foi levado por Sávio Carvalho da Silveira para a gravadora Continental, no centro da cidade. Era um edifício velho, móveis antigos, mesas grandes. Corria o ano de 1954. Tom colocava nos pentagramas as músicas dos autores que não conheciam teoria musical. Chegavam à gravadora procurando por ele. Como ele mesmo contava:

Resolvi mudar minha vida, de repente. Para ser bicho diurno, arranjei emprego na Continental discos. Levava minha pastinha, com algumas partituras. Alguém cantava uma música, batendo na caixa de fósforos, e eu punha a melodia no papel. Naquele tempo não havia gravador, nem nada, era tudo de ouvido. Os que existiam eram móveis grandes, verdadeiros mastodontes. Minha pasta era dessas de ataché, *com pentagramas, lápis, borracha e gilete lá dentro. Lembro do Monsueto chegando lá com aquele samba "Mora na filosofia", e eu escrevendo a música para ele, riscando o pentagrama com todo o cuidado. O samba foi o maior sucesso.*

(Editora Rio)

Na Continental Tom ouvia de tudo o que se fazia na época. Entrava em contato com os melhores autores. Monsueto, Pixinguinha, Assis Valente, Ari Barroso, Jacob do Bandolim, Braguinha, Dorival Caymmi, Antonio Maria, Ismael Neto, Evaldo Rui. Fascinado com a música desses autores, andava por todo o Rio de Janeiro, até os mais longínquos subúrbios, procurando os sábios que mesmo não sabendo escrever música, criavam verdadeiras obras-primas. Foi uma grande escola para ele.

Radamés Gnatalli era o arranjador oficial na Continental. Grande pianista, regente e compositor, trabalhava na área chamada erudita, e com muita naturalidade atuava também na área popular. Apesar de todo o prestígio que tinha, sempre que consultado por Tom, ajudava-o pacientemente, como a um filho.

Foi na Continental que Tom reencontrou Luiz Bonfá, que conhecera como pescador anônimo nas pedras do Arpoador. Ao vê-lo, lembrou que certa vez estava pescando há bastante tempo e só conseguira um pampinho-galhudo. Tinha esperança de pescar mais e já antecipava o prazer de fritar o pampinho quando chegasse em casa. Outro pescador, a certa distância dele, aproximou-se e perguntou se Tom se importaria em ceder um pedaço do peixe para fazer iscas. Acreditava que as enchovas estavam chegando. Constrangido, Tom deu-lhe um pedaço do peixe. Naturalmente jamais esqueceria o rosto desse pescador.

Os dois se divertiram com a lembrança do fato e vieram a se conhecer e se respeitar como músicos. Aos poucos, além das pescarias e gravações, eles começaram a compor juntos. Bonfá fora criado em Jacarepaguá, quando só havia chácaras e mato. Tinham afinidade em temas que falavam da natureza. "A chuva caiu" e "Correnteza", entre outras.

Tom foi chamado para fazer alguns arranjos para Elizeth Cardoso gravar o disco *Canção da volta*, em que havia uma música de Evaldo Rui, ex-namorado da cantora. Na noite da gravação, não suportando as dores da separação, Evaldo suicidou-se.

Timidamente, Tom começou a mostrar suas músicas. Temas que já vinha compondo desde a Sadock de Sá, como "Solidão", de parceria com Alcides Fernandes. Conseguiu gravar sua primeira música num disco de 78 rotações, na Sinter. Foi o samba-canção "Pensando em você", letra e música dele, cantada por Ernani Filho. Escreveu no final da partitura: "À Therezinha de Jesus, com um beijo do Tonico. Novembro de 1952." Do outro lado, "Faz uma semana", parceria com João Batista Stokler. Também foi gravada "Incerteza", que fez com seu amigo de infância Newton Mendonça, cantada por Maurício Moura. Essas primeiras músicas não tiveram grande repercussão.

"Thereza da praia", feita ainda no tempo de seu namoro com Thereza, em parceria com Billy Blanco, foi seu primeiro sucesso. Tocava em todas as rádios, cantada por Lúcio Alves e Dick Farney, num dueto. Eram ambos ótimos cantores, com características e gostos semelhantes. Diziam-se rivais. Os arranjos e harmonias de Tom já começavam a ser reconhecidos pelo grande público. Thereza ficava embaraçada quando comentavam que a música tinha sido inspirada nela. A letra falava até de sua morenice e da charmosa "pinta do lado", sinalzinho preto que tinha no queixo.

Foi um sucesso atrás do outro. Em todo este período, Tom teve rápidos e variados parceiros: Dolores Duran, Marino Pinto, Paulo Soledade, Luiz Bonfá.

Mais uma vez, o perplexo Ângelo Fróla foi convocado com seu caminhão de mudanças. Rua Nascimento Silva, 107. Endereço que mais tarde seria famoso, cantado no samba de Toquinho e Vinícius, "Carta a Tom". Um pequeno apartamento de duas salas e dois quartos, num prédio sem elevador. De suas janelas se via o morro do Corcovado, com a bela estátua do Cristo Redentor. Ainda não haviam construído à sua frente as grandes muralhas de concreto dos edifícios. Sentado ao piano, Tom gostava de ver o momento em que Ele se iluminava na hora do ângelus, os braços abertos abençoando toda a cidade do Rio de Janeiro.

Seu primeiro grande parceiro foi Newton Mendonça. Fez com ele "Brigas", "Meditação", "Foi a noite", "Incerteza", "Discussão", "Caminhos cruzados", "Desafinado", "Samba de uma nota só"... Faziam as músicas juntos. Newton sentava-se ao lado de Tom, querendo chegar ao piano. Tom dizia que Newton era um musicista e um apaixonado pelo que fazia. Trocavam opiniões. Mostravam acordes um ao outro, divertiam-se trabalhando. Tinham grande afinidade. Discutiam sobre Beethoven, Lizt, Chopin, Shostakovitch.

A casa de Tom e Thereza continuava muito freqüentada. As noitadas eram uma constante na vida do casal. Tom chamava a irmã para cantar com ele. Não só suas próprias canções, como as de outros autores.

Um dia, muito cedo, o telefone tocou e Thereza atendeu. Era da sociedade arrecadadora dos músicos. Ficou indecisa se acordava ou não seu marido. Mas podia ser alguma coisa importante. Resolveu chamá-lo. Tom atendeu o telefone ainda estremunhado:

— Se o valor que eu tenho para receber der para pagar o táxi, eu vou... se não, deixa aí...

Ia a pé para o bar Veloso. Nas tardes luminosas de Ipanema, andava devagar pelas calçadas largas, aproveitando a brisa e o perfume que vinham do mar das safiras, ouvindo o zumbido familiar das cigarras e o chilrear constante dos pardais escondidos nas copas dos oitis. Desde esse tempo já usava roupas confortáveis e camisas claras. Certa tarde, passando por um prédio em construção, um operário pendurado na fachada da obra gracejou:

— Na próxima encarnação quero vir assim. Branco, bonito e rico...

O bar Veloso ficava na esquina da rua Montenegro com Prudente de Morais, a uma quadra da praia de Ipanema. Tom ficava ali, rodeado de amigos, num papo animado e inteligente. Gostava de chegar cedo e sair cedo. Era muito paciente com os que se excediam na bebida. Mas quando alguém o incomodava, retirava-se imediatamente. Tinha pavor da conversa maniqueísta, dos rótulos, dos que exigiam a "atenção pupilar", como ele dizia, dos derrotados pela bebida que o provocavam e falavam alto, com inveja dos criadores.

Até Roniquito — Ronald Chevalier —, seu grande amigo, de vez enquando implicava:

— Tom... Você conhece Beethoven?

— Conheço.

— Pois é. Tua música é uma merda.

Ou então:

— Você conhece Beethoven?

Tom ria e dizia agora:

— Não.

— Pois devia conhecer. Tua música é uma merda.

Tom nunca retrucou a qualquer tipo de provocação ou agressão. Quando sentava-se ali, era simplesmente para relaxar dos momentos tensos, de suas dúvidas e crises existenciais.

Ia para o aeroporto, à beira do mar da baía de Guanabara. O pretexto era comprar revistas e jornais estrangeiros. Ia mesmo era olhar os aviões que desciam ou alçavam vôo. Ali podia ver de perto sua paixão mantendo distância. Tinha medo de viajar neles. Mas admirava a sua potência, a sua beleza, sua aerodinâmica, a vitória do homem sobre a máquina.

Ia até o Alcazar, bar também freqüentado por artistas e intelectuais. Espalhavam-se pelas mesas, num ambiente festivo. De frente para o mar, do avarandado alto, descortinava-se toda a praia de Copacabana. Uma tarde, chegou um conhecido preocupado com suas aplicações financeiras, cortando a alegria que reinava no momento. Um dos amigos, chateado, disse: "Soube que as fichas de telefone vão subir de preço em trinta por cento. Faça o seguinte: vá ao seu corretor amanhã e diga a ele para trocar toda a sua fortuna em fichas. Assim, em um dia você ganhará muito dinheiro..."

A gargalhada foi geral.

No final de 1954, a gravadora Continental, onde Tom trabalhava, começou a produzir *long-plays* de dez polegadas. Nessa época tinha aulas de instrumentação com Leo Peracchi. Fazia arranjos, ajudado pelo maestro Radamés

Gnatalli. Radamés incentivou-o muito. Afirmava que o principal era sentar-se e escrever as músicas. O resto vinha sozinho.

A Continental lançou de Tom a "Sinfonia do Rio de Janeiro", com letras de Billy Blanco, obra em onze movimentos. Esta peça enaltecia o Rio de Janeiro, falando do mar, do sol, das montanhas, do cotidiano da cidade. Era a obra mais importante que havia feito. Chamava-a, com carinhosa ironia, de "*Sinfoneca*". Os arranjos eram de Radamés Gnatalli. Sucesso de crítica, fracasso comercial. Mas não levou muito tempo até que as músicas de Antonio Carlos Jobim se multiplicassem nas rádios. E sua produção era tão intensa, que o músico e jornalista Antonio Maria disse que Antonio Carlos Jobim estava competindo com o próprio Antonio Carlos Jobim.

Convidam-no então para fazer parte do programa "Quando os maestros se encontram", na Rádio Nacional, a de maior audiência naquele tempo. Tom apresenta pela primeira vez uma peça de sua autoria com o nome de "Lenda", homenagem a seu pai Jorge Jobim.

Em 1956, foi chamado por Harold Morris para ser diretor artístico da Odeon. Aceitou, mas logo sentiu-se muito preso. Não tinha tempo para trabalhar em suas músicas. Ficou pouco tempo. Quis deixar a Odeon para ser *free-lance.* Harold Morris insistiu muito para ele ficar. Não adiantou. Conformado, Morris lembrou-se de um ditado de sua terra: "*Well... One can't change the leopard spot.*" Aloysio de Oliveira, recém-chegado dos Estados Unidos, substituiu-o. A princípio meio desconfiado, mais tarde, parceiros e amigos por uma vida inteira.

Depois que saiu da Odeon, Tom só trabalhou como músico e compositor. Nos primeiros dias de liberdade, escreveu o poema:

E fui beber água onde o tigre bebia.
A água era pouca, pura, fria,
À sombra das velhas árvores.
E aceitei as manhãs de neblina,

Quando o sol demora
E parece que não vem nunca mais.
E fui beber água onde o tigre bebia.
A água era pouca, pura, fria,
À sombra das velhas árvores.

Era feliz em seu casamento com Thereza. Falavam horas pelo telefone, como dois namorados. Nesse tempo sua bebida era apenas cerveja, no final do dia. Mais um pretexto para encontrar outros artistas. Acordava tarde, trabalhava em seu piano a tarde inteira. Desenvolvia os temas que tinha na cabeça. No meio do desenvolvimento, perdia-se nas harmonias. Pedia socorro à Thereza:

— Qual era mesmo o tema, meu amor?

E Thereza fazia-o voltar ao tema, cantarolando:

— É assim?...

Ele ria, contente com sua mulher:

— Perfeito.

Thereza ficava aflita. Queria que Tom colocasse no papel qualquer tema, logo que surgisse. Mas Tom tinha seu método de criar. Na hora de compor, trabalhava primeiro o caminho harmônico. Depois a melodia, concentrando o tema. Só então, trabalhava o "monstro" da letra, aperfeiçoando-a. E finalmente colocava tudo na pauta.

Outras vezes, continuava em seus devaneios, escrevendo nas pautas musicais a linguagem secreta das notas, das claves, temas que mais tarde talvez desenvolvesse. E quando Thereza perguntava o que ele estava fazendo, respondia rindo:

— É só um "prelúdio gasta papel"...

E riam juntos.

Às cinco horas, impreterivelmente, levantava-se do piano. Espreguiçava-se, reclamava da dor nas costas, culpava o antigo tombo na praia:

— Trabalhei muito por hoje. Preciso de um chopinho para relaxar.

Ela assentia, atarefada com o filho e as providências domésticas.

Depois das gravações no centro da cidade, artistas e intelectuais encontravam-se no Vilarino. Ali se reunia a nata dos jornalistas e dos músicos. Sergio Porto, Dorival Caymmi, Ari Barroso, Lúcio Rangel, Silvio Caldas, Vinícius de Moraes, e muitos outros. Foi apresentado formalmente a Vinícius de Moraes. A boemia do Vilarino apressou o destino. Começava na hora do *rush*, modo de evitar a volta para casa nas conduções cheias.

O Vilarino era uma mercearia de fachada estreita, onde se podia comprar o melhor uísque e finas iguarias. Escondia no fundo algumas mesas pequenas de mármore, para os provadores. Tom dizia que os mais moços demoravam na cerveja, até ficarem só com o dinheiro suficiente para a volta. Os mais abastados tomavam uísque. Desde o Clube da Chave, Tom surpreendia-se com a extraordinária simplicidade de Vinícius de Moraes. Aquele grande poeta, diplomata, aquele homem culto e inteligente, gentil e espirituoso. Impossível não gostar dele.

O crítico musical Lúcio Rangel chamou Tom em particular e disse que Vinícius precisava de alguém que compusesse músicas para sua peça *Orfeu da Conceição*. Era a história do Orfeu grego, na favela carioca. Tom perguntou:

— Tem um dinheirinho nisso?

Lúcio riu:

— Mas este é o Vinícius de Moraes!

Tom ficou encabulado. Essa história se espalhou e virou uma piada em sua vida.

Lúcio levou Tom à mesa de Vinícius. Pela primeira vez, conversaram e se entenderam. Vinícius entrou logo no assunto:

— Tínhamos pensado no Vadico. Você conhece o Vadico?

— Sei quem é. Fez com Noel Rosa "Feitiço da Vila." Ele é muito bom.

— Muito bom mesmo. Mas está com medo de pegar um trabalho grande. Teve um enfarte há pouco tempo.

Tom, sério:

— Entendo. Há tarefas que podem matar um homem se ele não estiver bem.

Vinícius tirou os óculos e começou a limpar as lentes com o guardanapo. Tom reparou em seus olhos claros. Muito tempo depois os descreveu assim: "Jamais me esquecerei da singular face humana, o poeta, os grandes olhos de jade, vazios, ocos, atentos, feitos para a compreensão e o entendimento."

Vina perguntou com simpatia:

— E você? Está em forma?

Tom riu. Era tão jovem, tão cheio de força. Foram imediatamente para sua casa e começaram a trabalhar. Mostrou para Vinícius alguns temas, ainda cerimoniosos um com o outro. No princípio custaram a se acertar. Sambas ruins, segundo eles. Não serviam para a peça. Trabalhavam juntos, letra e música se fazendo mais ou menos ao mesmo tempo. Rapidamente a parceria — que seria na carreira de Antonio Carlos Jobim a mais importante — começou a dar certo. O homem Vinícius de Moraes resgatou a imagem de Jorge Jobim para seu filho. Tom precisou negá-lo três vezes: quando abandonou sua mãe, quando voltou para ela e quando morreu. Vinícius, como Jorge, era também poeta e diplomata. Vinícius, como Jorge, despertou em Tom o Parnaso, a Grécia antiga, com Orpheu. E Jorge era poeta parnasiano.

"Se todos fossem iguais a você" foi a primeira música que fizeram. No Clube Marimbás, em Copacabana, Vinícius fez a leitura da peça, com Tom acompanhando-o ao piano.

Orfeu da Conceição foi um grande acontecimento. A transposição do mito de Orfeu para a favela carioca, com personagens negros, transposição essa quase atemporal, mantendo o clima mítico da tragédia grega, foi deslumbrante. Levada no Teatro Municipal do Rio de Janeiro, com cenários do arquiteto Oscar Niemeyer, cartazes do pintor Carlos Scliar, regência de Leo Peracchi e violão de Luiz Bonfá. Tom foi o diretor musical, tocou piano na peça e escreveu os arranjos para oitenta instrumentos da orquestra.

Enquanto Vinícius trabalhava no texto, em Paris, ocorreu a ele o tema da "Valsa de Eurídice". Um achado, pois uma valsa, como fundo musical para uma favela, trazia o clima de "antigamente". Tom aproveitou o tema para a *ouverture.* A música começava a ser tocada com as cortinas cerradas, que lentamente se abriam, surgindo o cenário: uma favela moderna, quase abstrata, desenhada por Oscar Niemeyer.

O público explodiu em palmas, já de início, e daí surgiu o comentário humorístico do jornalista Sergio Porto: "Talvez seja a primeira vez, no Brasil, que um cenário é aplaudido antes do início da peça."

Foi marcante o começo da parceria com Vinícius de Moraes, iniciada logo com uma obra de fôlego e com uma série de lindas canções. "Se todos fossem iguais a você", "Mulher sempre mulher", "Lamento no morro", "Eu não existo sem você", "Eu e o meu amor", criadas para a peça, tornaram-se também grandes sucessos. Vinícius de Moraes, como grande poeta, elevou o nível das letras na música brasileira.

Houve uma explosão de gravações. Tom não tinha tempo para mais nada. Tinha de escrever suas músicas no tom de cada cantor que ia gravar. Ficou muito feliz com esse fenômeno, mas parece que se sentiu definitivamente consagrado quando o cantor Vicente Celestino gravou "Se todos fossem iguais a você". Contava para todo o mundo:

— Até o Vicente gravou música minha!

Depois da peça *Orfeu da Conceição*, começou a haver uma modificação na atitude dos artistas. Tradicionalmente, os cantores tinham a exclusividade das músicas que gravavam. Na verdade, o público não sabia quem eram os seus autores. Eram os cantores que davam prestígio aos autores. Ary Barroso, em seus pro-gramas de calouros, era a única voz perguntando: "Quem são os autores da música?"

Aos poucos, começou a ser importante para os cantores terem músicas de Tom e Vinícius em seus repertórios. Eles começaram a gravar as músicas mais conhecidas, independente de exclusividade.

Tom ainda foi encarregado por Vinícius de escrever um texto sobre a peça. Nesse texto, entre outras coisas, dizia: "Cremos que o mesmo Orfeu que Vinícius colocou no nosso morro poderia ser colocado não importa aonde." E mais adiante: "Vinícius, que além de ser o poeta que todos conhecem, é um homem de rara musicalidade." No fecho desse texto escreveu também: "E, após esta breve explicação, que podemos mais dizer, nós que, sobretudo, não sabemos nada?" Tom falava com modéstia, mas sempre soube o que queria e o que fazia. Orgulhou-se de ver seu nome na porta de um teatro pela primeira vez em sua vida. Tinha lutado muito para chegar até ali.

Mais tarde, cineastas franceses transformaram a peça no filme *Orfeu negro*, exigindo novas músicas, pois queriam receber os direitos autorais sobre elas. O filme ganhou a Palma de Ouro em Cannes.

Do feliz e longo encontro de Antonio Carlos Jobim com Vinícius de Moraes, resultaram músicas eternas. Anos depois, sentados no bar Veloso em uma bela manhã de sol no verão do Rio, Vinícius falava das raparigas em flor, lembrando Proust. Chamou a atenção de Tom a silhueta esguia de uma moça que passava, a caminho do mar. Mostrou-a a Vinícius. Era talvez como muitas outras moças que passavam por ali.

Mas foi ela, Heloísa Eneida, a síntese desse momento que Tom e Vinícius viviam. A "Garota de Ipanema".

Tom agora tocava na noite de maneira bem mais confortável. Escolhia os lugares onde queria tocar e, sendo a atração principal, ganhava melhor do que antes. Aloysio de Oliveira incentivava-o a cantar em público, coisa que ele só fazia em casa. E foi Aloysio que, dirigindo um *show* de Tom, conseguiu que ele cantasse em público pela primeira vez. Foi muito aplaudido, na boate Arpège, quando cantou "Só tinha de ser com você".

Em 1957 foi chamado pela gravadora Festa para escrever a música do disco *O pequeno príncipe*, de Saint-Exupéry. O ator Paulo Autran falava o texto. Grande sucesso de crítica e de público. O disco foi reeditado tantas vezes que se gastou a matriz.

Em 26 de agosto desse mesmo ano, nasce Elizabeth Hermanny Jobim. Seu irmão Paulo tinha 7 anos. Thereza sentiu as primeiras dores, mas não disse nada ao marido. Lembrava-se bem de sua crise nervosa no nascimento de Paulinho. Disfarçou e ainda conseguiu deixar sobre a cama a casaca que ele usaria no grande programa semanal da TV Rio, "Noite de gala".

Tom recebeu em casa fotografias tiradas no palco. Uma delas mostrava-o de casaca, ao lado de quatro palhaços. Disse rindo para Thereza que ele era o único palhaço da foto. Durante mais ou menos um ano, Tom foi o regente deste programa.

Mas nessa noite, seu Arthur, exultante, esperava o final do programa para dar a boa-nova a Tom. Foi para os bastidores e lá encontrou o pianista Bené Nunes. Bené reparou na agitação do velho Hermanny. Perguntou o que havia. Seu Arthur, sorrindo, disse que estava esperando o final do programa para dar a feliz notícia a Tom. Era pai de uma linda menina, morena como a mãe. Assim que começaram os aplausos, Bené, na mesma hora, começou a gritar:

— É menina, é menina!

Tom, de casaca mesmo, correu para a maternidade. As enfermeiras, admiradas, diziam que a criança devia ser filha de pessoa muito importante, pois era a primeira vez que viam um pai tão bem-vestido.

Em 1958 Tom foi chamado pela gravadora Festa, de seu amigo Irineu Garcia, para gravar o *long-play, Canção do amor demais*. Queria os bons sambas-canções de Tom e Vinícius de Moraes, sucessos garantidos. Foi Elizeth Cardoso quem cantou todas as músicas de *Canção do amor demais*. Nos belíssimos arranjos, meio camerísticos, Tom usou trompa, oboé, clarone e flauta. João Gilberto tocou o violão na trilha da música "Chega de saudade". Esse disco foi um dos mais vendidos na época.

Tom conhecia a voz discreta e o violão singular de João Gilberto. Admirava esse rapaz recém-chegado da Bahia, *crooner* do conjunto Os Garotos da Lua, obsessivamente perfeccionista. Queria fazer um disco com ele. Chamou-o para sua casa. Trabalharam juntos durante meses, até se darem por satisfeitos. Nenhuma gravadora aceitava esse cantor ainda desconhecido. Mas Tom era obstinado. Ainda não havia conseguido as condições ideais.

As pescarias noturnas voltaram a acontecer. Tom era agora o pai de todos, como Celso havia sido em sua meninice. Levava a família para a praia da Barra da Tijuca. Iam também os molinetes, o azeite, a frigideira e o violão. Thereza e

Helena andavam pela areia procurando cavacos de madeira para fazer a fogueira. Paulinho e seu amigo André pegavam tatuís e sarnambis para suas iscas, e com linhas de mão, pescavam peixes pequenos: papa-terras, galhudos e pampinhos, que mais tarde serviriam de iscas para os peixes maiores, que chegavam com o crepúsculo. Faziam a ceva com tripas de peixes na vala da correnteza, que as levava para longe da praia e atraía-os. Arremessavam as linhas o mais longe possível, aproveitando o peso da chumbada, e fincavam os caniços na areia úmida.

Tom ensinava para o filho os ventos: lestada não apanha sereno, no inverno esse vento é tão gelado que chamam de corta-pica; de noite, sopra o terral. Depois era acender o fogo e esperar, tocando violão e cantando. A linha esticada, correndo sobre a água, os puxões do peixe tentando se libertar do anzol. Enchova, arraia, robalo, algum badejo perdido. Tom chamava o filho para que ele sentisse no caniço a força do peixe e sua luta, até tirá-lo d'água.

A frigideira no fogo, o cheiro do azeite quente. Quando os peixes não apareciam, a alegria era a mesma. O cheiro do mar, aquele quase-frio à beira d'água, o negrume da noite. Tom lembrava Paulo Mendes Campos: "Se os peixes não vierem, pouco importa. Não busco os peixes que chegam alarmados à terra dos homens. Busco uma luz desmedida que me aquiete."

"Que me aquiete", Tom repetia. Se Paulinho tinha sono, Thereza abria uma coberta sobre a areia. Olhando a vastidão do céu estrelado, o menino dormia.

Mas não saía da cabeça de Tom a idéia de fazer um disco com João Gilberto. Finalmente chegou o momento que tanto esperava. Convenceu Aloysio de Oliveira a fazer o disco, pelo selo da Odeon. Queriam tudo perfeito. Repetiam cada solo muitas vezes, até considerarem ideal o resultado de cada instrumento. Uma das faixas foi gravada dez vezes e, no final, acabaram escolhendo a primeira gravação.

Seus esforços foram compensadores. O disco *Chega de saudade* lançou definitivamente a Bossa Nova, nome aproveitado pela imprensa, pelo que Tom dizia na contracapa do disco, elogiando João Gilberto: "Esse baiano Bossa Nova." A crítica aprovou. Elogiaram não só as músicas, o violão e a afinação de João Gilberto, como a qualidade da gravação, muito superior a qualquer outra já feita. Só um diretor da Odeon de São Paulo detestou o disco, dizendo que aquilo era uma "porcaria" que os cariocas queriam impor a todos. Quebrou-o no joelho, dizendo:

— É isso que o Rio nos manda?

João Gilberto definia assim o que estavam fazendo: no samba-canção, a orquestra acompanhava o cantor. Na Bossa Nova, o cantor e a orquestra deviam se integrar. Sozinho no violão, João Gilberto reproduzia ou criava linhas melódicas como se fosse a interferência de um solo de violino, trombone ou outros instrumentos, conseguindo assim sugerir uma orquestração.

Consideravam que houve uma pré-bossa, definida pelas músicas de Chiquinha Gonzaga, Custódio Mesquita e Dorival Caymmi, principalmente. Deixaram um caminho de liberdade aberto para os mais novos. O nível da harmonia deles era muito bom. Uma escola.

A partir do disco *Chega de saudade*, a música popular, desprezada por muitos, influenciou toda uma nova geração de excelentes músicos. Esse movimento encorajou os jovens a superar o preconceito de que acabariam a vida bêbados, dormindo nas sarjetas, se resolvessem ser músicos.

As universidades abriram seus *campi* para a nova música. Era discutida apaixonadamente pelos estudantes. A juventude foi imediatamente contagiada. Depois de muito tempo aparecia uma música inteiramente brasileira, com uma nova estética, que correspondia aos seus sentimentos. Suas angústias, suas verdades, seus apelos. E os talentos musicais da classe média também se manifestaram em todo o país. O movimento da Bossa Nova foi como um rastilho de pólvora aceso.

No Rio, grupos de amadores como os de Nara Leão, Oscar Castro Neves, Roberto Menescal, Carlos Lyra, Ronaldo Bôscoli, e mais tantos outros, aprendiam a batida da Bossa Nova. Roberto e Carlinhos davam aulas de violão, ensinando esse ritmo, na academia que tinham aberto.

Reuniam-se no apartamento de Nara, na avenida Atlântica. Com sua voz delicada e seu violão, Nara foi proclamada a "musa da Bossa Nova". Outras gerações os seguiriam. Os caminhos estavam abertos. Era quase como se tivessem obtido a permissão e o estímulo de um pai. A segunda geração, influenciada pela Bossa Nova, abria novos caminhos, e seria formada principalmente por Chico Buarque, Edu Lobo e Francis Hime no Rio de Janeiro; Caetano Veloso e Gilberto Gil, na Bahia. Todos declararam que a vida deles havia mudado, estando em diferentes lugares do país, depois que ouviram *Chega de saudade*. Foi um marco.

Muitos e muitos anos depois, contando sua história com Tom, Chico Buarque de Holanda diria:

Era assim que ele nos chamava, os meus meninos, e antes mesmo de conhecê-lo, ele já estava no meu altar. O primeiro disco que comprei na minha vida foi dele, em parceria com Vinícius. Família de vida apertada, consegui dobrar meu pai dizendo que queria comprar um disco com as músicas de Vinícius, que era amigo dele. Na casa, antes de mim, era Miúcha quem cantava, organizava corais com nossas irmãs. Até que no início de minha carreira como compositor, conheci Tom, levado pelas mãos de Vinícius de Moraes. Uma ligação que se tornaria eterna. Tom nunca foi didata, mas me deu muitos toques. Nada formal. Não dava nome aos acordes. Sentava e tocava. A conversa era barroca, sua linguagem era cifrada, falava por enigmas. Eu nunca perguntava nada a Tom, porque se perguntasse, ele não responderia. Falaria de alguma outra coisa. Muitas vezes eu só ia entender o que Tom tinha me falado, dias depois. Ele e Vinícius romperam uma barreira na música brasileira. Antes deles, os músicos entravam pela porta dos fundos. Tom e Vinícius influenciaram não só a música, mas também o cinema, o teatro, e a literatura.

Ainda em 1959, com músicas de Tom e Vinícius, Lenita Bruno gravou, com sua voz educada, som de câmera, arranjos de Leo Peracchi, “Por toda a minha vida”.

Quando os primeiros discos de Bossa Nova chegaram aos Estados Unidos e suas músicas começaram a ser tocadas e gravadas com sucesso, Tom sofreu o desgosto de perder repentinamente seu amigo de infância e primeiro grande parceiro: Newton Mendonça. Ele tinha apenas 32 anos.

Na noite anterior à sua morte, estivera em uma reunião íntima na casa de Tom. Tinham despejado um cinzeiro cheio de pontas de cigarro no vaso sanitário. Newton, voltando do banheiro, disse brincando que "alguém" estava comendo muito cigarro.

Foi um choque quando, no dia seguinte, receberam a notícia de que ele sofrera um enfarte fulminante.

Celso tinha ido morar em Poço Fundo. Vendeu seu apartamento do edifício Brasília, no centro do Rio. Vendeu também o piano que Tom apelidara de Leopardo. Comprou terras contíguas ao sítio de seu cunhado Marcello e se tornaram sócios numa granja para criação de galinhas. Esta pequena fazenda ficava a duas horas do Rio, no meio do mato, estrada de terra, clima temperado, entre Petrópolis e Teresópolis.

Um grande rio piscoso cortava a paisagem com seus espelhos e pequenas quedas-d'água. Não havia eletricidade, e de noite Celso acendia lampiões a querosene, que iluminavam as salas com luz muito branca. Nos quartos, os castiçais e as velas. A casa era grande, com seis quartos, e uma enorme lareira. A construção rústica, sem luxo, mas muito aconchegante. Pela proximidade dos galinheiros, havia moscas. E de noite, besouros e mariposas entravam em casa, atraídos pela luz. Adiaram a colocação das telas, apesar do desconforto. O principal, para eles, era cuidar da saúde dos empregados. Celso os levava ao dentista da cidade em sua velha caminhonete, batizada de "Tuluse", em alusão ao pintor Toulouse Lautrec.

Essa atitude retratava bem Celso e Nilza. Quando ela soube que muitos empregados não tinham cobertor, não pôde mais dormir sossegada. Imediatamente Celso levou-a a uma fábrica de cobertores em Petrópolis, onde compraram uma batelada de agasalhos. Nilza preparava enxovais para cada criança que ia nascer. Ensinava às mães, pessoas rudes e primárias, os primeiros cuidados com os bebês. Ministrava verdadeiros cursos de puericultura e acompanhava de perto os cuidados que ensinava. Celso, por sua vez, obrigava todos os empregados a entrarem numa cooperativa de medicina, criada por um grande médico que se radicara na cidade, dr. Eugênio Ruótulo. Um idealista. Um homem muito adiantado para seu tempo.

Nilza tinha prazer em receber os amigos de Tom e Helena. Nos fins de semana, sempre que podia, Tom fugia da cidade grande para a roça. O caminho para Poço Fundo era ainda a subida da serra de Petrópolis, caminho do ouro, que seguia até Minas Gerais. Paravam num lugarejo chamado Pedro do Rio para comprar pão. Depois, na Posse, derivavam à direita, e tomavam uma estrada precária de mais de trinta quilômetros de terra, rente à represa da Barrinha, passando por Contendas e Jaguara. Atravessavam as ruas de cantaria de São José e chegavam finalmente a Poço Fundo.

Num feriado, Tom foi com Aloysio e sua nova mulher para lá. A moça era muito simpática, mas Celso não entendia como ele trocava de mulher tão rapidamente. Em um momento de descontração, Celso falou de sua inconstância. Aloysio não se abalou. Respondeu que pelo contrário, ele era um homem constante. Casava sempre com uma moça de 20 anos. Quando ela envelhecia, a contragosto, tinha de procurar outra moça de 20 anos.

Uma vez, Tom aproveitou uma carona do compositor Ari Barroso, mineiro de Ubá, que constantemente ia para sua terra. Falando de matas, Tom comentou que o capinzal da serra era para ele incompreensível. Nunca havia visto tanto capim colonião em cima das montanhas. Ari riu da ingenuidade de Tom. "Isso aqui era tudo floresta! Na minha mocidade, era difícil atravessá-la para chegar ao Rio de Janeiro."

Foi esse o primeiro choque ecológico que Tom sofreu. Pensar que haviam derrubado uma parte de sua floresta da Mata Atlântica, só para fazer carvão e uma estrada. Para ele, destruição inútil e perversa.

Sua conversa altamente ecológica com Ari se desenvolveu por tantas horas, que Tom perdeu o ônibus para Poço Fundo. Teve de passar a noite em uma padaria da Posse. No dia seguinte seguiu na carroça do leiteiro, distribuindo leite nos vilarejos. Finalmente, de carona em carona, cansado e divertido com a aventura, conseguiu chegar a tempo para o aniversário de Thereza, que estava em Poço Fundo com os filhos.

Os choques ecológicos repetiram-se. A Zona da Mata foi destruída. Hoje, ninguém entende por que se chama Zona da Mata um lugar completamente sem mata. Rubem Braga, escritor, fez uma enorme campanha pelos jornais para salvar as florestas do seu estado, o Espírito Santo. Tempos depois, encontrando-o, Tom perguntou curioso se sua campanha havia surtido efeito. Ao que Rubem Braga, triste, respondeu com ironia: "Foi uma beleza... Asfaltaram tudo!"

Como todos os caçadores honestos, Tom teve sempre a coerência de defender o mar, as florestas e os rios. Tinha verdadeira ojeriza à poluição que a sociedade, dita moderna, impõe aos homens. Antes de inventarem a palavra ecologia, Antonio Carlos Jobim já era um ecólogo nato. Detestava principalmente o cruel hábito das queimadas anuais.

Poço Fundo era um vale fechado, por onde passava um vento forte, que Tom apelidara de "vento redondo". Explicava que o vento alto batia no cume da montanha e uma aba dele deslizava como um redemoinho, atingindo o fundo do vale. Os moradores ainda acreditavam em assombração. Alguns juravam terem topado de noite com mulas-sem-cabeça, sacis e lobisomens. Thereza achava graça. Mas afirmava que nesse lugar existia, certamente, uma *entidade musical*, tal a inspiração que seu marido sentia ali.

Assim que chegava, começava a trabalhar. Na pequena varanda de chão de cimento, as cadeiras de vime, a rede, ele com o violão. O sol se recolhia cedo por detrás dos morros, as sombras se precipitavam. As cervejas esperavam, esfriando sobre a areia limpa do regato de águas geladas, que passava no fundo do jardim. Seus dedos corriam sábios pelas cordas: "Tarde, cai a tarde / E a sombra vai andando pelo chão / Tarde, cai a tarde / Cai a noite dentro do meu coração." Gostava de trabalhar desse modo: fazendo a música e a letra ao mesmo tempo. Perguntava sobre os versos a todos os que estavam presentes, pedia opinião. Também era assim com quase todos os seus parceiros.

O grande pasto do Dirindi, no caminho da Maravilha, com suas águas altas, as sombras das nuvens correndo, "e as águas desse rio, onde vão, eu não sei...", se tornou famoso como "Dindi". Nilza se queixando das goteiras dos beirais da casa sobre as roseiras, "Chovendo na roseira". E "Caminho de pedra",

"Estrada branca", "Corcovado". Quando Tom voltou ao seu apartamento da Nascimento Silva, depois das férias, já não se via mais o Redentor. Haviam construído um prédio em frente ao seu, que tapava a visão da grande montanha. Foi também em Poço Fundo que compôs "Chega de saudade", com letra de Vinícius. Mais tarde, "Matita Perê" e "Águas de março".

Do outro lado do rio, avistavam-se as terras da Ventania. Mais para trás, o Morro Grande, a Glória e o Roçadinho. À direita, a Boa Vista e à esquerda, o Cachoeirão da Subida da Maria do Carmo. Finalmente, ao fundo, a cerca que chegava até a Pedra das Flores. Era ali que Tom buscava força.

Subia a Buracada com os mateiros Narciso e Zé Rego, para ver o olho-d'água da nascente. Para ver as velhas árvores de copas fechadas da Grota Noruega, lugar frio por onde o sol passa ligeiro. E ouvir o pio dos pássaros.

Nessa época, viveu uma experiência mística muito importante em sua vida. Tinha convidado seu amigo Mário, apelidado Mário Saliva por sua boa conversa, para passar um fim de semana com ele em Poço Fundo. Combinaram uma caçada no município vizinho de Sapucaia.

A viagem era longa pela estrada de terra, a floresta quase fechando o caminho. Mário, dirigindo o carro, começou a correr. Tom, a seu lado, ia ficando cada vez mais tenso. Subitamente, alguma coisa aconteceu. Sentiu que dentro dele tudo se relaxava. Olhava o farol iluminando o barranco vermelho, uma árvore debruçada no caminho, as estrelas que brilhavam congeladas no céu azul-marinho. De repente não havia mais separação entre ele e tudo que o cercava. Ele era tudo — a luz do farol, o barranco iluminado, a árvore, as longínquas estrelas — e tudo era ele. Nesse momento cessou o medo. Todo e qualquer medo cessou em seu corpo e em seu espírito. Não havia mais o temor da morte, porque não havia morte. Ele estava em todas as coisas — mais do que isso, *ele era todas as coisas.* E continuaria sendo para sempre.

Tom dizia que essa experiência tinha sido tão intensa, que era difícil colocá-la em palavras. Era incontável. Sentiu-se modificado depois dela. Havia experimentado uma outra dimensão.

Tom convidou João Gilberto para ir a Poço Fundo. Queria fazer um segundo disco com ele. João cismou de ir por um caminho por onde ninguém ia. Uma precária estradinha de terra onde não passavam automóveis. No meio da viagem, viu uma enorme cobra jararacuçu. Parou e saiu atrás dela. Não percebeu seu carro afundando na lama. Foi necessário que um trator o rebocasse até Poço Fundo. Chegou todo enlameado. As crianças deliraram quando ele abriu o porta-malas do carro e exibiu a cobra morta, amarela, com lindos desenhos pretos em seu dorso.

Tom passou uma semana trancado com João Gilberto em um quarto da casa transformado em estúdio. Chovia sem parar. Não queriam interromper o trabalho nem para comer. Thereza, volta e meia, aparecia trazendo xicrinhas de café na bandeja vermelha de ágata. Ouvia-se em toda a casa os violões tocando e parando, tocando e parando. Nos intervalos, as vozes dos dois trocando idéias, e sempre ao fundo o barulho do rio que passava.

Quando a noite chegava, Tom ia até o bar do Hotel do Carlinhos, na pequena cidade de São José, onde tomava umas cervejas e às vezes uns goles de cachaça de barril. No dia seguinte, de manhã, pedia à mãe canja de galinha-índia, para acarinhar o estômago.

João volta ao Rio e, dias depois, Tom recebe um recado de que Aloysio já marcara o estúdio para gravar. Desce correndo a serra com o disco pronto para ser gravado com João. *O amor, o sorriso e a flor*. E segundo Tom, "tudo foi feito num ambiente de paz e passarinhos".

Em casa grande, com muita gente, volta e meia uma porta fica aberta. No lusco-fusco da tarde, Maria Lydia viu no chão de seu quarto o que lhe pareceu um cinto. Abaixou-se para pegá-lo e o cinto se enrolou todo. Era uma jararaca, cobra comum no lugar. Aos seus gritos, todos acorreram e a cobra foi morta. Celso comprou soro antiofídico, para qualquer emergência.

O proprietário do apartamento da rua Nascimento Silva chamou Tom para conversar. Queria vender o imóvel:

— O senhor já é famoso e pode comprar o apartamento. Estou vendendo por um pequeno sinal e o restante financiado em cinco anos pela tabela *price*.

— No momento não tenho a menor possibilidade de comprá-lo. Fama é uma coisa e dinheiro é outra.

O homem concordou:

— Tem razão. Mas para se ficar rico, é necessário sempre fazer uma dívida. O senhor vá então para São Paulo que é lá que está o dinheiro. Volte e me pague. O apartamento será seu.

Por coincidência, Tom foi chamado por Carlos Thiré para fazer um programa semanal de música popular na TV Record de São Paulo. "Bom Tom". Começava para ele a famosa ponte aérea, que levava todos os músicos do Rio para São Paulo. Iam pela manhã e voltavam à noite. Um ano inteiro de sucesso. O programa foi um marco na televisão. Entrevistava convidados, e o assunto era música, como sempre. Chamava para o programa os mais variados talentos: Nara Leão, Ronaldo Bôscoli, Agostinho dos Santos, Silvinha Telles, Roberto Menescal, Oscar Castro Neves e muitos outros. Até Vinícius, Tom conseguiu levar.

A ponte aérea era cansativa e Tom tinha medo de voar. Pedia sempre à mãe que "segurasse" o avião. Que não deixasse ele cair. Para não ter que viajar tanto, alugou uma casa no Brooklyn, em São Paulo.

Helena havia se mudado com a filha e o marido para Guaratinguetá. Tinham transferido Paulo. Guará era uma cidade pequena e acolhedora, entre Rio e São Paulo. Nas férias de Paulinho e Beth, Thereza resolveu ir para a casa da cunhada. Tom acompanhou-a. Podia ir para Guará depois do programa e ficar o resto da semana aproveitando o clima e a tranqüilidade do lugar. Gostava de sentar-se na varanda larga da casa e apreciar o demorado crepúsculo esbraseado por detrás do bosque de eucaliptos, diferente dos entardeceres do Rio de Janeiro. O sol nascia e morria abaixo do ponto de vista humano. Já era o caminho para o grande planalto Central. Sem as montanhas de sua infância.

A Base Aérea ficou em polvorosa. Paulo providenciou logo um piano. A casa ficou muito animada. Todos queriam conhecer Tom. Mas Tom era recolhido. E tinha que preparar os programas. Embora socialmente extrovertido, era zeloso de sua intimidade e dificilmente falava de seus problemas com alguém. Possuía um grande carisma. Seduzia a todos que o rodeavam e tinha um senso de humor especial. Quando queria, sabia ser engraçado. As poucas pessoas que conheceram esse seu lado histriônico, afirmavam que ele poderia ter sido um ator cômico. De pé, no meio da sala, sua mímica era curiosa. Não aparentava a idade que tinha. Aos 32 anos, parecia ter pouco mais de 20. Magro, rosto liso, ar de garoto.

Baden Powel, grande violonista, apareceu e hospedou-se na Base com um amigo, colega de Paulo. O telefone não parava. Tom preparava os programas de São Paulo, falando por telefone com os artistas convidados. Nessa ocasião, já pensava em compor "Capitão Bacardi", em homenagem ao cunhado, que gostava de rum.

No final de um ano de trabalho, Tom pôde, como vaticinou o proprietário do apartamento, comprá-lo. Agora, em vez de queixar-se do aluguel, reclamava da prestação que tinha de pagar mensalmente.

Seu segundo grande projeto musical com Vinícius surgiu por intermédio de Bené Nunes. Bené era amigo do presidente Juscelino Kubistchek. Recebeu dele a incumbência de conseguir, com os dois autores, uma sinfonia para a inauguração da nova capital: "Brasília, sinfonia da alvorada".

Voltou ao Rio e formalizou com Tom os detalhes da empreitada. Vinícius, além de grande parceiro, era conhecido nas rodas políticas, o que ajudou muito. Amigo também do presidente e de Oscar Niemeyer. Foram muitos encontros, viagens a Brasília ainda em construção. Precisavam sentir de perto o planalto Central.

Ficaram no Catetinho. Uma casa grande, construída com madeiras da região, residência provisória do presidente. Um dos candangos, que vive até hoje, disse que difícil foi subir com o piano pelas escadas. E disse mais: que Vinícius ficava dentro da casa com seu copo de uísque na mão, enquanto Tom chamava um candango e ia para o mato piar jaó, ave abundante na região. Ficava assombrado como a ave respondia ao pio de Tom.

De volta ao Rio, Tom escreveu todo o tema em seu Welmar, piano vertical. Vinícius preparou o texto. Tom escreveu a partitura completa para orquestra. Resolveram dividir a peça em cinco movimentos: O planalto deserto, O homem, A chegada dos candangos, O trabalho e a construção, O coral.

A inauguração seria um espetáculo de luz e som. Os ensaios começaram. A orquestra estava pronta. O coral contava com as vozes d'Os Cariocas, das cantoras da orquestra de Severino Filho e mais as vozes de Lenita Bruno e Elizeth Cardoso. A fita foi gravada no Rio, nos estúdios da Columbia e enviada para Brasília. Serviria não só para a inauguração, como para qualquer futuro evento oficial na capital.

Mas a Novacap já estava sem dinheiro no final da construção de Brasília. A firma francesa não foi contratada. Não houve o espetáculo de luz e som. E quando Tom foi receber seu cachê, recebeu a desagradável notícia de que o dinheiro que sobrara, ou dava para pagar a ele, ou aos músicos da orquestra. Mandou que pagassem os músicos. Não recebeu nada. Disse que foi obrigado a isso, porque senão, quando os chamasse de novo, não aceitariam mais trabalhar com ele.

Mais uma vez a parceria com Vinícius de Moraes mostrava um novo tempo na música brasileira: a combinação de um texto poético e música sinfônica com canto coral.

Mas o presidente Juscelino, com seu charme irresistível, superou esses problemas. Foi inclusive apelidado de presidente Bossa Nova. Com direito a uma música do menestrel Juca Chaves.

Confirmando sua fama de reclamão, Tom continuava se queixando das prestações do apartamento. Bené Nunes, ouvindo suas queixas, chegou com uma carta de recomendação de Juscelino, determinando um financiamento de vinte e cinco anos para sua dívida pela Caixa Econômica Federal. Tom nunca mais reclamou. Pelo menos das prestações do apartamento.

No final de 1961, foi escolhido como o melhor compositor do ano, pela Rádio Jornal do Brasil.

Foi descansar uma semana em Poço Fundo. Sentia-se exaurido, esvaziado. Dormia muito. Quando se levantava da cama, deitava-se na rede da varanda. Dedilhava o violão, o ar ausente. Confidenciou para Helena:

— Preciso arranjar outra profissão. Não sei mais compor. A fonte secou.

Muitos anos depois, afirmaria o contrário à sua irmã — quando ela terminou um de seus livros e lhe disse que havia perdido a vocação:

— A fonte nunca seca. — E apontando para o espaço: — Está tudo lá. É só ir buscar.

Nilza e Celso voltaram de Poço Fundo cheios de problemas. Azor, já idoso, não suportava mais o frio rigoroso do inverno. A granja começou a dar prejuízo. O preço da ração tinha subido muito, acabando com o lucro dos granjeiros. Só os atravessadores, como sempre, ganhavam dinheiro.

Alugaram uma casa na rua Barão da Torre, paralela à Nascimento Silva. O imóvel pertencia à família Otero Hermanny. Nilza quis ir para essa casa porque havia um jardim com muitas árvores. Mas Azor estava cego, depois de uma infeliz operação de catarata. Ele nunca se queixou desse insucesso. Dizia apenas: "Seria melhor se isso não tivesse acontecido." Continuava muito lúcido, de inteligência ágil, curioso em relação a tudo. Essa aceitação reforçava o que a falecida tia Sinhá, irmã de Mimi, dizia a seu respeito: "A fôrma em que Azor foi feito se quebrou."

Nilza, imediatamente, contratou duas universitárias que liam para ele. As moças logo ficaram cativadas por sua personalidade terna e viril. Tom o admirava: "Meu avô é o único homem que conheço muito emotivo e ao mesmo tempo muito equilibrado."

Azor só fazia uma exigência. Manterem as janelas fechadas, pois a claridade o incomodava. Ficava sentado na cama com um bonezinho azul de aba, a cobrir-lhe a calva e proteger-lhe os olhos.

Paulo e Elizabeth, ainda pequenos, viviam no jardim da casa dos avós. As árvores velhas e muito próximas, as sombras roxas no chão, passavam para as crianças a impressão de floresta secreta. Thereza dizia que seu apartamento não dava mais para a desordem dos ensaios e dos filhos ao mesmo tempo. Nilza propôs a Thereza uma troca: "Você vem para cá com Tom e eu vou para o apartamento da Nascimento Silva, com Celso e papai." A contragosto da família Otero Hermanny, pois não viam com bons olhos alugar seus imóveis a alguém da família. Se o aluguel falhasse, seria horrível ter de despejar um parente.

Mais uma vez, para desespero de Tom, outra mudança. No meio da confusão dos móveis que entravam e saíam, do vaivém do atônito Ângelo Fróla, Tom escapulia. Sumia de casa em seu fusquinha e ia para um hotel qualquer.

O cunhado, Paulo, e Gabriel, marido da prima Lúcia, é que ajudavam. Mas protestando com Thereza:

— Cadê teu marido?

— Quando nós nos mudarmos, também queremos ficar num hotel...

Celso e Nilza tinham que ir a Poço Fundo com freqüência. Tentavam terminar com a granja e vender uma parte das terras. Azor foi morar com Yolanda. Já completara 88 anos e estava muito debilitado. Sua morte foi inesperada. Era madrugada de 1º de novembro, dia de Todos os Santos, 1962.

Nesta mesma madrugada, Helena acordou, sentou-se na cama assustada. Chamou o marido. Disse apenas: "Meu avô morreu."

A morte de Azor deixou um grande vazio. Sua inteligência aberta, a grande compreensão humana. Tornou-se um marco. Um homem inesquecível.

A grande ausência seria assimilada aos poucos, com muita saudade. De repente imaginava-se ouvir seu riso dentro da casa. Ou talvez seu vulto, no banco do jardim. Sua bengala, encastoada em metal dourado, continuava dependurada no mesmo lugar. Tom dizia:

— Me lembro do meu avô todos os dias.

Os dias corriam, as semanas, os meses. As amendoeiras deixavam cair na calçada suas folhas cor de outono. Thereza comprou uma cortina cor-de-rosa para o quarto, combinando com a colcha. Tom disse que a cortina era inverossímil. Helena e Paulo voltaram de Recife. Vânia Reis e Silva, grande amiga, pintora *naive*, trouxe para Thereza o quadro encomendado: um portal antigo, em azul colonial e vermelho sangue, que mais tarde Nilza transporia para uma tapeçaria.

Arrumando a casa, o humor de Raíl — empregada que acompanhou Tom e Thereza durante vinte e cinco anos — se modificava sem qualquer motivo aparente. Volta e meia, muito cedo, Tom levava Betinha ao colégio. Parava um instante para olhar o mar, mostrava as gaivotas mergulhando. De repente dizia:

— Você tem os olhos estranhos, minha filha.

E invariavelmente ela respondia:

— Estou com muito sono papai...

O famoso Beco das Garrafas vivia seu apogeu. Era uma pequena rua repleta de "inferninhos", que proliferavam em função da música nova que surgia. *Shows* eram montados em bares muito pequenos, para um público fiel e interessado. Quando o público saía dos *shows*, altas horas, o barulho incomodava os moradores dos apartamentos dos edifícios próximos, que jogavam garrafas das janelas, tentando exigir silêncio dos notívagos.

As músicas "Desafinado" e "Samba de uma nota só" já faziam sucesso nos Estados Unidos. A Bossa Nova tinha explodido e vendido milhões de discos. Tocava nas rádios. Chegava lá através dos grandes astros do *jazz*. As músicas, imperfeitas, e as letras, vertidas de qualquer maneira, incomodavam e preocupavam Tom. Muitas vezes eram versões que nada tinham a ver com as letras originais. Tentava fazer uma versão boa de "Samba de uma nota só". Vivia com a letra no bolso, perguntando a todos se estava bem-feita. E a todo momento modificava-a, a qualquer observação de alguém que soubesse inglês melhor do que ele.

Em 1962, compôs a trilha sonora de *Porto das Caixas* de Paulo Cezar Sarraceni e participou com João Gilberto de *Copacabana Palace*, filme italiano. Achava importante fazer trabalho sob pressão, trabalho de encomenda. Era um treinamento. Mas como sempre, envolveu-se. E a música de *Porto das Caixas* valeu-lhe uma premiação. E ainda colocava mais um sucesso no ar, através d'Os Cariocas. Uma música que é um verdadeiro hino da cidade:

"Samba do avião". De suas idas ao aeroporto para ver de perto os aviões, resultou esta ode de beleza e bom gosto em homenagem ao Rio de Janeiro.

No Brasil, a Bossa Nova incendiava corações. Tornou-se até discussão política. O Ministério das Relações Exteriores vislumbrou a oportunidade de aproveitar esse momento.

Veio ao Brasil o editor Sidney Frey, que também tinha uma gravadora. Tinha sido da Marinha Mercante e gostava muito de vir ao Brasil. Em uma de suas viagens assistira, na noite de Copacabana, a um *show* no Bon Gourmet, com Vinícius, Tom, João Gilberto e Os Cariocas. Estava agora interessado em editar na América do Norte músicas brasileiras. E jogava pesado nisso. Oferecia nada menos do que um concerto no Carnegie Hall, na noite de 21 de novembro de 1962. Era o templo sagrado dos grandes músicos internacionais. Dora Vasconcelos, cônsul em Nova York, percebeu o interesse pela música brasileira, e sugeriu o apoio do Itamarati para mandar brasileiros se apresentarem no concerto que Sidney Frey queria patrocinar. O Ministério das Relações Exteriores ofereceu aos músicos convidados 22 passagens aéreas e estada em hotéis.

Sidney Frey promoveu um coquetel para esses músicos no Copacabana Palace. Começaram a chegar artistas não convidados que também queriam ir. Sidney Frey lavou as mãos. Disse que quem quisesse ir por sua conta, que fosse. Teriam direito ao palco.

Aloysio de Oliveira ficou apavorado. Pensava em um *show* bonito e bem ensaiado. Mas Sidney achava que no meio de tantos artistas, talvez pudesse descobrir mais músicas que o interessassem. Aloysio preveniu Tom que o *show* ia ser desorganizado, e que o nome dele poderia ser "queimado" nos meios artísticos americanos. Tom se convenceu. Não iria. Ainda mais que a crise entre os Estados Unidos e União Soviética, por causa dos mísseis em Cuba, podia recrudescer. E pairava no ar o medo terrível de um bombardeio atômico.

Mas a pressão foi grande. O escritor Fernando Sabino, seu amigo, disse que, se ele não fosse, seria para sempre "um brasileirinho ignorante e subdesenvolvido". Vinícius, durante uma noite inteira regada a uísque, também tentou convencer o parceiro.

Na manhã do dia 21 de novembro, quando Paulinho saiu cedo para o colégio, viu o pai de pijama, sentado na varanda, muito quieto. Nenhuma recomendação, nenhum beijo. O menino estranhou.

Pouco depois, o telefone tocou. Era o embaixador Mário Dias Costa, do Itamarati. Tom disse que não ia, não havia nem roteiro definido para o *show*, nada tinha sido ensaiado. E que esse navio ia afundar. O embaixador confidenciou a Tom que o apoio do governo se dava em grande parte por causa de suas músicas. Se ele não fosse, seria uma desfeita.

— Se o barco afundar, você, Antonio Carlos Jobim, é o comandante do barco. Que afunde junto, com todas as honras.

Tom atendeu ao apelo dramático do embaixador. A mala feita por Thereza estava pronta. Com a recomendação que ele nunca desrespeitasse o triângulo que tinha até ali norteado sua vida: os dois ângulos da base representavam a razão e a emoção. Não devia esquecer que o terceiro ângulo, voltado para cima, representava a intuição. Sem ela, poderia cair em trágicos enganos.

E foi sempre pela intuição que Tom se guiou. Sabia que o artista que não segue a sua intuição, perde a trajetória da arte. No táxi, indo para o aeroporto, pensava nisso.

Quando Paulinho chegou do colégio, seu pai já havia partido.

Carta em que Tom descreve para Thereza a temida viagem de avião para Nova York:

O DC-8 em que vim era uma beleza. Suas asas têm dedos, como as das aves, com que ele maneja e contraria os ventos. Tremendo pássaro de alumínio. Eu sozinho *dentro de um avião* vazio.

De S. Juan (Puerto Rico) a N.Y. é direto sobre o Atlântico. Pois bem, duas horas depois de decolarmos de S. Juan o pássaro (meia-noite) começou a pular. Estávamos a 35 mil pés — apareceu o luminoso "Usem os cintos de segurança". Depois disso, todas as luzes se apagaram — pronto, pensei, queimou o fusível (desenho de dois olhos arregalados no escuro). Aí, o piloto começou a falar lentamente como se estivesse com sono (que falso!).

— Temos alguma turbulência... anh, ahn, ahn... alguns ventos fortes, mais ou menos 200 milhas por hora... ahn, ahn, ahn... Vem do Nordeste... Nós *vamos diminuir a velocidade para ficar mais... ahn, ahn, ahn... confortável.*

Disse que o vento era contra, o que nos atrasaria. Os jatos foram mudando de som e a velocidade diminuiu — os trancos também. Da janela (escuridão absoluta no avião) eu via duas línguas de fogo grossas, que apareciam e sumiam intermitentemente na escuridão. Pulsam como um coração, parecem um bicho vivo, respirando — e faz o som de uma pessoa fazendo exercício respiratório depois de uma corrida, bem perto do teu ouvido. Só que você não ouve a inspiração e só ouve a expiração: — haaa — haaa — haaa... — o som e a pausa são mais ou menos iguais. A inspiração é ruidosa, e pela boca — o ritmo é rigoroso. O som coincide com o fogo (desenho da descarga com fogo de três motores do avião).

Aí se passaram mil anos. A Eternidade. Fechei os olhos e vi o rosto de Bethinha com caxumba. Bonita como ela só.

O piloto continuava fazendo aquela conversa, fingindo de pijama listrado e cadeira de vime. Dizia, horas e horas seguidas, que faltavam 15 minutos para chegarmos à área de N.Y. Montanha-russa com trilho de borracha...

... (sinal de infinito). ....

Finalmente "N.Y. área" chegou. Mil luzes, New Jersey, Manhattan — o passarão movia os dedos, contrariando, freando, descendo — rolou na pista, reverteu os reatores (fenômeno já familiar para mim. Era a 4ª aterrissagem naquele dia — Brasília—Port of Spain—San Juan de Porto Rico—New York) e as cento e cinqüenta toneladas (Trem aéreo) foram parando.

INTERNATIONAL AIRPORT
of
IDLEWILD

O resto foi sopa...

(Carnegie Hall)

Tom chegou a Nova York momentos antes do *show*. Foi o tempo de passar no hotel Diplomat, colocar o *smoking*, pegar um táxi, e chegar ao Carnegie Hall. Chovia muito. Mas o teatro estava lotado e uma multidão ainda ficou do lado de fora.

Parou alguns segundos antes de entrar. Sentiu um profundo isolamento. Não ouvia mais as vozes à sua volta, e ele mesmo estava incomunicável. As mãos geladas, o rosto lívido, os lábios brancos — características muito suas, sempre que se encontrava sob forte emoção. Nas poças d'água da calçada pareceu-lhe ver passar rapidamente rostos queridos. Viu a mãe sorrindo para ele e lembrou-se de que tinha pedido, como sempre, para ela "segurar o avião" em que viajaria para Nova York.

Respirou fundo e entrou. Procurou o calor do camarim, o abraço dos amigos. Não achou Aloysio. Não dava tempo para mais nada. O *show* ia começar. Não podia voltar atrás. Na coxia, viu alguns colegas seus persignarem-se. Sentiu um vago mal-estar na barriga e enjôo. Correu de volta ao camarim, procurou em sua pasta o remédio que tantas e tantas vezes tomaria ao longo da vida, antes de subir ao palco: elixir paregórico.

Quando foi se apresentar pediu a Leonard Feather que explicasse que ele não era cantor, mas apenas o autor de "Desafinado", que já fazia sucesso. Na confusão, Leonard não explicou nada, e pelo desastre que se esperava acabou menos mal.

Tom cantou observado de perto por Stan Getz, Lalo Schiffrin e Gary MacFarland. O público vibrou com a nova música popular brasileira. A crítica americana se dividiu. No Brasil, por interesses contrariados de algumas pessoas, a crítica foi cruel. Tom magoou-se. Diria depois: "Afinal, como poderia, naquela época, a imprensa brasileira estampar no dia 22 de novembro, pela manhã, a crítica de um *show* que terminara à meia-noite do dia 21, em Nova York?"

Ficou patente que havia comércio, dinheiro e vaidades por detrás disso. Apesar do *show* ter sido desorganizado, o público havia aplaudido de pé.

Eu me saí bem, sozinho ("One Note Samba"). Ia fazer só um número, mas tive que voltar três vezes ao palco e cantar outra vez "Corcovado". Toquei também depois, com João Gilberto. A crítica americana inteligente contornou o assunto delicadamente e fixou-se na desorganização do espetáculo. Falou de maus microfones (os bons foram usados para a gravação de mr. *Frey) e da bagunça reinante. O teatro, superlotado de um público simpaticíssimo. Não senti medo (depois daquele jato, você não tem medo de nada). Parece que uma multidão não conseguiu ingressos e ficou de fora, reclamando, certamente.*

Tom continua:

Saiu ontem (30/11/62) no Show Magazine, *na sessão de música, um artigo simpático sobre a Bossa Nova, mas dizendo muita bobagem. Depois li no* The New Yorker *um outro artigo metendo o pau. Termina dizendo:* "Bossa Nova, go home." *Tudo isto é muito desanimador. Mas eu não quero ter (agora que já voei 10 mil quilômetros) aquele acesso de* homesick *(saudade), tomar aqueles* drinks *e pegar aquele avião de volta.*

Pouco adiante, enumera os dados sobre Nova York:

Três milhões e meio de população flutuante — o que é igual à população de nossa vila. Só Manhattan (a ilha) tem 9 milhões de habitantes fixos. Os jornais publicam o aumento da criminalidade: Assassinatos, 8%; Roubos 14%; Estupro etc... etc... um crime por minuto. As manchetes do New York Herald Tribune *são assim: Cuba — 340 mil soldados estão em "Alerta para Invasão".*

Na mesma carta Tom comenta a tragédia da queda do avião da Varig, no vôo Rio–Lima, quando morreu toda a tripulação. No dia seguinte ao desastre, David Zing ligou, pedindo a Tom que fosse com ele ao hotel onde o pessoal da Varig morava. Pediu para levar o violão, para alegrar o pessoal, que estava arrasado. Queriam se embebedar para esquecer. Diziam que aqueles que morreram eram os melhores, mais amigos, tocavam violão e divertiam a todos. Repetiam: "Só morrem os bons..."

Pediram a Tom que tocasse um pouco.

Foi a primeira e última vez que meu violão novo saiu da caixa. Uma das aeromoças sentou-se violentamente sobre ele, que se espatifou. Havia também um piloto, de olhos azuis, que chorava. O violão, meu querido violão, parecia o avião da Varig. Mil farpas, cacos, cordas, e o braço virado numa direção impossível. Uma das moças pendurou-o na parede, no lugar de um quadro. Ficou lá, meu violão, espatifado e devidamente assinado. Ele ficou lá. Tragicamente bonito, mas eu fiquei triste e voltei deprimido para o hotel. Acho que vou voltar para o Brasil de táxi." (Havia um desenho do violão torto e quebrado.)

Nas cartas seguintes foi contando todos os acidentes aéreos.

A manchete dos jornais era "Semana dos desastres":

— Dezembro — Tremendo desastre em Idlewild — Fog-radar desligado.

2ª feira — Um Viscount... 40 pessoas mortas.

3ª feira — Um Boeing 707 — Todos mortos.

No mesmo dia... e dava todos os dias da semana 300 mortos no total — Bruxa!

"Voltarei de barco ou charrete."

Foi para Washington, e de lá, noticiou: "Um *whistling swann* 12 *pounds* (um tipo de cisne) colidiu com um avião, matando 17 passageiros. A ave penetrou 30 *inches* (75 cm) no estabilizador da cauda e o avião caiu. Os jornais noticiaram uma colisão de aviões no Rio." Nesta ocasião, Paulinho mandou a revista *Manchete* para ele, com todos os desastres fotografados. Parecia um estudo estatístico dos perigos do mundo. Thereza também estava apreensiva.

Tom mandava mil observações sobre tudo o que via. Thereza esperava notícias pessoais sobre o concerto, mas ele descrevia um inacreditável restaurante javanês, em todos os detalhes. Descrevia o Gerry Mulligan, que ela só conhecia das capas dos discos, com minúcias assim:

Estive duas vezes em casa do Gerry Mulligan até 6 horas da manhã. Ele tem mais ou menos a minha idade. Família de engenheiros — (ele ia ser), orelhas coladas e quando ele viu o que era bossa nova, adorou. Depois tocou todos os arranjos do disco dele, ao piano. Miltinho (Banana), João Gilberto e eu cantávamos e ele ficou de queixo caído quando viu que conhecíamos tudo e que o amávamos realmente — (Gerry já carregou o violão do João pelas ruas de N. York). Tem sangue de irlandês, cabelo vermelho e aquele ouvido do Donato. Depois, improvisamos sobre "Garota de Ipanema", "Só danço samba", "Samba de uma nota só" — tudo ele pegou de cara e saiu improvisando certo — uma beleza!!! Mora no quarteto: João, Gerry, Milton e eu.

Além das críticas desfavoráveis, "*Bossa Nova go home*", a Union (sindicato) avisava que se alguém tocasse profissionalmente, seria deportado! Felizmente a reação foi de raiva e vontade de lutar.

Tom vivia um clima de desastre, não só no nível de acidentes, mas também pelas dificuldades e o peso das críticas. Todos os brasileiros que participaram daqueles acontecimentos viviam essas aflições.

Felizmente houve um saldo positivo, graças aos esforços individuais de alguns. E muita persistência, até que os "estragos" fossem superados.

Tom e mais alguns músicos foram convidados para fazer outro *show* em Nova York, no Village Gate, dia 3 de dezembro. Fez também um programa de televisão com Gerry Mulligan e um espetáculo em Washington, no Listener's Auditorium, no dia 5 de dezembro. O sucesso foi total. Ritmo frenético, ao gosto americano. Anos depois, em depoimento feito para as Faculdades Integradas Estácio de Sá, publicado pela Editora Rio, Antonio Carlos Jobim declarou, referindo-se aos Estados Unidos: "Descobri naquele país muita generosidade. Sem roupa certa para o frio, vi um crioulo da orquestra colocar seu sobretudo sobre as minhas costas e continuar seu trabalho."

Praticamente quase todos os músicos brasileiros voltaram. Mas Tom era procurado por compositores e estudantes americanos. Ficou amigo do saxofonista Stan Getz e de sua mulher, uma baronesa sueca muito bonita. Stan Getz amava as músicas de Tom e inclusive já tinha gravado algumas. Conheceu outros músicos famosos como Charlie Byrd, Cannonball Aderley. Queriam saber tudo sobre Antonio Carlos Jobim.

E com seu "espírito ficador", Tom foi ficando. A poeta e cônsul Dora Vasconcelos se desdobrava para que ele se sentisse à vontade. O pianista Thelonius Monk disse que a Bossa Nova deu ao *jazz* dos intelectuais nova-iorquinos o que lhe faltava, isto é, ritmo, balanço e calor latino.

Tom estava cada vez mais preocupado com as versões de suas músicas. Continuava hospedado com João Gilberto no hotel Diplomat, na 108 W 43rd. St. #1007, Times Square, a Lapa de Nova York. Mandaram buscar suas mulheres, Thereza e Astrud. Orgulhoso de seu inglês, Tom pedia a chave do apartamento assim: "*One, 0, 0, Seven*", até que um dia o rapaz da portaria o corrigiu, rindo: "*Ten, 0, Seven, sir!*"

Era a primeira vez que conhecia um país estrangeiro e começara a nevar. Na rua, as prostitutas faziam *trottoir*. Thereza e Astrud andavam pelas calçadas e achavam esquisitas aquelas "moças" de Nova York. Até que um amigo avisou a Tom e João, um pouco embaraçado, que não ficava bem suas mulheres passearem por ali. Mudaram-se para um apartamento na rua 94. Thereza chorava com saudade dos filhos e pedia para voltar para o Brasil. Tom relutava. Explicava para ela sua necessidade de permanecer lá. Anos depois rememorou assim esse sofrimento:

— *Meu contato com as gravadoras americanas havia sido difícil, mais por uma questão de temperamento do que outra coisa. Nunca fui homem de cair na estrada, propagar minhas músicas, discutir minha participação. Pode provocar muita dor essa coisa de um brasileirinho entrar num mercado como o americano. Meu inglês foi aprendido no colégio, nos filmes de* cowboy, *e o pessoal lá queria colocar letras absurdas nas minhas músicas, falando de café, banana e coco. Uma vez cheguei até a chorar. Comecei, então, a lutar pela preservação do que era meu, brasileiro, original.*

(Editora Rio)

Tom começava sua luta. Comprou vários dicionários. Aprendeu a separar as palavras de origem latina das anglo-saxônicas. E cada vez mais, ia descobrindo raízes latinas nas palavras inglesas. Thereza insistia em voltar. Foi categórico:

— Minhas músicas também são meus filhos. Não posso abandoná-las agora.

Era constantemente chamado para se apresentar em Nova York. Não recebia dinheiro. Ainda não tinha conseguido entrar para uma associação de músicos. Os direitos autorais de seus discos sequer chegavam até ele. Reclamava com todos sobre sua situação. Até que conseguiu fazer parte de uma associação de músicos americanos, a ASCAP, através de Ray Gilbert. Gilbert propôs a Tom abrirem, junto com Aloysio, a Editora Ipanema Music.

Ray era um letrista americano que trabalhara para Carmen Miranda e Aloysio de Oliveira. Fez com Tom versões de boa qualidade. Sentiu seu potencial, percebeu o valor de suas letras e de seus parceiros. A editora foi criada, mas Aloysio ficou de fora. Pouco depois, no Brasil, fundou a gravadora Elenco, em 1963.

Ao mesmo tempo, Tom teve a sorte de conhecer o letrista Gene Lees, que seria na verdade um excelente parceiro nas versões de suas músicas. A afinidade entre eles era muito grande. Trabalharam bastante juntos.

Mas seus direitos autorais continuavam sendo acertados com a SBACEM, no Brasil. Diziam que não eram pagos porque havia uma espécie de compensação entre as músicas americanas tocadas no Brasil e as músicas brasileiras que tocavam lá. As que vinham para o Brasil eram em volume e valores muito maiores do que as músicas brasileiras que iam para os Estados Unidos. Resultado: Tom não conseguia receber.

Marcou encontro no escritório do editor americano que difundia suas músicas. Era um homem enorme, que fumava grandes charutos e exagerava no uísque. Depois de muitas tentativas de persuasão, Tom indignou-se:

— Como é que o Frank Sinatra vai gravar minhas músicas com *essas versões*?

O agente ficou pasmo:

— E quem é que disse que o Frank Sinatra vai gravar suas músicas? — respondeu o homem, espantado com tanta audácia.

Tom precisava ficar em Nova York. Para conseguir algum dinheiro, ele negociou a edição de "Meditação", "Samba de uma nota só", "Garota de Ipanema", mediante um pequeno adiantamento que deveria ser suficiente para que ele permanecesse em Nova York. Foi assim que pôde ficar para cuidar de suas versões. E foi este editor quem resolveu o problema de Tom. Ajudou-o na filiação à BMI e a entrar para o sindicato.

Thereza percebeu que o ideal seria abrir uma editora em Nova York. Tratou de todos os detalhes, e Tom, que fugia sempre dessas amolações, só teve o trabalho de assinar os papéis.

Estava criada a Editora Corcovado Music, que passou a arrecadar seus direitos autorais em todo o mundo. Tinha muito cuidado para que o tempo destinado aos negócios não invadisse seu espaço interno destinado a criar. Sabia perfeitamente que a obra do artista, para ser boa, exige dele toda a sua alma, toda sua vida. Intensa e profundamente. Dizia, premonitório:

— A vela da minha vida se queima rápido.

Sabia também que as omissões de um artista — quando as há — só podem ser julgadas pelas forças divinas. E que o maior pecado, o único que não teria perdão, seria aquele contra o Espírito Santo: renegar seu próprio talento. Tinha consciência da Divina Escala, dos oito prediletos: o Pai, o Filho, o Espírito Santo, os Anjos, os Arcanjos, os Artistas, os Loucos e as Crianças.

Trilhava corajosamente o caminho do herói. Suas dificuldades maiores, o desgaste eterno do artista, pelo tanto que se expõe, seriam o palco e a crítica. Muitas vezes, não conseguindo resistir, o cigarro e a bebida. Mas que não tentassem modificá-lo ou aprisioná-lo.

Tinha aprendido com a natureza que a música nunca vem sem harmonia, e que ele tinha a obrigação de trabalhar sempre o caminho harmônico de tudo.

Começou a trabalhar febrilmente na versão de "Garota de Ipanema". Suas dificuldades foram grandes. Discutiu muito com Norman Gimble, que não queria usar a palavra Ipanema. Pronunciava "Aipanima". Depois, alguém chamou a música de "The girl from Ipana". Ipana era uma pasta de dentes muito conhecida nos Estados Unidos. Tom ficou preocupado. Sua música não poderia se tornar, de jeito nenhum, "A garota da pasta de dentes". Queria que passasse um clima bem carioca, poético. Queria que compreendessem o sentimento universal de um homem quando vê uma garota passar.

Chamou Astrud Gilberto para gravar uma "demo", fita demonstrativa para os editores. Mostrou a Norman Gimble como se cantava em inglês. Só então ficou tranqüilo. "Garota de Ipanema" é a segunda música mais tocada no mundo. A primeira é dos Beatles. Tom dizia rindo: "Mas eles são quatro..."

Sua determinação foi fundamental para merecer o respeito por sua obra. Em 1963 foi convidado para gravar o disco *Antonio Carlos Jobim — The Composer of Desafinado Plays*, pela Verve. No Brasil, esse disco foi lançado pela Elenco, de seu amigo Aloysio de Oliveira. Começava aí o seu entendimento, por toda uma vida, com o grande arranjador Claus Ogerman. Tom sempre preferia que ele fizesse os arranjos de suas músicas. Claus, inclusive, convenceu Tom a escrever os sambas no compasso 2/2, partituras que os músicos estavam acostumados a tocar, tanto na Europa como nos Estados Unidos. No Brasil, o samba era escrito no compasso 2/4, praticamente desconhecido por eles. Eram 12 músicas suas, entre elas "Garota de Ipanema". O disco foi premiado com cinco estrelas, a nota máxima, e o crítico Pete Welding declarou que gostaria de ter mais estrelas para premiá-lo. Escreveu no *Down Beat* que as melodias de Jobim nunca eram melosas ou patéticas; nunca desciam ao trivial ou ao fácil. Transpiravam um grande amor e humanidade. Disse também que seus solos possuíam uma maravilhosa extensão rítmica e claridade melódica, e que suas melodias falavam sem esforço ao coração humano. E terminou afirmando que se o movimento Bossa Nova não tivesse produzido nada além do que aquele álbum, estaria mais do que justificado.

Tom tocou violão e gravou o piano em *play-back.* Teve que discutir muito com os produtores para tocar piano, pois eles queriam a imagem do homem latino associada apenas ao violão.

Não deixou de lembrar da coincidência: as primeiras gravações de suas músicas no Brasil aconteceram em 1953. Exatamente dez anos depois, em 1963, começara a batalhar para gravar suas músicas nos Estados Unidos.

Foi chamado para gravar o disco *Getz/Gilberto.* Esse disco deu muito trabalho a Tom. João achava que Stan não devia se intrometer no trabalho deles. Não sabia samba. Mas Stan toda hora perguntava coisas. Como João Gilberto não sabia nada de inglês, Tom traduzia o que Stan perguntava. João, irritado, dava uma resposta atravessada. Tom, amavelmente, traduzia de forma leve os desaforos do parceiro. Mas ele percebia, pela cara desconfiada de Stan, que Tom não traduzia direito o que ele queria dizer. Então passou a xingar Tom.

No dia da gravação, João Gilberto não chegava ao estúdio. Tom ligou para o hotel e pediu socorro a Thereza. João já estava atrasado quarenta minutos e isso era uma desfeita. Todos esperavam por ele. Thereza foi ao apartamento dele e disse que ia de táxi para o estúdio avisar que ele não ia mais gravar. Quando Thereza chegou ao estúdio, João já estava lá.

Antes do lançamento do disco, João Gilberto foi para a Itália fazer uma *tournée*, voltando quase um ano depois. Os produtores americanos lançaram um compacto com "The girl from Ipanema", música já gravada por ele com Astrud cantando em inglês. Vendeu mais de 2 milhões de discos. O *long-play* só foi lançado um ano depois, por uma questão de *marketing.*

Em julho, depois de oito meses em Nova York, Tom e Thereza voltaram finalmente para o Rio de Janeiro, numa longa viagem de navio cargueiro e viram pela primeira vez o Caribe.

Voltaram para seus filhos. A chegada foi muito festejada. A família em polvorosa, os repórteres assediando Tom dia e noite. Mas Tom ainda não considerava seu trabalho na América do Norte terminado. Faltava muita coisa. Direitos autorais, versões, divulgação de suas músicas em *shows* e principalmente saber ao certo quem era quem e onde podia pisar com segurança.

Ainda em 1963, combina com Aloysio de Oliveira gravar um disco que se tornaria antológico na música brasileira: *Caymmi visita Tom.* Sua intenção era homenagear Caymmi, um de seus mestres. Sabia que Aloysio era um idealista e queria fazer sempre os melhores discos em sua gravadora Elenco. Os resultados financeiros podiam não ser bons, mas a memória da música brasileira deve muito a ele.

No Brasil, em abril de 1964, foram quebradas as normas constitucionais vigentes. As modificações políticas radicais causavam dificuldades, principalmente aos artistas. Tom pensava em voltar à América do Norte, trabalhar sua obra lá. Em 16 de maio, viaja para Nova York. Vai para resolver problemas da sua editora, a Corcovado Music. É procurado insistentemente por Sérgio Mendes para fazer um disco com ele. Grava *Bossa Nova York*, produzido pela Elenco, com Art Farmer, Phill Woods e Hubert Laws. Trabalha ainda no disco de Gary MacFarland, *Sympathetic Vibrations*, sempre ciceroneado por Stan Getz. Tudo muito rápido para seu gosto.

Volta ao Brasil em 30 de julho, embora sentisse necessidade de permanecer mais tempo em Nova York. Grava no Rio o disco *Caymmi visita Tom*, com acompanhamento instrumental de Dori e Danilo Caymmi, e a voz inconfundível de Nana Caymmi.

No final do ano, Tom vai para Los Angeles e se hospeda em um pequeno hotel, o Sunset Marquis, na Alta Loma Road. Thereza só foi ao seu encontro um mês depois, para ficar um pouco mais com os filhos.

Quando ela chega, mudam-se para uma pequena casa, na rua Norma Place, que Ray Gilbert tinha indicado para eles. Tom fazia as versões com Ray. As letras vertidas foram uma semente para as gravações que se seguiriam, com Andy Williams, Sinatra e o próprio Tom, sozinho.

Assim que terminou as versões de "Dindi", "Ela é carioca" e "Inútil paisagem", Ray começou a funcionar como uma espécie de empresário de Tom, anunciando aos quatro ventos que ele estava na cidade.

A casa vivia cheia de brasileiros, que tentavam seguir o mesmo caminho de Tom, no mercado mundial de música. Era um ponto de referência para muitos artistas saudosos. Aloysio e o Bando da Lua. Na varanda da casa havia uma estatueta com querubins. Tom dizia que eram "Menescal e seu conjunto".

Thereza comentava com o ritmista Do Um, assíduo freqüentador da Norma Place, a expectativa em que viviam. Ele ensaiava na casa de Tom e queria mais ação. Via Tom dia e noite de pijama, não saindo de casa para nada. Dizia para Thereza:

— Thereza, queima este pijama. Esse pijama tem o vírus da "morgação". Assim não vai acontecer nada...

Thereza ficou pensando. Nilza havia confidenciado a ela que Jorge Jobim tinha esse hábito. E não gostaria que isso se repetisse com o filho. E agora, olhando para "Menescal e seu conjunto", se interrogava com ironia: será que isso é genético?

Nara Leão declarou com muita graça: "Bossa Nova gosta mesmo é de pijama e telefone."

Os músicos brasileiros que estavam lá sabiam que Tom trabalhava com as versões das letras de suas músicas, mas não tinham idéia do quanto isso o mobilizava.

Até que aceitou uma proposta, com exclusividade de trabalho, para gravar um disco. Continuou em casa de pijama, preparando *The Wonderful World of Antonio Carlos Jobim*, com arranjos de Nelson Riddle. Não queria outros compromissos. Mas os músicos brasileiros assediavam Tom. Músicos americanos também o procuravam. Todos precisavam trabalhar.

O baixista e amigo Tião Neto estava trabalhando com Jack Wilson, um excelente pianista de *jazz*. Buscavam um bom violão para gravar. Tião disse que Tom era ótimo e estava em Los Angeles. Foi até sua casa e foi uma luta para convencê-lo a tocar. Tom alegava que tinha um contrato de exclusividade que não permitia. Jack propôs que ele usasse um pseudônimo e Tião Neto inventou logo: "Tony Brazil." E assim, Jack Wilson fez uma bonita gravação com músicas de Henry Mancini e o violão de Tom. Isso serviu como gesto de confraternização entre os artistas.

Foi depois convidado por Andy Williams para fazer um programa de televisão, assistido em todo o país. O sucesso foi tão grande que foi chamado mais duas vezes. E ainda fez com ele, logo em seguida, uma série de *shows* em Lake Tahoe.

Dorival Caymmi chegou a Los Angeles. Imediatamente foi acometido por uma crise de gota. Thereza medicou-o. Quando ele queria sair da dieta, ela ameaçava ligar para Stella, sua mulher, para fazer queixa. Cuidou dele até a cura total. Caymmi chegou à conclusão de que Tom era um felizardo. Só tinha dores nas pernas porque não atendia aos conselhos de sua mulher.

Tom convenceu Andy Williams a fazer um programa com Dorival Caymmi, que vertia sua música "Das rosas" com Ray Gilbert, sucesso absoluto no Brasil. Participou ativamente do acontecimento, desdobrando-se para que tudo saísse certo. Tinha respeito pelo baiano genial, um de seus maiores ídolos na música. Ficou tão nervoso, que parecia que o sucesso de Caymmi dependia dele. Acompanhava-o aos ensaios, até que chegou o dia de Dorival aparecer na televisão da América do Norte. O carinho de Tom era tão grande que era como se fosse ele que entrasse em cena. Segundo Thereza, Tom parecia mais um noivo de Caymmi do que outra coisa. No dia seguinte, a crítica especializada dizia que Andy Williams havia levado para seu programa um cantor verdadeiramente másculo.

Lulu, integrante do Bando da Lua, que acompanhara Carmen Miranda, radicado há anos em Los Angeles, ensinou a Tom as coisas mais comezinhas. Onde cortar cabelo com barbeiro brasileiro, onde comprar roupa. O baterista João Palma levava Thereza para fazer compras no Mercado Mayfair. Todos passavam pela casa de Tom: Wanda Sá, Rosinha de Valença, Chico Batera, Sigrid, dançarina, prima de Thereza, casada com o baterista Otávio Bailly, Oscar Castro Neves, Marcos Valle, Ana Maria Valle...

Tom vencia definitivamente as barreiras da língua estrangeira. Já tinha feito versões com Ray Gilbert, Norman Gimble e Gene Lees.

Caymmi, figura obrigatória na Norma Place, ia fazer aniversário. Os amigos tinham-no apelidado de "Rei da Califórnia". Tom e Thereza combinaram preparar uma surpresa para ele. Uma festa linda, na casa da Duquesa Irene. "Duquesa", era o apelido carinhoso dado por Tom a Irene, mulher refinadíssima que trabalhava para poder se manter. Preparava feijoadas divinas. Todos os artistas brasileiros estavam presentes ao aniversário daquele homem tão querido.

Na casa vizinha a de Tom e Thereza, morava uma simpática velhinha. As casas eram muito próximas. O barulho a incomodava. Mas não reclamava. Durante o dia colocava o rádio na janela com o som bem alto. Até que uma noite, Astrud e Thereza foram para a cozinha preparar um jantar para Lulu, Dorival Caymmi e Do Um. Distraídas, riam e falavam alto, mexendo nas panelas. A cozinha ficava bem em frente à janela do quarto da velhinha. Só perceberam que a polícia havia entrado em casa, quando os guardas chegaram na cozinha. Foi Lulu quem conversou com os policiais, convencendo-os da inocência daquela reunião. Os guardas explicaram que a reclamação tinha partido da vizinha, por causa do barulho. Só então Tom e Thereza entenderam o recado do rádio tocando alto na janela.

Caymmi andava a pé pelas ruas da cidade, fazendo observações originais. Mostrava as diferenças culturais mais flagrantes, com seu modo peculiar e engraçado. Tom foi com ele conhecer o oceano Pacífico. Olharam com curiosidade aquele mar diferente. Praia aberta e bravia, céu azul, distante. Tiraram os sapatos e as meias, arregaçaram as calças e molharam os pés. Estranharam a água tão gelada. Viram abismados Nelson Riddle saindo do mar, dizendo que a água estava deliciosa. Estranharam também as fases crescente e decrescente da lua, que apareciam invertidas no céu, e a água do ralo da pia, que girava ao contrário.

Tom não sabia como conseguir arroz nos restaurantes. Até que descobriu que os cozinheiros latinos faziam arroz só para eles. Era hábito de Tom freqüentar sempre os mesmos lugares. Com seu jeito especial, conseguiu que o servissem de arroz. Os garçons já o conheciam e traziam, junto com o prato escolhido, uma travessa de arroz branco e solto, como brinde da casa. Achavam muita graça dele pedir o que não constava do cardápio.

Tom conhecia, cada vez mais, músicos americanos. Henry Mancini, Johnny Mandell, David Grusin, Claire Fisher e outros do *jazz*. Na casa de Roy Huggins, conhece Roger Vadim, Jane Fonda, Candice Bergen, Ben Gazarra. Era uma festa atrás da outra nos fins de semana. Em uma delas ofereceram marijuana a Tom. Ele recusou. Não fazia uso. O dono da casa, espantado, olhando nos olhos dele, perguntou:

— Quer dizer que você acorda e vai dormir igualzinho?

O nome de Tom já era conhecido e respeitado nos meios artísticos norte-americanos. Volta e meia, alguém lhe dizia que Frank Sinatra tinha vontade de gravar músicas suas. Isso acontecia desde as primeiras gravações dele, depois do concerto do Carnegie Hall. Esse interesse iria determinar, num futuro próximo, ótimas possibilidades. Quem sabe um disco. No momento, não poderia se comprometer com outro trabalho.

Thereza comprou um gravador para Tom aperfeiçoar a voz em casa. Passou uma noite inteira montando-o. Mas ele detestava máquinas. Pediu a João Gilberto os exercícios vocais que o médico Pedro Bloch lhe indicara. Sua voz melhorou muito depois de meses de exercícios.

Queria levar de presente para Paulinho uma prancha de *surf*. Foi à praia de Malibu ver o pessoal pegar onda. Entrava nas lojas e, depois de muito pesquisar, escolheu a mais bonita. A prancha ficou guardada na sala da casa por muito tempo. Mais tarde foi despachada de trem, quando foram para Nova York e, finalmente, embarcada no navio em que Tom voltou para o Brasil.

Relembrou seu tempo de "pegar jacaré" em Ipanema. Nasceu então a música "Surfboard", mais tarde gravada no disco *The Wonderfull World of Antonio Carlos Jobim*.

Foi convidado para vários trabalhos em Nova York. Já livre da gravação, vai com Thereza de trem para lá. Fica fascinado pela visão de uma natureza inteiramente desconhecida para ele, enquanto o trem atravessa grande parte da América. O deserto, os *canyons*, a vegetação, os falcões. Vibra com a descoberta de uma outra paisagem, uma outra vida, tão diferente daquela de sua infância. Influenciado pelo que viu, escreveria várias músicas: "Mojave", "Antigua", "Takatanga".

Thereza precisou voltar para o Brasil. Deixou Tom com Vinícius. Ficaram juntos no mesmo quarto do hotel. Tom reclamava que o parceiro só dormia com o ar-condicionado muito frio. Todo coberto, mas com as nádegas de fora e se ninando alto. De manhã Vinícius ligava para a portaria e ficava esperando a voz no telefone. Se era americano, ele desligava. Se era o porto-riquenho Jesus, ele perguntava:

— Jesus?... *Hay* tremoços?

Tom faria mais uma vez a mesma travessia, mas no sentido contrário: Nova York–Los Angeles, levando consigo Vinícius de Moraes. Maravilhou-se novamente com o bar envidraçado em cima do trem, de onde descortinou outra vez toda a paisagem. Vinícius olha tudo aquilo sem o entusiasmo de Tom. Mas acha o uísque maravilhoso. Vai de Los Angeles direto para Paris e deixa toda a sua bagagem com Tom. A cada mudança de hotel, ou *flat*, Tom tinha de levar a bagagem de Vinícius junto com a sua.

Volta para Nova York e não pára de trabalhar. Grava *A Certain Mr. Jobim*, com arranjos de Claus Ogerman, numa igreja transformada em estúdio. A acústica era perfeita. Mas Tom ficava preocupado por estar, em sua fantasia, cometendo uma heresia.

No belíssimo "Zíngaro", no final da gravação, o *spala* da orquestra se levanta e começa a aplaudir, seguido por toda a orquestra.

No hotel, pede que ponham a cabeceira de sua cama voltada para o norte, seu antigo hábito. De noite, quando chegava em seu quarto, cansado de falar inglês o dia inteiro, Tom dizia em voz alta frases em português, "para colocar o maxilar no lugar". Repetia palavras com "ão" no final, e diminutivos. "Pão,

Os estudos intermináveis
Redentor, 307

ARQ. JOBIM MUSIC

Ao lado:
Uma vida predestinada

ARQ. JOBIM MUSIC

Na página anterior:
O rapaz iluminado

ARQ. JOBIM MUSIC

A família. Rua Redentor, 307

ARQ. JOBIM MUSIC

Abaixo:
Helena aos quinze anos

ARQ. HELENA JOBIM

Tom e Helena. E sempre a música

ARQ. JOBIM MUSIC

As noites nos "inferninhos"

ARQ. THEREZA HERMANNY

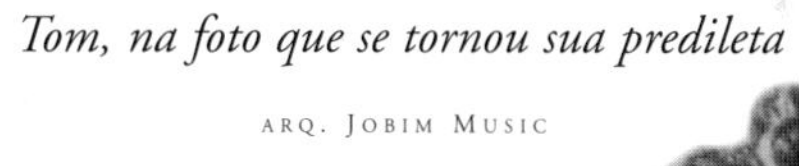

Abaixo:

Tom, na foto que se tornou sua predileta

ARQ. JOBIM MUSIC

Paulo, o primeiro filho

ARQ. THEREZA HERMANNY.

Na página ao lado:
Casamento com Thereza

ARQ. THEREZA HERMANNY

Tom e Beth, pai e filha na Floresta da Tijuca. 1965

ARQ. HELENA JOBIM

Abaixo:
compondo "Águas de março", em Poço Fundo. 1972

ARQ. JOBIM MUSIC

Na página ao lado:
Praia de Ipanema. Tom e Kabinha, os pescadores

ARQ. THEREZA HERMANNY

Na página ao lado:
A espingarda espanhola

ARQ. THEREZA HERMANNY

Abaixo
Viagem para a caçada

ARQ. THEREZA HERMANNY

Nas pedras do Arpoador, ouvia vozes

ARQ. JOBIM MUSIC

Pescando com o filho Paulo

ARQ. THEREZA HERMANNY

feijão, alemão, João, me dá um cafezinho que eu estou fraquinho sentado nesse banquinho!"

Em seu retorno ao Brasil, contava feliz a reação dos músicos quando gravou *A Certain Mr. Jobim*. "Zíngaro" ganhou depois letra do genial Chico Buarque de Holanda, com o nome "Retrato em branco e preto". Ficou muito bonita a letra, mas Tom custou a se libertar da figura nostálgica de um violinista cigano, que o inspirara no tema. Na verdade, aquele cigano era ele mesmo, radicado naquele estranho mundo e sentindo saudade de seu país.

Quando finalmente Tom conseguiu receber os direitos autorais de sua obra, principalmente de "Garota de Ipanema", voltou ao Brasil com o antigo sonho de comprar um apartamento na praia de Ipanema, de onde pudesse ver o mar das safiras e sentir a maresia entrando por suas janelas. Em menos de duas semanas, percebeu que as coisas em sua vida tinham mudado. A imprensa, as solicitações profissionais, os amigos, os fãs não lhe davam trégua. Percebeu que precisaria de uma casa que fosse um refúgio, um esconderijo. Separou alguns anúncios e saiu à procura. Só olhava da rua. Até que marcou uma visita a uma casa no fim do Leblon. Todos na família estranharam quando ele voltou dizendo que achara a casa certa tão rapidamente. Tinha estabelecido condições difíceis para que algum lugar o agradasse. Precisava de um canto sossegado para seu trabalho. Queria uma saída de emergência para poder "escapulir sem ser visto". E com Paulinho já tocando violão e ouvindo os Beatles a grande altura, compondo e ensaiando com Danilo Caymmi, e mais os estudos de flauta... era difícil compatibilizar tudo isto.

Tom conversou cinco minutos com o proprietário da casa, subiu até o sotão, achou que ali poderia fazer seu estúdio. Ficou maravilhado com os três portões de saída para duas ruas.

Resolveu que compraria a casa imediatamente. Foi logo apelidada de "navio", porque tinha uns círculos vazados no muro, que lembravam as vigias de um navio.

Rua Codajás, 108. Uma rua tranqüila, junto ao canal do Leblon, ladeado por "fícus religiosos". Grandes árvores de copas generosas, com folhas em forma de coração, que próximo à primavera tornam-se douradas. A casa era de esquina. A escritura foi feita aos quatro dias do mês de janeiro, do ano de 1966 da Graça de Nosso Senhor Jesus Cristo. Mudaram-se imediatamente para lá.

Não era uma dessas casas construídas para serem logo vendidas. Tinha os requintes de conforto de um engenheiro francês que a projetou para ele próprio morar. Encantou-se com as janelas que nunca emperravam e deslizavam macias em seus encaixes. Com os materiais de boa qualidade, os mármores importados, corredores espaçosos, interruptores que acendiam as luzes de todos os abajures da casa, torneiras de fácil manuseio, garagem grande, beiral de telhado largo. Tudo planejado para o bem-estar de seus ocupantes.

Tom ficou fascinado. Detestava o "modernoso" pseudofuncional: prato e copos quadrados, pia baixa, torneira redonda que escorrega com as mãos ensaboadas, escada estreita e sem corrimão, degraus altos.

Sua produção musical durante esses anos foi fantástica. Em 1965 havia conseguido a façanha, não só de compor várias músicas, como de arrumar harmonicamente temas que trazia nas malas de viagem.

Colocou no mercado mais de cinqüenta músicas. E no mundo, num só ano, houve mais de cento e cinqüenta gravações de músicas suas. Costumava dizer que trabalhava mais do que merecia. Suas pernas doíam com o frio nova-iorquino. Ou quando andava um pouco mais. As viagens sucediam-se, apesar do medo de viajar de avião. Sempre pedindo que sua mãe segurasse no ar "o passarim de pescoço duro".

Enquanto isso, Paulo e Helena, a pedido de Tom e Thereza, ficavam hospedados na casa da Codajás, cuidando de Paulinho e Beth. Helena tinha comprado um livro sobre a vida de Van Gogh, para dar de presente ao irmão antes dele viajar. Tom mal pudera começar a usufruir das vantagens e do sossego da Codajás. Teria que voltar a Los Angeles para gravar o primeiro disco com Sinatra. Poucos dias depois, telefonou para ela dizendo ter ficado acordado de noite, profundamente emocionado com a pobreza do quarto e a solidão do pintor.

Celso e Nilza se revezavam com Paulo e Helena. E Paulinho, adolescente, pedia a sua avó Nilza para levá-lo na hora do almoço à praia do Arpoador. Queria surfar. Nilza ia dirigindo seu Gordini barulhento, com o cano de descarga aberto, a prancha maior que o carro, amarrada no *rack*. Deixava-o na praia, e ia depois buscá-lo. Os amigos dele gostavam de ver a cena. Uma senhora tão bonita, cabeça branca e rosto moço, estacionando junto à calçada da praia, para esperar o neto.

Tom voltou. Gostava de chegar ao Brasil, ao Rio de Janeiro, a sua casa. Entrava no ritmo carioca. Olhava as pessoas na rua com familiaridade, sempre curioso. Conversava com o jornaleiro da esquina, sentava num banquinho, folheava revistas. Na farmácia Piauí, depois de ler as bulas dos remédios que comprava, fazia muitas perguntas a "seu" Correia.

Andava devagar pela calçada da praia de Ipanema. Era sempre gentil quando o reconheciam e pediam autógrafos. Brincava com as moças. Os dias passavam amenos na paisagem de sua infância.

Tinha vindo no navio *S.S. Brazil*, com a prancha de Paulinho e o piano de cauda japonês. Foi com Celso desembaraçar a papelada do piano. Havia levado tempo para poder comprá-lo e demorou a escolhê-lo. Sentiu pânico quando viu o guindaste levantando-o acima do convés, com os três pés do lado de fora da rede.

— Pronto. Lá vai o meu piano se esborrachar no chão.

Telefona para Chico Buarque e pede que vá à sua casa. Em seu novo piano, entusiasmado, mostra a ele "Zíngaro", ainda sem letra. Thereza já mandou a empregada colocar as cervejas deitadas no congelador, para o final daquela luminosa tarde.

Tom repete muitas vezes o tema de "Zíngaro" para Chico ouvir. Estão emocionados. Repetem exaustivamente o tema. Chegam a eles imagens, palavras, sons e harmonias. Nesse momento estão isolados dentro da criação. Não existe mais nada, além do mistério da criação. Ambos se tornam mágicos.

Chico Buarque grava a melodia em fita, para trabalhar os versos em casa. É a primeira música que fazem juntos. Prefere escrever sozinho, depois que o parceiro lhe entrega a música. Poucos dias depois, os versos estão prontos.

Assim foi feita uma das mais belas canções brasileiras de todos os tempos: "Retrato em branco e preto".

O descanso de Tom era Poço Fundo. A cerveja na barraca do Joel, o churrasco de frango na varanda da casa e a rede. Nove horas de sono. Ganhava presentes dos vizinhos do sítio: um piau, outras vezes algum lambari-cachoeira ou acarás miúdos, para serem feitos bem torradinhos, comidos com espinha e tudo.

No jardim da casa, soltava pipas com a linha enrolada em seu molinete de pesca. Voavam muito alto quando pegavam o vento sudoeste. Tom dizia que era o único vento sério de lá. No que vinha do leste, a pipa começava a subir bem, mas o vento ficava besta de repente e a pipa caía no morro do Capim Melado. Vento norte ou vento sul, nem pensar. Só traziam chuva, calor ou frio.

Bem cedinho, piava inhambu, voltado de frente para as matas do dr. Jairão. Só para ter o prazer de ouvir a ave responder. E saber que seu ouvido estava bem afinado. Gostava tanto daquela vida, que ficava especulando se um dia Poço Fundo seria invadido por uma horda de turistas chatos, que estragassem tudo. Dizia que o risco maior que corria era que colocassem no Poço Fundo um pilar da imaginária ponte Beirute–Lima. Fantasiava que os carros parariam em cima de sua cabeça e seus ocupantes fariam pipi. E riu muito quando soube que os nativos do vale diziam que ele tinha ficado tão rico, mas tão rico, que os bancos não tinham mais lugar para guardar seu dinheiro.

Contava de sua preocupação com o pragmatismo norte-americano. Quando chegou lá, o chamavam *Mister* Antonio Carlos Jobim. Depois passou a ser *Mister* Antonio Jobim. Mais adiante, *Mister* Jobim. E tinha medo que mais tarde o chamassem de *Mister* Jo Bim, e finalmente se tornasse *Mister* Beans.

— Já pensaram, depois dessa luta toda, eu virar Senhor Feijão?

Sonhava com a rota ideal de sua vida: Poço Fundo–Nova York. Não esquecendo nunca o Rio de Janeiro. A Lagoa com suas luzes, suas águas de seda refletindo o Corcovado, Ipanema e seus bares.

Seu trabalho agora estava sendo recompensado, pelo menos nos Estados Unidos e na Europa. Aqui, a crítica ainda se incomodava com a diferença dos sambas de morro e a música de Antonio Carlos Jobim. Muitos falavam carinhosamente de suas canções, mas alguns com dubiedade, com vergonha de defender, de uma vez por todas, as composições do maestro, que no mundo ganhavam unanimidade.

A casa da Codajás tinha três andares. No terceiro andar ficava a mansarda com o velho piano Welmar, transportado para lá depois da chegada do piano de cauda Yamaha. Tom gostava de compor no meio do movimento da casa. Nunca se trancou para trabalhar isolado — embora reclamasse muito do sumiço que davam a seus lápis bem apontados e suas borrachas macias.

Muitas vezes Paulinho subia para a mansarda com seus amigos. Difícil dizer quem não passou pela Codajás. Além dos relacionamentos de Tom, apareciam músicos mais novos. Juntavam-se a Danilo Caymmi e Ronaldo Bastos, Paulo e Cláudio Guimarães, às vezes Joyce, Nelson Angelo, Milton Nascimento, o poeta Geraldo Carneiro, o cineasta Glauber Rocha, o percussionista Naná Vasconcelos, Maurício Maestro, o conjunto 004, Eumir Deodato, Marcos Valle, Egberto Gismonti, Beth Carvalho...

Ficavam ali até altas horas, tocando e compondo. Eram reconfortantes as inesperadas aparições de Thereza, com um caldo quente para o filho e seus amigos. Foi relembrando essa mansarda que Danilo Caymmi e Ronaldo Bastos compuseram a canção "Codajás".

Com a mudança de bairro, e querendo defender-se do assédio contínuo, Tom começou também a mudar de bares. Passou a freqüentar o Antonio's e o Luna, fixando-se finalmente na churrascaria Plataforma, de Alberico Campana. O mesmo Alberico dos antigos Litlle Club e Bottles, do Beco das Garrafas.

Animados com o sucesso da parceria, Tom e Chico fazem outras músicas juntos. São convidados para participar do III Festival Internacional da Canção. O festival seria apresentado em duas fases. A primeira, selecionando as músicas brasileiras. A vencedora representaria o Brasil na fase internacional. A música "Sabiá" estava praticamente pronta. Convidaram o Quarteto em Cy para cantá-la. Tom compareceu sozinho. Seu parceiro Chico Buarque estava na Europa.

Tom jamais imaginou vencer. Disse que "Sabiá" não era música para festival. Quando foram anunciando o resultado pelos alto-falantes, sétima, sexta, quinta... e não anunciavam "Sabiá", seu coração começou a bater descompassado. Quarta, terceira, segunda... Tom se assustou: primeiro lugar, "Sabiá"! Todo o público vaiou. Foi a maior vaia que já se tinha visto no Brasil, para negar uma canção. O ginásio do Maracanã estava lotado e o público urrava. E pensar que, só para ficar um pouco mais no Brasil, ele havia recusado uma proposta de Tony Bennet de US$ 25 mil por uma canção sua.

Dori Caymmi carregou Tom pela saída dos fundos e tentou consolá-lo, dizendo que a vaia havia sido por motivos políticos. Sozinho no carro, atravessando o comprido túnel que liga a zona Norte à zona Sul da cidade, Tom chorou. "Um pouquinho só", disse depois. Mas quando encontrou a família e os amigos na casa de Dico Wanderley, estava lívido. Assim que Chico Buarque soube do acontecido, voltou imediatamente ao Brasil, para estar solidário ao lado do parceiro, na fase internacional do festival. Desta vez, foram intensamente aplaudidos.

O fantasma de Jorge Jobim volta a intrigar Tom. Desde a infância, ouvia falar de uma irmã, muito mais velha, fruto de uma relação anterior ao casamento com Nilza. Mas agora era diferente. Recebeu uma carta de um ator que confessava ser seu irmão por parte de pai. Nilza soube e achou que o rapaz era muito parecido com Jorge. Dos filhos, sem dúvida, o mais parecido.

Era uma situação nova para toda a família. Helena tinha curiosidade em conhecer esse irmão. Tom encurralou o cunhado com uma pergunta apenas:

— Você não acha, Manoel, que Helena e eu te bastamos?

Ia agora encontrar seus amigos na churrascaria Carreta, em Ipanema. A mesa era grande e uma figura não faltava, apesar de chegar sempre atrasado. Vinícius de Moraes, que nessa época já tinha de fazer aplicações de insulina para regular sua diabete, e alguma dieta para baixar o alto colesterol. Mas logo que chegava, bebia seu "uisquinho", como gostava de falar. Pedia mocotó ou dobradinha, e os amigos o repreendiam docemente: "Vinícius, olha o teu colesterol..." E ele rindo: "*Colestherol's Day!*"

Muitas vezes Tom ia namorar sua irmã na Carreta. Iam sozinhos. Confidências antigas, problemas novos, conversa solta e agradável. Na primeira vez que foram lá, Teixeirinha, o dono da churrascaria, chegou à mesa deles e Tom apresentou Helena. Vendo uma moça clara, de olhos muito azuis, ficou desconfiado. Achou que era um romance. "É francesa?..." Tom achou graça. Pediu a Helena que colocasse a mão ao lado da mão dele, sobre a toalha branca da mesa. E as mãos eram idênticas. Só então Teixeirinha acreditou que eram realmente irmãos.

Glauber Rocha, cineasta brasileiro, convidou Tom para ser o ator principal de seu filme *Terra em transe*. Tom recusou o convite. Seu trabalho era a música. E já era muito trabalho.

Quase toda noite ia para o famoso bar Antonio's, no Leblon, reduto de intelectuais. Não gostava de falar de música. Buscava outros assuntos, rodeado de amigos. Não ficava mais só na cerveja. Muito uísque e muito cigarro. Era resistente. Não ficava embriagado e nem tinha ressaca. O que o prejudicou, porque não percebia os males que iam minando sua saúde.

Nos bares se defrontava com situações insólitas. As graças dos amigos muitas vezes descambavam, com o alto teor etílico, para situações tragicômicas. A intelectualidade que era contra a política do governo, despejava suas críticas em alto e bom som. Foi o bastante para que um dia policiais entrassem no Antonio's para prender os "subversivos". Prenderam todos, menos o jornalista Carlinhos de Oliveira. Acompanhando os amigos presos até o carro da polícia, berrava que também queria ser preso. Mas seu nome não constava da lista dos que deveriam ser detidos. E a polícia o afastava dos outros. Carlinhos continuava gritando que também queria ir. O chefe, já impaciente, virou-se para ele e disse:

— Pega um táxi e vai correndo atrás. No meu carro você não entra!

Tom gostava de histórias sobre situações engraçadas. Algumas, ele mesmo criava. Inventou que viajava num jumbo para Nova York, quando um grupo de seqüestradores, barbados e de cabelos compridos, tipo *hippie*, invadiram a cabine de comando e mandaram que o comandante saísse da cadeira. Eles assumiriam. O piloto, um homem forte, de meia-idade, cabelos cortados rente, virou-se para o seqüestrador e perguntou com um forte sotaque irlandês, que Tom imitava com perfeição:

— *How can you drive the airplain with the hair in your eyes?*

Dizia, com conhecimento próprio, que o primeiro gole de cerveja era ótimo. Mas o último, no final da noite, era encharcado. Com o uísque, era o contrário: o primeiro gole era áspero, mas o último, maravilhoso. Afirmava que em certos bebedores o uísque provocava raiva. Contou que um amigo seu, cineasta, desabafando sobre seus problemas matrimoniais, dava socos na mesa. Quebrou a mão. Dias depois, de volta à boemia, com a mão engessada, encontrou Tom de novo. Todos riram quando Tom — que tinha pavor de machucar as mãos porque eram seu instrumento de trabalho — pediu ao garçom uma almofada, para poder dar socos quando estivesse com raiva.

Outra noite, estava no Antonio's com Carlinhos de Oliveira e Paulo Mendes Campos. Já de madrugada, a conversa descambou para banalidades e eles começaram a discutir sobre a pronúncia correta de Houston, cidade norte-americana. Carlinhos, por pirraça, não aceitava a pronúncia do poeta. Paulinho ficou furioso. Pediu a Tom que ligasse para sua casa. Tom relutou, mas Paulinho insistiu que ele perguntasse a Joan, sua mulher, que era inglesa. Ela saberia a pronúncia certa. Tom não gostava de discussões. Paulinho, quando bebia muito, ficava brabo. Disse que se o jornalista não tivesse razão, daria uma surra nele. Tom ficou atrapalhado, mas acabou ligando para Joan.

Quando deixou o telefone, ainda tentou contornar a situação. Os dois não aceitaram. Tom disse, cauteloso:

— Segundo Joan, parece mesmo que Paulinho está certo...

Carlinhos saiu correndo pela calçada, com Paulinho em seu encalço. Os dois fumavam e bebiam muito. Não tinham fôlego. Volta e meia paravam, se amparando em qualquer árvore ou carro junto ao meio-fio. E se xingavam. Tom ia atrás, devagar. Gritou:

— Basta! A briga acabou. Empate!

E voltaram para casa para curar o porre.

As agressões feriam Tom profundamente. Um jornalista importante, já bêbado, alta madrugada, afirmou que Jorge Jobim havia se suicidado. Foi o bastante para que Tom começasse a pesquisar, incansavelmente, o verdadeiro final do pai. Durante anos carregou essa sofrida dúvida com ele. Muitas vezes foi à Casa de Saúde Dr. Eiras, sempre indagando, olhando arquivos, falando com médicos que pudessem ter conhecido quem atendera seu pai. Não adiantava Nilza afirmar que Jorge não havia se matado. Por outro lado, a família Jobim, morando quase toda no Rio Grande do Sul, se afastara mais ainda com a morte de Jorge e com o novo casamento de Nilza.

Foi Raul Bittencourt, médico psiquiatra e psicanalista, seu primo-irmão e sobrinho de Jorge Jobim, quem o esclareceu definitivamente. Por coincidência, era na época estagiário no hospital onde Jorge estava internado, e dedicava especial atenção a ele. Contou a Tom que os remédios que seu pai tomava para angústia eram violentíssimos e acabaram afetando seu coração. Confirmou a versão de Nilza. Jorge morreu dormindo, depois de uma injeção de morfina, fulminado por um infarto do miocárdio. Raul fora chamado às pressas, e ainda tentou reavivá-lo, sem sucesso, com massagens no coração.

Em sua peregrinação solitária, Tom descobriu que quem se suicidara havia sido o pai do jornalista acusador.

Uma noite, no Antonio's, foi apresentado ao jornalista João Saldanha. Ficou surpreso quando João declarou ser seu primo. O nome completo dele era João

Jobim Saldanha. Sua mãe, portanto, era Jobim. Era muito pequeno o contato de Tom com a família Jobim. João começou a desvendar para ele os familiares mais próximos. E discursou sobre a inteligência dos Jobins, de um modo geral.

E para espanto de Tom, disse que no Sul, os Jobins têm fama de serem muito inteligentes, mas estão nos hospícios. São todos loucos.

Em casa, os problemas cresciam. Thereza não concordava com o tipo de vida de seu marido. Sentia-se sozinha. Não bebia, não fumava, e cansara de acompanhar Tom na noite. Nas festas, pediam sempre para ele tocar. Moças bonitas cercavam o piano, derretendo-se. Thereza ficava quieta e calada, sentada num sofá. A distância entre eles aumentava. Preocupada com seu casamento, começou a fazer análise. Lamentava que o marido só trabalhasse bem nos Estados Unidos. O Brasil havia se tornado para ele um grande bar.

Insistiu muito para que Tom também fizesse análise. Eles haviam sido felizes, haviam se amado muito. Suas pequenas diferenças, comuns a todos os casais, eram logo esquecidas. Tentava convencê-lo de que poderia lidar melhor com suas angústias, se pudesse revivê-las adequadamente num processo analítico. Que as tensões que cercam a vida dos artistas eram muito acentuadas nele.

Depois de relutar, Tom resolveu procurar um psicanalista. Por acaso, encontrou, num bar, o escritor e psicanalista Hélio Pellegrino. Por algum tempo ficaram conversando e bebendo. Até que Hélio disse:

— Aqui não é um bom lugar para falarmos de análise.

— Então vamos lá para a minha casa? — sugeriu Tom.

Trancaram-se na sala da Codajás por muitas horas, sempre tomando uísque. Já quase de madrugada, Tom acordou Thereza e a chamou para participar da conversa. Hélio queria que ela dissesse porque Tom precisava fazer análise. Thereza começou a explicar que, pela história conturbada da infância de Tom, ele confundia-a muitas vezes com sua própria mãe. Esquecia-se de que ela era apenas sua mulher.

Hélio e Tom tinham bebido muito, e o dia amanhecia. Tom de repente parecia deprimido. Hélio levantou-se para ir embora e Tom foi levá-lo ao portão. Thereza ficou parada na porta de entrada e viu quando os dois se sentaram num degrau da escada da varanda. Hélio abraçou Tom e disse:

— Acho que você precisa mesmo fazer análise... Eu bebo e fico alegre. Você bebe e fica triste.

Entre várias indicações de Hélio Pellegrino, Tom acabou conhecendo Catarina Kemper. Como não podia deixar de ser, seu tratamento foi *sui generis.* Nada ortodoxo. Ficou logo íntimo da terapeuta, uma alemã muito conceituada, que morava em São Conrado. Dava consultas em sua própria casa, isolada, junto da floresta, com vista para o mar. Tinha um grande jardim e dois cachorros enormes. Foram cinco anos de análise.

Logo na primeira consulta, quando ele expunha seus problemas, Catarina o interrompeu: "Uma coisa é você compreender seus problemas racionalmente. Outra coisa é vivenciá-los emocionalmente." Seria isso, então?

Tom não se deitava no célebre divã freudiano. Ficava sentado, quando muito, numa poltrona, advertindo sua terapeuta dos riscos que corriam com os marimbondos que invadiam a sala de consultas onde estavam. E com as cobras que poderiam se esconder no mato que crescia, desordenado, nos canteiros do jardim.

Muitas vezes tomava banho de piscina durante seu tempo de sessão. Catarina acompanhava Tom da borda da piscina, andando de um lado para outro, querendo aproveitar o tempo com perguntas, tentando que ele se questionasse.

Se tinha fome, invadia a cozinha da analista e fritava um ovo. Catarina queria convencer Tom da relação direta das cobras com suas fantasias. E afirmava que os marimbondos só mordiam quando molestados. Em vez de tomar providências, ela só analisava "aqueles medos infantis". Um cliente, acreditando no que Tom dizia, levou de presente para a analista soro antiofídico. Para qualquer eventualidade.

Como Tom vaticinou, os marimbondos morderam a analista e uma cobra, escondida debaixo de um carro, picou uma paciente.

Um dia, quando chegava à casa de Catarina para sua sessão, percebeu uma placa de venda na casa vizinha, no alto da ladeira. Parou o carro e foi recebido pelo dono da casa. Perguntou preço, verificou a posição das janelas para nascente ou poente, e a direção dos ventos.

O homem olhava Tom espantado. Essas não eram as perguntas usuais dos possíveis compradores. Já cansado, lhe confidenciou que queria vender a casa, porque a vizinha era uma velha estrangeira, que, depois das seis horas da tarde, corria em volta da piscina em trajes sumários, com seus cachorros atrás latindo muito. A cena era presenciada por toda a sua família e ele já se sentia constrangido até de abrir as janelas.

Tom e Catarina ficaram amigos para sempre.

Ray Gilbert voltou ao Brasil. Desfez a sociedade com Tom em condições que deixaram Celso e Thereza aborrecidos. Retornou a Los Angeles e a editora ficou sendo só dele. Todos os erros comerciais de Tom eram repetidos pelos músicos brasileiros que iam para o estrangeiro. Acreditavam no caminho que ele seguia. Não adivinhavam o que os esperava.

No bar Veloso, de tardinha, o telefone toca. Chamam Tom. Avisam que é um homem falando inglês. Tom vai ao telefone. É Frank Sinatra. Explica que tinha telefonado para sua casa e de lá haviam lhe dado esse número. Convida Tom para gravar um disco, se tivesse agora disponibilidade de tempo. Emocionado, Tom responde que estava mesmo para ir a Los Angeles: "Seu chamado é uma ordem." Marcaram datas, despesas por conta de Sinatra.

Quando voltou à mesa e disse que tinha acabado de falar com Frank Sinatra, ninguém acreditou. Pensaram que era brincadeira. Depois foi um alvoroço. Nunca uma pessoa tão importante tinha ligado para lá. Um bar simples, que aos poucos se tornava famoso com a presença constante de Tom.

Santa Maria Porciúncula, La Reina de Los Angeles.

Trinta de agosto de 1966. Verão. Hospeda-se no Sunset Marquis. Sinatra está sempre muito ocupado e adia a gravação. Diz a Tom que não se preocupe com os ensaios. Vai viajar para descansar a garganta, e na volta gravarão. Mas Tom tinha seus receios. Queria que o disco ficasse perfeito. Seria uma grande oportunidade Sinatra cantar suas músicas.

Durante a espera, trabalha junto com Claus Ogerman, o arranjador do disco. Julga o trabalho dele excelente. Pede que o baterista seja o brasileiro Do Um. De noite, um bar. Claus sempre o acompanha. Tornam-se grandes amigos.

Thereza vai ter com ele em Los Angeles. Enquanto aguardam os acontecimentos, chamam o filho, já adolescente, para passar um tempo lá. Nessa espera, Tom compõe "Wave", com Paulo ajudando na letra, e "Triste".

Tom pede a Rosinha de Valença que lhe ensine a batida diferente que ela faz no violão. De tanto treinar para dominar a técnica, Tom acaba fazendo uma música em cima da batida. Foi "Batidinha", gravada mais tarde num disco que refletiu muito bem suas impressões sobre Los Angeles.

Quando finalmente começam as gravações com Sinatra, Paulinho volta para o Brasil.

A gravação é feita no melhor estúdio, com os músicos escolhidos a dedo pelo produtor de Sinatra. Muita gente quer assistir à gravação. Mas além dos músicos, só é permitida a entrada de Thereza e Aloysio.

O maior cantor da América não quer ninguém no estúdio. Nada pode falhar.

Tom acertara em ter lutado por versões bem-feitas para suas músicas. Lembrou-se de sua discussão com o editor musical nova-iorquino, que duvidara de seus sonhos mais altos. Acertara ao seguir sua intuição.

Em 1967, o disco *Albert Francis Sinatra & Antonio Carlos Jobim* explodiu nas vendas. Sucesso total de crítica e de público. No final do ano, Sinatra convida-o para seu programa de televisão na NBC, visto em todo o país. Tom tem a satisfação de aparecer ao lado de Frank Sinatra e Ella Fitzgerald.

Frank Sinatra abre o programa cantando "Corcovado".

No final deste mesmo ano, ainda voltaria a Nova York para gravar "Wave". De novo no melhor e mais belo estúdio que tinha visto em sua vida. Na primeira vez, quando foi chamado para gravar ali *The Composer of Desafinado Plays*, ficou em dúvida se seria mesmo um estúdio. Uma casa linda em Nova Jersey, no centro de um grande terreno, com um jardim maravilhoso.

Era o estúdio de Rudy Van Gelder. A acústica, perfeita. Cada músico gravava em uma divisão cercada por biombos, não permitindo que o som de um instrumento influenciasse o som do outro. O chão, todo atapetado. Na sala de engenharia de som, Rudy não admitia que ninguém entrasse. Sentado em uma cadeira giratória, de luvas, movia-se com agilidade de um lado para o outro, fazendo tudo sozinho.

Os trabalhos se desenvolvem bem. Tom grava pela primeira vez as músicas influenciadas pelas paisagens californianas: "Mojave" e "Antigua". Toca violão, piano e cravo.

Mas pensa em adiar tudo e voltar para o Brasil, quando explode a Guerra dos Seis Dias, entre árabes e israelenses. A imprensa norte-americana só falava nisso. Triste, se queixava para Thereza:

— Agora que tudo começava a ir bem, me vem esta guerra!

Em meio ao trabalho, além do vício de fumar e tomar café a toda hora, sentia fome. Pedia sanduíches de presunto defumado. Como era de se esperar, com os músicos comendo por todo o estúdio, faziam uma grande desordem e sujavam o chão. Rudy confidenciou a um amigo comum que só permitiu aquela bagunça por se tratar de um gênio como Antonio Carlos Jobim.

Em novembro volta ao Brasil e conta reservadamente para a família que o frio o incomodara muito. Suas pernas doíam demais. Claudicava quando nevava. Procurou vários médicos no Rio, sempre acompanhado de uma batelada de radiografias da coluna, tiradas ao longo da vida, em função do tombo que levara na praia. Achava que sua dor nas pernas advinha dali.

Sem querer, iludia os médicos, que olhavam só na direção apontada por ele.

1969. Segundo disco com Frank Sinatra: *Sinatra & Company*. Como da outra vez, Sinatra adiava a gravação. Tom queria, como sempre, que os discos ficassem perfeitos. Seria outra grande oportunidade. Durante a espera, encontrava-se com mais músicos americanos que desejavam conhecê-lo. Estava hospedado no vigésimo andar de um hotel, no centro de Los Angeles. Dormia e acordava tarde.

Um dia, o sol já alto, acordou pensando que tivesse tido um pesadelo. No quarto, com as cortinas fechadas, sentiu a cama tremer. Levantou-se assustado. Abriu as cortinas grossas, e viu apenas que a água da piscina formava ondas de um lado para outro. O *deck* de madeira estava todo molhado. Não entendeu logo o que havia acontecido. Só quando se sentou na cama é que percebeu que o lustre do teto também balançava. Tinha havido um pequeno terremoto. Levantou-se, foi até a porta de entrada e pegou o manual que instruía o hóspede nestas circunstâncias. Descobriu, apavorado, que a única coisa que podia fazer era ficar parado debaixo da verga da porta de seu quarto.

Sinatra ligou para Tom e chamou-o para hospedar-se uns dias em sua casa. Queria saber se ele tinha músicas novas para um disco. Tom responde que tem "apenas" 140 músicas novas para serem gravadas. Há um rápido silêncio no telefone. Mas logo depois, Sinatra pede a Tom as partituras e as fitas das músicas, para escolhê-las e ir se familiarizando com elas.

Quando Tom voltava a falar do disco, Sinatra invariavelmente repetia: "*Empesaremos mañana.*" Tom esperava, e no dia seguinte, nada. Tom continuava a esperar.

Volta e meia Sinatra levava-o para assistir ao *show* que estava fazendo em Las Vegas. Iam em seu avião. Sinatra o apresentava ao público como "o grande compositor das Américas". Tom se levantava encabulado para agradecer à ovação.

Uma noite, Carlos Sãez, um amigo brasileiro, convidou-o para voltar de carro de Las Vegas para a casa de Sinatra em Palm Springs. Tom aceitou logo. Continuava com medo de avião. No caminho, começou a nevar. Perderam-se na estrada. Se o combustível acabasse, corriam o risco de morrer congelados. Por sorte, encontraram um posto de gasolina onde se orientaram. O dono do posto os repreendeu, chamando-os de loucos.

Tom descreveria depois a casa de Sinatra como um lugar maravilhoso. Em volta da mansão, pela relva muito verde, espalhavam-se bangalôs para os hóspedes. Sinatra e Mia Farrow se mostraram ótimos anfitriões. A vista e o clima, perfeitos. Ao longe avistavam-se picos nevados. Quando a tarde começava a cair, era preciso vestir um agasalho.

Fica interessado em saber como Sinatra encontrou este paraíso. Ele diz que foi muito fácil. Ligou para seu corretor e pediu que achasse um terreno grande o bastante para construir seis casas, sem que uma fosse vista pela outra. Eram seis amigos comprando o terreno juntos. Pediu que a temperatura mínima anual fosse de seis graus e a máxima, de vinte cinco graus centígrados. Tudo muito simples para Frank Sinatra.

Os ensaios começam. Combinam que Eumir Deodato fará os arranjos. Para surpresa de Tom, Sinatra já tinha decorado todas as músicas escolhidas, e sabia como cantá-las. Os ensaios foram rápidos, com disciplina férrea. Os músicos, profissionais excelentes. Ninguém para atrapalhar dentro do estúdio. Para satisfação de Tom, deu tudo certo.

Volta ao Brasil preocupado com os acontecimentos que se desenrolavam aqui. E viveria momentos negros no ano de 1970. Em protesto contra a censura, nega-se a participar do IV Festival da Canção. Ele, Chico Buarque, Marcos Valle, Sérgio Ricardo, Edu Lobo, entre outros. É preso pela polícia política do regime militar, para ser interrogado. Seu telefone é grampeado, e toda a sua correspondência, violada. Quando estava nos Estados Unidos, suas cartas só chegavam à família por um portador e vice-versa. Veio a saber depois que Vinícius e outros artistas brasileiros também viviam o mesmo drama.

Tom respeitava cada vez mais os Estados Unidos, um país que recebia, de braços abertos e sem preconceitos, artistas de todo lugar. Já se sentia um cidadão do mundo. Suas viagens se sucediam, às vezes rápidas, muitas vezes demoradas. Procurava viajar para o hemisfério Norte em períodos que não tivesse de enfrentar o frio. Suas pernas doíam cada vez mais.

Hospedava-se agora no velho e famoso hotel Adams, perto do Central Park. Quando voltava tarde da noite, saltando do táxi e atravessando a calçada, sentia dores insuportáveis. O porteiro porto-riquenho, em seu inglês primário, disse para ele:

— *Mr. Jobim, go home. This is gringo country!*

Tom ainda não sabia do seu sério problema circulatório.

Quando voltava ao Brasil, via-se obrigado a comparecer, de má vontade, a algumas festas. Festas onde não conhecia ninguém. Sentia-se estrangeiro. Mas depois, inventava histórias hilariantes.

Contava que tinha ido a uma reunião elegantíssima, e a dona da casa mantinha uma coleção de armas de caça na parede de uma grande sala. Vendo o interesse de Tom pelas armas, colocou uma especialmente rara em suas mãos. Entretido com seu manuseio, a arma disparou — ele contava seriíssimo — e matou uma das visitas. A dona da casa, tapando a boca distintamente com uma das mãos, disse um pouco aflita:

— Que *gaffe*, Tom!...

Gostava, como na infância, das festas de Natal e Ano-Novo, com a família. Aí sim, participava de bom grado, à vontade. Raramente tinha uma piada para contar. Preferia inventar casos engraçados. Repetia-os muitas vezes, mudando só a forma de contá-los.

E na passagem do ano, não esquecia nunca de comer as uvas, como sua mãe lhe ensinara.

Seu ir e vir continuava. Grava em Nova York o disco *Tide*, arranjos de Eumir Deodato, com algumas composições feitas lá. Ainda em 1970, junho, grava também em Nova York, *Stone Flower*, outra vez com arranjos de Eumir Deodato, um de seus discos mais importantes.

Tinha se afastado da Bossa Nova e criado canções diferentes. Insere no repertório de *Stone Flower* as músicas "Olha Maria", "Choro" e "Quebra pedra", suas novas composições.

É convidado para fazer a trilha sonora do filme *Os aventureiros*. Aceita e pede a Thereza que se encontre com ele em Londres, onde seriam feitas as gravações. Leva pela primeira vez seus filhos. Já podia se dar a esse luxo. Mas com parcimônia. Thereza vai para Londres em um navio-frigorífico inglês, com camarotes confortáveis.

Na primeira noite, na hora do jantar, o tripulante que fazia o cerimonial de entrada de cada um dos passageiros no salão, chamou o casal Jobim. Thereza e Paulinho entram de braços dados. No dia seguinte, pela manhã, Thereza sente algum mal-estar entre ela e os outros passageiros. Percebe, divertida, que a julgam uma trêfega senhora, esposa de um rapaz tão jovem e belo.

Antes de Londres o navio atraca em Lisboa, onde fazem o famoso "*tour* a jato", por alguns lugares da cidade. Desembarcam depois em Roterdam, na Holanda, onde o navio tem que passar mais tempo no cais, para descarregar. Aproveitam para ir de trem a Amsterdam, visitar o museu de Van Gogh. Encontram Ronaldo Bastos, que se une à *troupe*. Voltam de Amsterdam no famoso Trem Azul, tema de uma futura música de Ronaldo.

Finalmente, Londres. Tom os recebe com alegria e apresenta a casa alugada pela produção do filme: 42, Tedworth Sq. SW3, perto da King's Road, Chelsea. No térreo, o estúdio. No andar de cima, a residência. Mas Tom se queixa constantemente da casa, diz que parece uma geladeira. Vive junto à lareira, dorme com pijama de flanela e sobretudo de lã, debaixo dos cobertores. Quando tem de descer as escadas para o estúdio, reclama com seus companheiros de trabalho do frio que sente.

Enquanto isso, Paulinho curtia as minissaias e os *hippies*, novidades da época. Olhava espantado aquelas roupas e aqueles cabelos loucos. Tinha curiosidade por aquelas figuras exóticas. Beth ficava a maior parte do tempo em casa, desenhando.

Caetano Veloso e Gilberto Gil, exilados na Inglaterra, visitam Tom, acompanhados de suas mulheres. Foi uma emoção muito grande. A conversa girou em torno de música, ninguém falava de exílio. Mas pairava no ar a difícil situação que eles viviam. Ainda assim, Gilberto Gil esbanjava energia e Caetano Veloso mostrava tranqüilidade.

Como sempre, Thereza foi para a cozinha preparar a sopa da noite para as visitas, com a única coisa que havia em casa: couve-flor.

Quase todos os dias Tom conversava por telefone com Chico Buarque, exilado em Roma. Essas conversas eram infindáveis. Combinaram encontrar-se, assim que Tom terminasse o trabalho. Mas por exigência de Thereza, seis meses depois, vão primeiro à Paris.

Lá, só iam a um restaurante, L'Aussace a Paris, e Tom comia sempre a mesma coisa: *scargots* e *steak au poivre*. O que ele queria mesmo era encontrar-se com Chico. Thereza se rebelou. Desejava ir aos museus, passear, conhecer a cidade. Tom dizia que conhecia a cidade melhor pela televisão do que indo passear pelas ruas.

O máximo que Thereza conseguiu foi que Tom e Ronaldo Bastos (que só chamava Tom de *Antoine Charles*) a levassem ao Museu de Arte Moderna. Depois de horas andando pelo museu com Beth, voltou, dividida entre a vontade de ver mais alguns pintores que amava, e o cansaço. Encontrou Tom e Ronaldo conversando, sentados no mesmo banco da entrada. Os dois ficaram ali durante horas, e nem entraram no museu.

Beth voltou para o Brasil. Ronaldo foi para a Espanha encontrar Paulinho, que tinha viajado para lá com o pretexto de comprar um violão. Tom e Thereza seguem para Roma.

Chico e Marieta se desdobram, dividindo-se entre Luiza, sua filha caçula recém-nascida, e eles. Em Roma também freqüentam sempre o mesmo restaurante: pastas e massas todos os dias. O dono do restaurante era um ator que fazia pontas nos filmes de Fellini. Ao saber como eram famosos aqueles fregueses, passou a servi-los pessoalmente.

De novo, Thereza pede a Tom para conhecer a cidade. Saem os quatro para passear uma noite. Param o carro perto do Coliseu. Thereza e Marieta, conversando e andando mais depressa, se adiantam um pouco. De repente, surgem mendigos e as rodeiam, ameaçadores. Tom e Chico correm para ajudá-las. O susto foi grande. Thereza, que tinha levado a máquina de retratos que ganhara de Stan Getz, perdeu todas as fotos que tirou. Ficou tão decepcionada, que quando perguntavam se conhecia a Europa, dizia que não.

Thereza volta para o Brasil, e Tom voa direto para Nova York. Sempre atento a tudo, durante a viagem nota que as estrelas estão mudando de lugar. Fica preocupado. Percebe que não estão indo na direção certa. Levanta-se de sua poltrona e vai falar com o comissário de bordo.

De fato, havia um problema. O avião estava voltando. Felizmente, pousaram em segurança.

Antonio Carlos Jobim cumpre suas obrigações com o cartão verde da imigração americana. Tinha sempre essa preocupação. Termina de cuidar de seus negócios e volta ao Brasil.

Faz a trilha sonora do filme *Crônica da casa assassinada*, baseado no livro do escritor Lúcio Cardoso, a pedido do diretor Paulo Cezar Sarraceni. O despertador vivia em cima do piano, marcando o tempo de cada cena do filme. Era trabalhoso acertar cada compasso e acoplá-los às cenas.

Tom atrasou a entrega das músicas. Paulo Cezar e seu irmão Sérgio, produtor do filme, combinaram uma forma discreta de apressá-lo. Sérgio iria todas as noites à sua casa, ver o maestro compor. Depois de dois meses, haviam tomado muito uísque, e a trilha não estava terminada. Sérgio pediu que Paulo Cezar o substituísse, pois tinha que chegar cedo ao escritório e ia dormir todos os dias às cinco horas da manhã. Sua mulher já estava enciumada, pensando outras coisas.

Paulo Cezar tomou o lugar do irmão. Quando a trilha ficou pronta, para o bem de todos, a satisfação foi total. Tom usou as músicas em discos que gravaria nos anos seguintes.

Fez também a trilha sonora do filme *Tempo de mar*, dirigido por Pedro de Moraes. As imagens do filme o encantaram. Lembrou-se de Mambucaba. Da traineira atravessando aquelas águas transparentes de Angra dos Reis. De novo, aproveitaria temas da trilha sonora em futuras gravações.

Desde o início de sua carreira, Tom foi chamado muitas vezes para fazer trilhas sonoras. Em sua vida, fez quase vinte trilhas sonoras para filmes brasileiros e estrangeiros.

Helena estava separada de seu marido Paulo desde 1968. Havia se casado com 16 anos, e depois de quase vinte anos de casamento, seguiram rumos diferentes em suas vidas. Conheceu Manoel Malaguti em 1969 e casaram-se no início de 1970.

Paulo pediu reforma na Aeronáutica e foi trabalhar como piloto de provas em São José dos Campos, São Paulo. Helena e ele continuaram amigos e Tom gostava especialmente deste primo e cunhado.

Foi um choque terrível quando Paulo, no dia 23 de outubro de 1970, Dia do Aviador, morreu num acidente automobilístico na estrada Rio–São Paulo, vítima da irresponsabilidade de terceiros. Era muito alegre e forte. Praticava todos os tipos de esporte, mantinha-se em forma física por prazer e em função de sua profissão.

Tom, que convivera com ele desde sua juventude, ficou abaladíssimo. Não se conformava. Pediu à irmã algum pertence dele, como recordação. Ela lhe deu o facão de mato e os mapas de rotas aéreas que Paulo usava em seus vôos.

Tom guardou-os a vida inteira. Além da profunda tristeza pela morte deste tão grande amigo, sentiu muita revolta. Uma vida estupidamente ceifada.

Paulo morreu com a mesma idade de Jorge Jobim: 47 anos.

Tom sofria com a crítica. Se dava alguma entrevista e o entrevistador não captava exatamente o que ele queria dizer, ou pior ainda, distorcia suas declarações, magoava-se. Não adiantava a família e os amigos mais chegados dizerem que era adorado por todos. Em suas angústias, Tom se abalava com o que considerava uma ofensa, mesmo que parecesse aos outros uma insignificância. Fazia parte do seu ser.

No início da carreira, já despontava como um autor que fazia música diferente do samba tradicional. Isso abalou os críticos que consideravam o samba intocável. Uma grande parte da esquerda política dizia que a música de Tom Jobim era americanizada, ou melhor, norte-americanizada. Até o apelido de Tom, dado por sua irmã, seria um nome americano inventado propositalmente. E afirmavam que ele estava desvirtuando a cultura musical brasileira.

A incompreensão chegou a tal ponto que um "crítico musical" praticamente viveu de falar mal de Tom em seus artigos, da mesma forma que o "crítico" Guanabarino promoveu-se tentando destruir a grande obra de Heitor Villa-Lobos.

Numa capa de revista sensacionalista saiu estampado, em letras garrafais, que Antonio Carlos Jobim burlava o imposto de renda. Pela primeira vez Tom disse que ia processar o crítico. Celso convenceu-o de que era isso o que a revista queria. Ele ensinou sempre a seus filhos que um artista deve ignorar as provocações da imprensa. Mas disse a Tom que pedisse um documento ao Ministério da Fazenda, comprovando que declarava sua renda nos Estados Unidos.

Em casa respeitavam suas aflições, embora sem entender por que um homem tão superior, tão talentoso, se deixasse abater por tão pouco. Num aniversário, Helena deu a ele o livro *Um teto todo seu*, da escritora inglesa Virginia Woolf. Ela diz:

Além disso, é muito fácil para vocês (...) afirmar que a genialidade não deveria ligar para tais opiniões, que a genialidade deveria pairar acima do que se diz dela. Lamentavelmente, são precisamente homens ou mulheres de talento que mais se importam com o que deles se diz (...) Mas eu dificilmente precisaria multiplicar os exemplos do fato inegável, se bem que muito inauspicioso, de que é da natureza do artista importar-se excessivamente com o que se diz dele. A literatura está salpicada dos destroços de homens que se importaram irracionalmente com as opiniões dos outros (...) E essa suscetibilidade deles é duplamente lastimável, pensei, voltando mais uma vez para minha investigação inicial sobre qual seria o estado de espírito mais propício ao trabalho criativo, pois a mente do artista, a fim de alcançar o prodigioso esforço de libertar, íntegro e completo, o trabalho que está nele, precisa ser incandescente...

A mente de Antonio Carlos Jobim era incandescente. O jornalista Carlos Lacerda soube captar essa cintilação de modo brilhante. A tal ponto que o próprio Tom declarou em família: "É a única matéria séria que me descreve como sou." Mandou para Radamés Gnatalli a síntese do artigo transcrito abaixo:

Hesito ante o compromisso de escrever sobre Tom Jobim. Ainda mais porque cheio de desconfiança, ele deu um jeito de pedir os originais antes de publicada a nossa conversa. Mas hesito principalmente, pois talvez não chegue a dar a medida de sua angústia, nem o sentido de sua inquietação. Ele não quer parecer um ressentido, e não é. Não quer que o descrevam como um homem sem medo do sucesso, e não é. Nem temeroso de ser superado. Bem, também não é.

Mas quem é esse homem tenso, crispado, cujo riso é vociferação, cuja mão espalmada parece cortar, num golpe de caratê, tijolos invisíveis?

Fui à sua casa e tudo acabou em música. Veio à nossa casa, tudo acabou em música. Mas, por baixo da música, por cima da música, cercada de música por todos os lados, aquela angústia metafísica, aquelas perguntas sobre a vida, o sentido da vida, Tom é vitorioso. De seus dias de menino, de filho do poeta Jorge Jobim e da educadora que fundou o Colégio Brasileiro de Almeida, em Ipanema, dos melhores do Brasil, do menino que correu colégios, largou o primeiro ano de arquitetura por causa de uma briga com Thereza Hermanny, dele tem dois filhos, com ele permanece casada há vinte, dos 43 anos que ele tem de vida.

Paro aí. Quarenta e três anos. Eis o primeiro dado.

Releio da minha coleção de Manchete, *a entrevista que Tom deu a Arnaldo Niskier há onze anos: "A música brasileira é tristíssima e a letra em geral, negativa, diz o maior compositor brasileiro da atualidade, segundo Ari Barroso." É a certeza, o desafio, a tranqüila afirmação de um jovem compositor numerosíssimo. No* Dicionário biográfico de música popular, *de Sílvio Túlio Cardoso, mais músicas do que Tom Jobim compôs, nem Ari Barroso.*

Mas são 43 anos agora, quando o júri lhe deu o 1º lugar pela canção "Sabiá". Não é uma canção de levantar multidões. É uma canção de levantar corações. É apenas uma obra-prima. A lírica, especialmente luso-brasileira, toma o rumo do céu, nessa canção.

Tom Jobim conseguiu o prodígio de ser compositor popular sem ser popular. Sua música é requintada. Sobre o piano, quando cheguei à sua casa na Gávea, estava uma partitura de Brahms e "L'après-midi d'un faune", aquela desconcertante peça de Debussy.

Pouco depois, Tom tocou Brahms. Não se pode dizer que tocou mal; ainda nos ecos de Nelson Freire, que andou por lá. Tiveram a mesma professora, Lúcia Branco. E Tom teve ainda Tomás Terán, Kollreuter, Radamés Gnatalli, Leo Peracchi, Alceu Bocchino (será que lhe perdoam o fato de saber música?). Foi uma execução hesitante, algo lenta, a que se seguiram uns ensaios de flauta, pois Tom sai de flauta, também. Toma um ar maroto para assoprar a flauta.

Aos poucos ele conduz a conversa ao centro de suas preocupações: o mundo, para onde anda, a vida, o que é, para que serve, que sentido tem?

Foram-se os dias porventura leves, senão levianos, da Bossa Nova, nascida em abril de 1958 no long-play *da "Canção do amor demais", gravado por Elizeth Cardoso, no qual só o solo de violão de João Gilberto nos acompanhamentos de "Chega de saudade" e "Outra vez", dá a batida recém-nascida da bossa. A 22 de setembro do ano seguinte, no teatro de Arena, 3 mil pessoas saudavam a bossa. Nos Estados Unidos, em crise de criação musical, os que vieram para o Festival de* Jazz *revelaram-na a Stan Getz. O Itamarati manda uma expedição a Nova York, para tocar a bossa, a 21 de novembro de 1962, no Carnegie Hall. Tom afirma que a brasilidade compareceu patrioticamente, na batida da saudade. A música popular ainda se ressentia do que o citado Ari Vasconcelos chama o "esforço". No teatro, na serenata, na gravação mecânica, "os cantores tinham necessidade de gritar". Era música aos gritos. A Bossa Nova, em vez, é em surdina. É a música do microfone abafado. A música em tom confidencial, um pouco no gênero "meu neguinho", doçuras de cafuné, mas igualmente ironias suaves, toucinho do céu. A batida conquista o mundo. E Tom? Que fará agora com o Tropicalismo, o samba afro-brasileiro, a música do terceiro mundo?*

Liberta-se, pois Tom é antes de tudo uma alma livre. Não o enfeudaram em rótulos, não lhe aprisionaram a consciência nem a inteligência. Mas o preço dessa liberdade é a angústia. Tenso, terso, ali está ele. E agora? Como vou escrever sem revelá-lo, tal e qual me parece, o moço que vai deixando de o ser, e teme a maturidade? Fala da filha como de uma namorada, e ela é linda; do filho não precisa falar, esse jovem deus que o adora, estuda arquitetura como o pai que a abandonou, estuda piano como o pai que procurou largar o piano para casar e só prosseguiu porque o padrasto Celso Frota Pessoa — servidor público exemplar — alugou piano, comprou piano, empurrou o enteado Tom Jobim para o piano, deixou casar e morar em sua casa com Thereza, com a condição, implícita, de não largar o piano como largou a arquitetura, pela referida senhorita. E aí o temos, Antonio Carlos Brasileiro de Almeida Jobim, vitorioso e torturado. Onde as tardes do chope do Veloso, quando Ipanema não era o que é hoje, mas deixava de ser o Bar 20 e os trilhos do bonde de mão única no areal da rua Visconde de Pirajá?

Tom Jobim cantou com Frank Sinatra, Sinatra cantou músicas de Tom Jobim, no entanto, nenhuma vez falamos de Sinatra. Mas, para quê? Para Tom Jobim se defender, como tem feito, do êxito de que o acusam? Um humorista seu amigo disse certa vez: "O Brasil é um país tão miserável que as pessoas que ganham dinheiro ficam com complexo de culpa." Deveria Tom se sentir culpado de ter feito sucesso no mundo inteiro? Precisaria renegar a "Garota de Ipanema"? Não acho.

Quando Arlete Salles lhe perguntou qual a pergunta que ele gostaria de responder e que nunca ninguém lhe fez, Tom Jobim deu esta terrível resposta:

— Acho que já me fizeram todas as perguntas...

Com esta, vou me retirar e deixá-lo caminhar sozinho para a análise. Como já lhe fizeram todas as perguntas...

Não, há respostas que ainda não deu. Essas vêm sem que ninguém lhe pergunte. São respostas a si mesmo, à sua inquietação, que Tom sem querer retrata:

— Como diz Carlos Drummond, seu xará, o poeta, "o poeta é um ressentido e o mais são nuvens".

O poeta itabirano, há mais tempo, o poeta português Fernando Pessoa, há menos tempo, o poeta carioca Raul de Leoni — o dos sonetos da Luz mediterrânea, *há muito mais tempo, são admirações que Tom Jobim traz de cor, e lê e relê, e vibra com elas. Quando terá a coragem de botar em sua música esses poemas, como fez com os de outro poeta de sua particular estima, Vinícius de Moraes, seu parceiro?*

— Cortaram as árvores, mataram os pássaros e nós em que ficamos? "O que sou hoje é que venderam a casa", disse Fernando Pessoa, o mesmo que disse: "Estou lúcido como se estivesse para morrer."

Temos, agora, preocupações ecológicas. Era isso o que me faltava! Tom recebeu-me com apreensiva prevenção. Cordial, não há dúvida. Mas, que sairá nessa conversa?

— E você com esses óculos de Benjamin Franklin, é vista cansada e o que mais?

— Só. Isto é, vejo aquelas bolinhas de luz, moscas volantes.

Entramos no capítulo das recordações. O que ele deve a Ari Barroso. Os "inferninhos" de Copacabana em que tocou para ganhar o dinheiro do aluguel do apartamento.

— Tinha verdadeira obsessão com o aluguel do apartamento.

Agora tem uma casa. Própria. Com escada e jardim, e um sótão no qual trabalha. Mas, no tempo do apartamento alugado, numa noite em que o freguês, no escuro do bar lhe pediu para tocar "O terceiro homem", com grande espanto do distinto, Tom Jobim falou:

— Não sei essa música.

Era a terceira vez que não ia tocar "O terceiro homem" naquela noite.

— Aquilo como profissão era terrível. Chegava todo o dia de manhã em casa. Eu sou de 1927. Peguei muito aquela Copacabana das horas do crime, mesmo antes do Beco das Garrafas.

Sua frase é inusitada, sua expressão insólita. Eis um homem que raramente comete um lugar-comum. Seu rosto ainda esplende mocidade, nas primeiras deformações da pele do homem que amadurece.

— Viver no Rio é negócio de Centauro. A gente é meio gente, e meio Volkswagen. Em 1962 consegui comprar o meu primeiro, quando o Itamaraty, a contra-

gosto meu, me mandou para os Estados Unidos tocar música. Eu estava naquela do pindorama, pijama listrado, cadeira de vime. Que negócio é esse! Os gringos estão por fora! O rei na barriga, 35 anos, sem saber de nada... Isto é, sabendo de muita coisa aqui, do nosso mundinho.

Chamo-lhe romântico:

— Sua atitude diante da mecanização do mundo e da ruína da natureza é romântica. Jean-Jacques Rousseau, ia me lembrando...

— Não creio que seja romântico — interrompe. — Pelo seguinte: Eu acho que os homens querem destruir o mundo e eles vão... No dia em que chover enxofre vai virar bíblia, não é? Pode ser que a civilização seja muito avançada. Mas faz muita fumaça. É uma fumaceira subindo... No ABC paulista, no Rio, em Nova York, Los Angeles... Então, é a lenha, botar o mar para baixo, matar os pássaros e depois, quando não houver mais árvores, é botar fogo no capim — se ele pegar fogo. E a erosão é aquela coisa. O mundo cai mas eles varrem. Cai tudo dentro do sumidouro.

Tom vai adquirindo uma certeza e se agarra a ela: "Não acho isso uma atitude romântica porque, por exemplo, vi aquele sujeito que atravessou o Pacífico, agora atravessou o Atlântico e afinal deu certo."

— Ele disse que não tinha coragem de cair na água do Atlântico, não. Tudo sujo.

Sua certeza se faz cada vez mais dura:

— Quando afundou aquele submarino americano nuclear, os americanos mandaram procurar manchas de óleo no mar. Então saíram de Nova York, de Miami, foram aos Açores, à Inglaterra, a Lisboa, procurar manchas de óleo... E disseram a quem os mandou: "Vocês estão brincando! Quase não tem mais mar. É tudo uma mancha de óleo. Pelo mar há batatas podres boiando." Um dia desses veio um oceanógrafo e disse: "Vocês pensam que o mar é infinito, que os peixes de alto-mar não têm nada que ver com a nossa poluiçãozinha aqui? Não é nada disso. Os peixes se criam, como todos, nas lagoas, nos rios ou na plataforma continental." Aquele comandante francês deu uma entrevista dizendo que não sei quantas mil espécies já desapareceram e tudo o mais. E, no futuro, nós vamos nos servir do mar...

Tom fala e eu vou armando um contraste que é, como todo o contraste, uma aproximação. "Roseira que dá rosa mas não cheira." Uma das primeiras entrevistas que fiz na vida foi com Heitor Villa-Lobos, o músico, na sua casa de avenida na rua do Senado. Com seu charuto apenas menor que seu ego, Villa-Lobos só falou de sua música e fazia grandes gestos para explicar como era o processo de ensinar canto coral que dizia ter inventado: Manosolfa. Um dia, Cândido Portinari me recebeu dizendo: "Acabou de sair daqui o Villa-Lobos. Mas ele fala só a minha música, a minha música e eu só gosto de falar da minha pintura, a pintura..."

Tom Jobim, novo Villa-Lobos, fala de tudo melhor do que de si mesmo. No entanto, em tudo o que fala, assuntos e acentos, está a marca de sua preocupação pessoal, oculta por elipse. O que ele vê, no fundo de tudo o que diz, é Tom Jobim, o seu vulto, como a sombra das coisas que o preocupam.

— Eu creio que, realmente, coisa que o americano está preocupado é com ecologia, quer dizer, a relação do sujeito, dos animais, com o meio. As gaivotas estão cheias de DDT, o homem cheio de DDT, os rios, os esgotos e os venenos e inseticidas que os homens jogam nas plantas... Aqueles bichos que comem as brocas, já não querem mais comer: as brocas estão com um gosto horrível. Uma civilização que conseguiu deturpar o ovo da galinha é uma civilização perigosa.

E ri, um riso maninho, sem descendência, riso que pára logo como se a boca se arrependesse ou percebesse, de repente, ordem para estancá-lo.

— Sabe de uma coisa? Tenho um amigo que me perguntou: "Mas você acha mesmo que não há tempo nem de uma revoluçãozinha?" Do jeito que estão cortando o mato, acho que não. É petróleo, árvore queimada, tudo é combustão, suja o ar, estraga tudo. Não vejo nisto nada de pensamento romântico. Ainda agora, na fazendinha em São José do Vale do Rio Preto, junto com uma porção de livros — Raul de Leoni e outros da época —, li uma conferência do dr. Godofredo de Campos, denunciando o desflorestamento já em 1940. E antes disso já tinha, puxa! O vovô se dava com o marechal Rondon e aquela gente toda já falava nisso e já marcava fronteiras.

Tom Jobim tem o jeito peculiar de falar as coisas transcendentais em tom coloquial e de coisas banais em tom transcendental. Suas expressões se juntam umas nas outras de modo inaudito, suas imagens acoplam-se como mariposas para o esplendor de um momento de luz intensa. Não se iludam se na foto ele parece moreno de cabelos escuros.

— Sou castanho, mediterrâneo. Minha irmã, meu filho têm olhos azuis. Esse mulato branco que nasce no Brasil, cabelo duro, olhos claros. Quando quis ser compositor todo mundo disse que ia morrer pobre, tuberculoso, bêbado etc. Depois o sujeito vem me perguntar quantos dólares eu tenho.

— E o seu medo de avião?

— Já pousei no Galeão a 370 km por hora. Perigo mesmo é a avenida Brasil.

— Você pilotou?

— Não. Fui do lado daquele gauchão que já foi seqüestrado para Cuba.

É assim que aliviamos a conversa, senão a tensão fica insuportável.

— Sou brasileiro, faço música brasileira, não por questão de nacionalismo, mas porque não sei fazer outra coisa. Se eu for fazer jazz *sou idiota, porque qualquer crioulo-da-Lapa deles toca melhor do que eu.*

— E a influência da música francesa?

Tom olha de lado, não gosta muito, mas sorri e desguia:

— Quando eu era pianista de boate o sujeito chegava e pedia canções francesas. Sou desse tempo.

— Fale um pouco da Sinfonia de Brasília.

— Considero muito importante para mim. Naquela época, no tempo do Juscelino, muita gente acreditou que o Brasil iria para adiante. Aquele negócio de sertão mexeu comigo. Tanto é que na sinfonia tem pio de jaó, de perdiz. Creio que essa obra traz o ranço, o maneirismo de uma época. Não interessa se o Fernando Pessoa traz um maneirismo, Drummond traz um outro, Villa-Lobos... O que interessa é o caldo.

— E a vaia?

— É muito mais fácil agradar o tapete de Jakson Flores em Nova York. Rico ri à toa. O público paga para se divertir. Quanto mais paga, mais bate palmas. Não sai de casa para vaiar. Lamento dizer que não sou um sujeito do tamanho do Villa-Lobos, que se orgulhava de ser o sujeito mais vaiado do mundo.

— Sua música é popular, mas não é popularesca. Você diria que é erudita?

Tom não se dá por achado. Procuro-o:

— Na Alemanha, as canções de Schumann e Schubert foram cantadas nas cozinhas. Você está criando lieder *brasileiros?*

— Quanto você diz estas coisas fico amedrontado de assumi-las.

— Sua música, mantendo um violino, flauta, vai ter outra dimensão. Quero saber o que você acha a respeito.

— Eu não posso responder porque detesto cabotinismo. Há muitos anos eu não falava. Era entrevistado e não falava. Agora todo mundo fala, até pintor está falando. É realmente uma época da falastrice. A minha tristeza é que cortaram as árvores e mataram os pássaros. Eles querem destruir o que não conseguem criar.

— Eles? — pergunto eu.

— Você parece um sujeito americano a quem comecei a falar nessa de eles. E mais pragmático do que nunca, o americano me perguntou: Quem são eles? Eles não existem. Além disso, estão errados.

— E você disse...

— No Brasil agora deram na mania de falar mal de Tom Jobim. Já estava tardando, já não era sem tempo. Não vá pensar que eu tenho mania de perseguição.

Na noite de sua casa, acrescenta:

— Eu sou aquariano. Está previsto o movimento deles. *O pobre não tem acesso ao disco e o rico compra Frank Sinatra ou Brahms.*

Perguntei à minha assessora de astrologia:

— O aquariano — ensina-me ela — é um tipo humano, proporciona aos seus nativos um tipo físico atraente e bem conformado. A tez clara, úmida (ora essa!) dá um temperamento original, bizarro, independente e revolucionário. Audacioso e não-convencional. Dificilmente o aquariano se submete à vontade alheia e em seus atos e pensamentos transparece a ânsia de liberdade que os domina. Possuído de uma ética toda particular, uma filosofia toda própria, não pode ser medido pelo padrão comum. Distingue-se pela originalidade de suas idéias e profunda justiça de suas atitudes, geralmente mal compreendido por aqueles que só sabem se conduzir por códigos já mastigados e digeridos pelo

uso. Embora pareça tranqüilo e cordato é de uma obstinação incrível, rebelando-se contra os que procuram lhe impor sua vontade. Quase sempre inclinado à meditação e aos estudos, que lhe asseguram sucesso nos assuntos transcendentes. Dotado de poderosa intuição. Brilhante, plástica e poderosa inteligência é o seu dote mais valioso. Boa dose de timidez esconde suas virtudes. Curiosa dualidade íntima provém da sua sensibilidade.

Grande habilidade e inclinação para as artes, nas quais consegue renome e fama. É universalista, transcendentalista e metafísico. Uma vida simples, sem luxo. Aqui termina a descrição astrológica do aquariano Tom Jobim.

Fui a uma loja de discos.

— Disco do Tom Jobim?

Tinham um, o último, gravado nos Estados Unidos: Wave*, aliás, uma beleza. No mais, tinham outro, com apenas duas ou três músicas do Tom. O resto ficou de fora.*

Volta à leitura crítica de Guanabarino a Villa-Lobos: "Muito moço ainda, tem Villa-Lobos produzido mais do que qualquer verdadeiro artista no fim da vida. O que ele quer é encher papel de música sem saber talvez qual seja o número exato de suas produções que deve ser calculada pelo peso do papel consumido às toneladas sem uma página destinada a sair do turbilhão da vulgaridade. Sua divisa não é pouco e bom mas muito ainda que não preste (...) Em regra suas composições não têm pés nem cabeça, são amontoados de notas que chacoalham canalhamente como se todos os músicos da orquestra estivessem atacados de loucura, tocassem pela primeira vez aqueles instrumentos que transformam, por mãos doidas, em guizos, berros e latidos."

— Imagine o sujeito ser Villa-Lobos naquela época — comenta seu filho musical Tom Jobim. — Depois de morto, fazem uma estátua de bronze etc. A vida inteira eu vou a São José do Vale do Rio Preto. Amigo do Rubinho, o santo da farmácia. E tinha outro amigo que se chamava José Portugal, das faces coradas. Ele conhecia e dizia esta poesia do Alceu Wamosi:

"Sei que amaste e tens o coração partido
E que choras o amor que se foi de repente

Eu sei do coração quando ele está ferido
Só pela luz do olhar, só pela mão tremente.
A gente pensa que se esconde na alma o grito de um gemido
Mas não sabe, nem sequer pressente
Que um gesto apenas trai o coração partido.
O sol, o ardente sol de tua alacridade
Ainda que sob o céu de tua mocidade
Há muito que num caos de sonho se apagou.
Eu sei que nada hoje o teu sofrer estanca,
Teu coração é uma camélia branca
Que alguém tocou de leve e sem querer manchou."

— É poesia bárbara, não é? Eu brigado com a Thereza, já viu? A gente tem que sair do asfalto um pouco... Tem outro poema aqui para nós. Não é para os "pra-frentistas": Porque o pra-frentismo não sabe que o pra-frentex não é para a frente. Isso é de uma monotonia total.

— Essa teoria de que o pra-frente está pra-trás é muito boa.

— Você pode digerir, e pôr em bom português. Não quero parecer um velho, mas as pessoas estão fazendo as mesmas bobagens de sempre, porém muito mais armadas. Estão fazendo bobagens muito piores.

— Você me dá a impressão de um sujeito de 80 anos com alma de 20. Há quanto tempo lê Drummond e Fernando Pessoa?

— Leio Fernando Pessoa há uns dez anos. Drummond há muito mais tempo.

— Você morou na Tijuca?

— Nasci e morei na Tijuca, mas com um ano já estava em Ipanema.

— A Tijuca é o último lugar do Rio de Janeiro onde se ouve piano ainda.

— O piano é do tempo em que a gente escrevia fantasma com ph e phantasma assustava.

— Apesar de tudo o que li a seu respeito, estou surpreendido com o seu grau de maturidade, que em termos brasileiros não combina com o seu temperamento. Você tem uma inteligência madura, diferente da sensibilidade. Tem uma sensi-

bilidade jovem e uma inteligência madura. Como é que é isso? Os seus gostos e os seus conceitos você os veste de pitoresco e fabuloso, mas no fundo diz umas coisas moralistas. O que se deu com você para fazê-lo tão maduro assim, do ponto de vista intelectual?

— O cataclismo, a calamidade...

— Estou falando sério e você sai para o escanteio. Quero saber o que o tornou assim, o que o fez tão amadurecido? Geralmente o músico é inocente. Você não é inocente.

— Sempre achei o músico comum inocente mas genial.

— E daí? Não tem nada mais inocente do que o gênio.

— É possível.

— Você mencionou sua passagem por inferninhos, a corrida contra os aluguéis etc. Você se preocupa com os aspectos materiais da vida. Não tem medo de dizer algo diferente do que o que está na "onda". Fura a "onda".

— Como ficou chato ser moderno. Agora serei eterno (Drummond). Não acho que a pessoa deva seguir todas as modas, vogas etc., em tudo. Você disse uma coisa séria e eu já estou habituado a me defender. Digo honestamente, estou desligado de tudo. As ondas contra Tom Jobim... Antonio Maria dizia: Tom está competindo com ele mesmo, dez sucessos nas rádios, a música dele é contra a própria música dele, Tom está produzindo demais, está se exaurindo. Mas acontece que eu tinha 500 músicas na gaveta no tempo em que fazia músicas e não mostrava para ninguém por timidez.

Aos 43 anos, o moço Tom Jobim não é tão moço que não saiba de quantas decepções está feita a aceitação da vida:

— Influências sempre houve e só não as recebe quem está morto.

Mas, suas preocupações, não me parece que sejam com as críticas às músicas. As músicas, continuam, e cada vez melhores. As críticas, continuam, e cada vez piores. Acusam-no de se americanizar? Bobagem. Os americanos acham que ele tem uma influência francesa. Os franceses sabem, desde a música de Orfeu negro, *que ele é bem brasileiro. O mais brasileiro que pode haver desde Villa-Lobos. O que ele não consegue esconder é sua formação musical.*

O que ele sabe de harmonia me confunde e, de certo modo, me oprime. Músico, irrevelado, quando ouço assim de perto alguém fazer o piano falar, sinto-me como um cego que precisa de alguém para lhe descrever as belezas do céu e do mar — e no entanto sente que o mar e o céu são ainda mais belos do que as palavras podem dizer.

O diálogo com Tom Jobim não pode prosseguir porque não cabe aqui. Espero continuá-lo pela vida afora. Pois esse criador é uma esplêndida criatura. Uma flor de inteligência e sensibilidade tocada pelo granizo, ferida, maltratada, mas que perfuma as mãos de quem a fere. Tom Jobim sofre com a injustiça ou antes, duas, uma real e outra imaginária.

Feliz, acredito que seja, daquela certeza íntima que guarda no seu ser como num cofre, cujo segredo só ele possui. Mas, inquieto, com a devassa que o mundo impõe na sua vida, inquieto com o rumo da vida que vai tomando, a sua e a do mundo em geral.

Seu desassossego se projeta sobre o mundo numa angústia ecológica. Por isso mesmo é tenso e crispado. Não admira que o mundo não lhe perdoe a admiração que, de certo modo, por obrigação lhe dedica. Poucas pessoas tenho conhecido a quem a admiração faça tanto bem e precisem tanto dela. Mas poucas são capazes de abrir mão dela. Ele tem o gênio musical, mas infelizmente para a sua paz de espírito, é inteligente demais para ser apenas artista. E a inteligência não é corrupção, é um crime para o qual não existe anistia. O ódio é contra a inteligência, que não é virtude nenhuma mas não chega a ser um vício. Em todo o caso, na maior parte, é incurável. Há casos de burrice progressiva e intencional. Mas raros, sempre acabam se traindo; e têm recaídas fatais. Em todo o caso, o mundo dificilmente perdoa quem não só lhe revela alguma coisa — no caso, da harmonia do som — e ainda por cima a impõe; e não deixa apodrecer em paz, com suas submissões, suas ambições mesquinhas, suas espertezas miúdas, sua canalhice a varejo.

Sei que Tom não quer parecer um magoado, um ressentido. Não tem razão para o ser, esse criador, esse vitorioso. Não é questão de mágoa, é de angústia. Não é ressentimento, é apenas um sentimento do mundo nessa alma delicada, nesse coração aflito. Queira ou não, isto ninguém evita, simplesmente assume porque tem, como tem boca, dois olhos e um nariz. Olhos curiosos que me interrogam. Angústia de ser, de viver, que resolve seu transe, seu trauma e se liberta — em música.

Agora, na sala, ele senta no banco do piano, tira os óculos de meia lente, espalma as mãos que ficam estranhamente parecidas com garras, dir-se-ia, um gavião ao piano. E sincopado, vitorioso, mas com uma vitória áspera, surge o som, torturado no ritmo até que alça vôo, pura e luminosa, a simples, tocante, embaladora melodia. E Tom, libertado, transfigurado, ri. Franze o rosto, crispado, tenso, imerso no mundo, banhado de música, profundamente.

O jornalista Carlos Lacerda captou, de fato, o espírito de Antonio Carlos Jobim.

Sentado ao piano, com seu toque sutil, Tom enchia o espaço de doçura. Os lábios entreabertos num meio sorriso abstrato, a pele dos braços e do peito arrepiada até o pescoço. Isso não acontecia quando estava ensimesmado com a falta de razão de quem o feria. Era um desgaste inútil. Sua pele muito fina se machucava e todos perdiam com isso.

Mas Tom não era homem de guardar ressentimentos. Apesar de ter sido uma pessoa angustiada, foi também um ser da alegria. De volta desse outro "cubo de trevas", gostava de citar Pablo Picasso: "Eu nasço todos os dias." Era fantástica a sua capacidade de se renovar. Seu ascendente era escorpião. Tinha nele a Fênix que renasce das próprias cinzas. Prosseguia em seu verdadeiro destino: criar.

Em julho de 1972, Paulo Hermanny Jobim casa-se com Elianne Canetti. O casamento e a recepção foram na casa dos pais dela, em Ipanema. Uma cerimônia simples e bonita. Toda a família estava presente, e alguns amigos mais chegados. Ela tinha acabado de fazer 20 anos, e Paulinho, no mês seguinte, completaria 22. Tom emocionou-se. Tocou no piano de Sérgio, irmão de Elianne, a "Marcha nupcial". Depois dos doces e salgadinhos, fez-se um brinde com champanha, desejando a felicidade dos noivos. Sérgio, encarregado de tirar os retratos do casamento, estava tão nervoso, que colocou na máquina um filme já utilizado, com fotos do gato da casa. Na revelação apareceram Paulinho e Elianne, sobrepostos às fotos do gato.

Nesse mesmo ano, aproveitando a seca do inverno, Manoel começou a construir a casa do cunhado em Poço Fundo. O frio era cortante e o céu tinha um azul intenso, despoluído. Tom pediu o projeto a seu amigo de infância, Wilfred Cordeiro, o Fredinho, arquiteto que trabalhava com Oscar Niemeyer.

Era um projeto difícil, atendendo a todas as exigências de Tom: o sol da manhã devia bater nas janelas dos quartos; a parede sul, cega, por causa do vento e da chuva do verão; os quartos, isolados do chão, para evitar a umidade; telhas coloniais grandes em teto sem forro, e o pé-direito de sete metros de altura. Algumas telhas de vidro, para criar um relógio de sol: olhando a posição da luz nas paredes, saberia as horas do dia. Só os quartos seriam forrados, com tetos baixos, para aquecer melhor à noite. E degraus nas portas de entrada para evitar as cobras. Finalmente, o estúdio. Voltado para o norte, com uma janela rasgada até o teto, permitindo iluminação natural.

O terreno já estava trabalhado por tratores. Um corte vertical, para fazer a varanda detrás na parte leste, mais baixa. O restante da casa em nível mais elevado.

Tom queria uma casa que durasse muitas vidas. Paredes grossas, tijolos maciços e dobrados. Com a mão-de-obra local, experiente em construções rústicas, sob o comando de mestre Adão, Manoel imaginou um muro com pedras gigantescas para segurar a parte alta da casa. Thereza dizia que o cunhado estava fazendo um muro faraônico. Os operários, impressionados, achavam que o muro lembrava o tempo dos escravos. Às vezes eram necessários três ou quatro homens para colocar uma pedra no lugar.

Feitas as fundações e iniciada a alvenaria, o cunhado de Tom, passando pela estrada Rio–Bahia, encontrou a demolição de uma sede de fazenda antiga em Pessegueiros, município de Teresópolis. Toras enormes, de madeiras nobres, muito bem dimensionadas e lavradas a mão. E tábuas grossas e largas para o piso, bem como Tom gostava. Braúna, roxinho, cedro, canela, ipê, peroba, óleo vermelho. Peças, em sua maioria, com treze metros de comprimento. Comprou tudo.

Thereza gostava de sentar-se em cima do muro em construção, para sentir no rosto e nos cabelos o vento que descia do Morro do Capim Melado. Nesse tempo, ela e Tom liam muito Carlos Castaneda. Thereza pensava que ali era o seu lugar definitivo. O lugar que tinha escolhido para morrer.

Mas Tom teve de novo que voltar aos Estados Unidos para tratar de seus interesses e gravar mais um disco. O segundo disco de Stan Getz e João Gilberto, *Getz/Gilberto 2*. E levou Thereza, uma aliada de Manoel para que a casa ficasse logo pronta. Pouco depois, de Los Angeles, ele mandou parar a construção. Alegava que o dinheiro tinha acabado. O recado veio por Celso. Falavam-se, volta e meia, por telefone.

Com a equipe de operários muito bem entrosada, no desejo de terminar a casa, Manoel levou um gravador para a obra e gravou uma conversa com mestre Adão. Queria que Tom autorizasse o término da casa. Ao fundo da gravação, cantavam os pássaros tão conhecidos dele. Seria uma pena parar agora. Mandou a fita pelo correio. Recebeu de volta apenas um recado do cunhado:

— Em Poço Fundo tem muito passarinho...

Essa enigmática resposta foi interpretada como o desejo de Tom de continuar a obra. Sem ninguém para ajudá-lo a definir os acabamentos da construção, Manoel precisou tomar sozinho algumas decisões. Fez um jirau na sala de estar, que tinha ficado com as paredes muito altas, fora de proporção. Apoiou o jirau numa tora enorme de roxinho, e com braúna e pariju, criou uma escada "Santos Dumont". O orçamento da firma especializada em piscinas era astronômico. Tom disse por telefone que desistia da piscina. Manoel chamou mestre Adão e combinaram eles mesmos fazê-la. Não colocou azulejos ou tinta epóxi, esperando que, na volta, Tom definisse o que queria. Para sua surpresa, Tom ficou entusiasmado com a piscina. Achava que a água verde-escura lembrava um açude.

Foi feita uma porteira grande na entrada do terreno, de frente para a estrada. Tom mandou, sem explicações, tirá-la. Só mais tarde Manoel entendeu porque seu cunhado agiu assim. Não queria que soubessem onde ficava a entrada de sua casa.

E nunca colocou luminárias. Preferia as lâmpadas nuas. As visitas não compreendiam uma casa tão bonita, com as distoantes luzes cruas dependuradas do teto por um fio amarelo.

Em 23 de fevereiro de 1973, nasce Daniel Canetti Jobim, primeiro neto de Tom, filho de Paulo e Elianne. Era carnaval e Tom foi com Thereza para a Casa de Saúde São José muito cedo. Depois de algumas horas, cansados, voltaram para casa. Mas assim que chegaram, receberam a notícia de que o neto tinha nascido. No mesmo dia e no mesmo mês do aniversário de Helena.

Até sua casa ficar pronta, Tom ficava hospedado numa casinha de pau-a-pique, à beira do rio, apelidada de "Barraco Dois". Quase todos da família tinham casa em Poço Fundo. Ficavam mais ou menos próximas umas das outras.

Às vezes o primo Marcello Madeira promovia um sarau em sua casa. Era um exímio flautista e tocava acompanhado por seu pai, que continuava a ser o violonista da infância de Tom. Os choros de Pixinguinha enchiam a noite: "André de sapato novo", "Seu Lourenço no vinho", "Subindo a serra", "Cuidado colega"...

Tom dormia e acordava tarde. Gostava de trabalhar em Poço Fundo no silêncio da noite. De dia, aproveitava a paisagem. Seu caseiro tinha ordens de não acordá-lo sob qualquer pretexto. Na pequena estrada de terra, surge, de repente, uma caravana de carros da imprensa. Param em frente ao Barraco Dois. Os jornalistas querem entrar a todo custo. João Costa, o caseiro, pega uma foice e vai para a porteira de entrada. E ao modo da roça, falando bem baixo, ameaça: "Se alguém entrar, eu 'como' na foice."

Ainda assim, os jornalistas fizeram muitas perguntas. João Costa afirmou que "seu Tão" e d. Thereza estavam sozinhos, não tinha ninguém de fora ali.

Começaram a debandar. Tom acordou estremunhado com o barulho dos carros e perguntou o que tinha havido. João, já de volta ao seu serviço de podar a mangueira, disse apenas:

— Eles vieram atrás de um tal de Sinatra...

Tom trabalhava obsessivamente em "Matita Perê". Mas não conseguira ainda a perfeição desejada. Subitamente, surgiu em sua cabeça um tema novo. Thereza ouviu, meio dormindo, acordes no violão e disse que o tema era lindo. Ele pediu uma folha de papel, e não achando no momento nada melhor, ela lhe deu um papel de embrulho de pão.

De madrugada, Manoel e Helena ouviram alguém batendo na janela. Levantaram para abrir a porta. Era Tom. Trazia escrito a lápis, no papel cinzento, os primeiros versos de "Águas de março". Tocou no violão para eles a introdução e as primeiras frases da música: "É pau, é pedra, é o fim do caminho (...) É o projeto da casa (...) É peroba do campo, é o nó da madeira (...) É o tijolo chegando..."

Manoel disse a ele que essa música faria tanto sucesso que a casa ia ficar de graça. Tom riu, satisfeito, tomou um café bem quente e voltou para casa com o espírito leve.

No dia seguinte, pela manhã, Thereza comentou que "Águas de março" havia surgido como forma dele relaxar e descansar a cabeça de "Matita Perê". Tom ficou tão envolvido com o tema, que voltou imediatamente para o Rio e terminou a música num fôlego só.

Por essa mesma época, estava entusiasmadíssimo por "Construção", de Chico Buarque. Comentava a perfeição da letra, em que Chico usa palavras proparoxítonas, com rara maestria. Achava que Chico era "cavalo" de alguma entidade, e recebia os versos prontos. Sobre sua própria música, Tom repetia:

— Minha composição também é misteriosa. Não sei de onde vem.

Quando Antonio Carlos Jobim morreu, Chico Buarque de Holanda declarou:

— Tudo o que eu fiz na minha vida foi para o Tom.

E lia sem parar Guimarães Rosa. Descansava no sítio, de pijama, preparava frango na brasa numa churrasqueira redonda de ferro, que ficava na varanda. Via o rio passar, roncando nas pedras, as águas espumaradas. Aquele ruído o apaziguava. Na outra margem, começava o pasto que ia dar no morro do Dirindi. "Dindi" não era, como muitos pensavam, um nome de mulher. Mas sim toda aquela vasta natureza e seus segredos.

Quando Manoel e Helena chegavam nos fins de semana, iam direto encontrá-lo. Tom estava obcecado pelo conto "Recado do morro", de Guimarães Rosa. Lia bem, com entonação própria, desde a epígrafe: "Morro alto, morro grande, me conta teu padecer. Pra baixo de mim não olho; pra cima, não posso ver..."

Toda sexta-feira começava a ler essa história, mas não dava tempo de terminar. Na sexta-feira seguinte, retomava do início. Nunca acabou de ler para eles esse conto. O escritor Guimarães Rosa foi uma das grandes paixões literárias de Tom. Percebe-se bem essa influência em "Matita Perê":

No jardim das rosas
De sonho e medo
Pelos canteiros de espinhos e flores
Lá quero ver você
Olerê olará, você me pegar

Madrugada fria de estranho sonho
Acordou João, cachorro latia
João abria a porta
O sonho existia

Que João fugisse
Que João partisse
Que João sumisse do mundo
De nem Deus achar, lerê

Manhã noiteira de força viagem
Leva em dianteira um dia de vantagem
Folha de palmeira apaga a passagem
O chão, na palma da mão, o chão, o chão

E manhã redonda de pedras altas
Cruzou fronteira da servidão
Olerê quero ver
Olerê

E por maus caminhos de toda a sorte
Buscando a vida encontrando a morte
Pela meia rosa do quadrante Norte
João, João

Um tal de Chico chamado Antonio
Num cavalo baio que era um burro velho
Que na barra fria já cruzado o rio
Lá vinha Matias cujo nome é Pedro
Aliás Horácio vulgo Simão
Lá um chamado Tião
Chamado João

Recebendo aviso entortou caminho
De Nor-Nordeste para Norte-Norte
Na meia vida de adiadas mortes
Um estranho chamado João

No clarão das águas
No deserto negro
A perder mais nada

Corajoso medo
Lá quero ver você

Por sete caminhos de setenta sortes
Setecentas vidas e sete mil mortes
Esse um, João, João
E deu dia claro
E deu noite escura
E deu meia-noite no coração
Olerê, quero ver
Olerê

Passa sete serras
Passa cana brava
No brejo das almas
Tudo terminava
No caminho velho onde a lama trava
Lá no todo-fim-é-bom
Se acabou João

No jardins das rosas
De sonho e medo
No clarão das águas
No deserto negro

Lá, quero ver
Lerê, lará
Você me pegar

Quando viajou para Nova York, no dia 7 de julho de 1973, para gravar *Matita Perê*, Tom preferiu pagar de seu próprio bolso a produção. Tinha muitas músicas novas. E brincava em família, dizendo que se não gravasse essas músicas, acabaria sua carreira aos 80 anos cantando "Garota de Ipanema", num circo do interior e sendo vaiado.

Chama seu amigo Claus Ogerman para fazer os arranjos e produzir o disco. Dedica-se exclusivamente à versão de "Águas de março", usando palavras anglo-saxônicas e evitando as de raízes latinas. Seus versos viriam a ser tema para exame vestibular de inglês no Brasil. Os conhecedores dos dois idiomas dizem que talvez a letra em inglês seja ainda mais bonita. Grava também "Rancho nas nuvens" e "Tempo de mar".

Os acontecimentos políticos nos Estados Unidos, no auge de Watergate, deixavam em Tom uma sensação de revolução interna. O presidente Nixon, debaixo de grande pressão, só iria renunciar no dia 8 de agosto de 1974. Tom pensa seriamente em gravar no Brasil para fugir do clima tenso, mas os custos o impedem. Grava, então, em Nova York, o disco *Matita Perê*. E ainda nele, com satisfação, a bela música "The Mantiqueira Range" de seu filho Paulo Jobim. Toca o violão e o piano, e canta.

Volta rápido para o Brasil. Aqui, mais tranqüilo, monta a capa de seu disco, pedindo a Paulinho para fazer o desenho das capas internas. Dedica esse disco a três escritores: Guimarães Rosa, Carlos Drummond de Andrade e Mário Palmério.

O lançamento foi no Clube Caiçaras, uma aprazível ilha na lagoa Rodrigo de Freitas. Lugar prazeroso para Tom: o espelho escuro da água, lugar secreto de sua infância. Durante toda a noite, as músicas do seu novo disco foram apresentadas aos convidados.

O grande crítico americano, Leonard Feather, escreveria depois que "Águas de março" era uma das dez melhores canções da língua inglesa de todos os tempos.

Helena e Manoel estavam jantando quando Tom chegou. Gostava de aparecer assim, sem avisar. Quando viu a salada de quiabo com alho e cebola que ele gostava, disse logo:

— Vou fazer uma "boquinha".

E a “boquinha” foi aumentando, diante do arroz branco, do robalo com alcaparras, das batatas cozidas com casca, que ele gostava de comer regadas com azeite.

Depois do jantar, sentou-se no sofá. Estava de bem com a vida. Um café, um licor. E depois, os uísques. Tom era bem assim: gostava das coisas mais simples e das mais sofisticadas. A conversa corria frouxa, o sucesso de “Águas de março” era muito comentado.

Helena disse para ele:

— Você está tão bem agora, Tom...

E Manoel comentou:

— Também, com esse sucesso todo de “Águas de março”... Helena não pára de ouvir!

Ele sorriu, pegou com a mão mais gelo para o uísque. E de repente começou a falar, os olhos brilhando muito.

— Eu tinha reagido à convicção de Thereza de que seria indispensável criar minha própria editora. Agora, dez anos depois, vejo como ela estava certa. Eu só recebia uma parte ínfima dos meus direitos autorais. Além disso, não tinha o controle sobre as versões ou traduções arbitrárias das letras que eram colocadas em minhas músicas. Eu me ocupava em corrigir os desastres piores... Mas continuava resistindo à insistência de Thereza...

— Por quê?

— Ela procurou o advogado que já fizera uma editora para Norman Gimble e combinou com ele todos os detalhes para fazer a minha. Só faltava eu ir ao escritório, ler e assinar. Mas eu ficava irritado e não ia. Achava que ia ter mais aborrecimentos do que vantagens...

— Você sempre se esquivou de qualquer assunto de negócios.

— Thereza ficou desanimada, ligou para o Albert da Silva e se queixou de que eu não queria assinar. O Albert, com aquele jeito dele, aconselhou: “Espere até ele reconhecer a necessidade. Está tudo pronto. Quando Tom quiser, vocês vêm aqui. Não podemos obrigá-lo a querer uma editora.” Thereza compreendeu que o Albert tinha razão.

— E tinha, não é?

— Tinha. Mas depois de meses discutindo com os editores representantes das editoras brasileiras, que queriam lançar novas músicas minhas de qualquer maneira, resolvi ir ao advogado e criar a minha editora.

— A Corcovado.

— Foi aí que Aloysio apareceu com Ray Gilbert. O Ray me convenceu de que eu devia ir para Los Angeles, fazer uma editora junto com ele. Trabalharia as músicas lá, quando eu tivesse que voltar para o Brasil. Aloysio concordou com a idéia. Faria uma etiqueta no Brasil, a Elenco. Ajudaria na divulgação e seria um terceiro sócio na editora. O Ray fez uma letra linda em inglês para "Dindi"... E lá fui eu para Los Angeles com Ray. Ele chamou o advogado para organizar a Ipanema Music. — Tom riu — Quando fui assinar os papéis no escritório desse advogado, fiquei impressionadíssimo. O homem volta e meia ia para a janela e fazia caretas horríveis, olhando para fora. Depois voltava à conversa, já aparentando calma e controle.

Tom ficou de pé, foi para a janela e imitou as caretas do advogado.

— Aloysio, aqui no Brasil, conseguira com a Verve o lançamento do meu primeiro disco lá fora: *The Composer of Desafinado Plays*. Foi também o primeiro disco lançado pela Elenco, em 1964.

— O Aloysio é ótimo. Celso gosta muito dele.

— Eu não conseguia receber os direitos autorais da BMI, por causa da papelada, burocracia. Ingressei então na ASCAP, lembra Helena? Era a tradicional sociedade dos grandes autores americanos como Cole Porter, Gershwin, Rodgers and Hart, e Johnny Mercer.

— Era uma confusão...

— Espera aí que tem mais confusão ainda. Bobeei no procedimento de registro dos *copyrights*, negligenciei com os manuscritos originais, e não registrei nenhum, antes de entregar as músicas para as editoras. E pior ainda, no ano seguinte, a ASCAP me participou que não poderia me pagar os direitos das minhas músicas que pertenciam à BMI, e eram meus grandes sucessos: "Desafinado", "Samba de uma nota só", "Meditação" e "Garota de Ipanema". Me aconselharam mesmo a me filiar à BMI. E lá fui eu de novo. Saí da ASCAP. Mas meu repertório ficou dividido e prejudicado. Quando já me sentia no meio de um tornado, o Ray me pediu que desistisse da Ipanema Music e eu concordei. Thereza e Celso ficaram chateados.

— Você chegou a perder alguma música?

— Só depois dessas dificuldades, é que eu verifiquei a necessidade de usar minha própria editora, a Corcovado Music. Consegui salvar algumas coisas. Músicas instrumentais como "Batidinha", "Capitão Bacardi", "Wave" e outras. Mas deixei de ganhar um dinheirão com os meus grandes sucessos. Voltei a Nova York, e finalmente consegui ingressar na BMI com muito atraso e depois de grandes aborrecimentos. Só então é que eu fui receber meus direitos autorais, acumulados desde 1962. Agora olhem só. Correspondiam a 8% dos totais, divididos entre editores brasileiros, subeditores estrangeiros, parceiros brasileiros, parceiros estrangeiros etc...

— Que absurdo!

— Foi com esse dinheirinho de "Desafinado", "Samba de uma nota só" e "Garota de Ipanema", que consegui comprar minha casa, vocês sabem. Enfim, uma das melhores coisas que fiz na minha vida, foi abrir a Corcovado Music. Agora desafoguei.

E bebendo o que restara do uísque aguado no fundo do copo:

— Vou para casa dormir. Estou cansado. Falei demais.

Voa para Los Angeles com Thereza e Beth, que chega a ser matriculada em uma escola. Grava com Elis Regina e César Camargo Mariano. Ela canta divinamente "Águas de março", em dueto com Tom. O disco fica maravilhoso. As músicas de Tom, cantadas pela voz linda, afinada e com domínio total da técnica de Elis Regina. De volta ao Brasil, fazem muitos *shows* juntos, repetindo o dueto criado para "Águas de março", como atração principal.

Já vinha surgindo em sua vida outro grande compositor: Edu Lobo. Apresentado a ele por Vinícius, a relação entre os dois se solidifica, até gravarem juntos um disco. Leva suas músicas para a casa da Codajás e espera uma opinião do maestro.

Edu conversava sobre o que tinha feito, e tocava para ele ouvir. Ficava evidente quando Tom gostava do tema. Sentava-se ele mesmo ao piano e o repetia. Delicadamente, quando percebia que podia melhorar a harmonia, modificava algum acorde, e virando-se para Edu perguntava:

— Foi assim que você fez, Edu? Você é gênio! Essa sua música é linda!

Como se Edu tivesse feito o acorde daquela maneira. Era seu jeito sutil de ajudar os jovens músicos que o procuravam e que admirava. Quando não se interessava pelo tema, ia para uma das janelas e falava dos pássaros que pousavam por perto.

Nessa época buscava muitas vezes o som de sua flauta. Telefonava para seu amigo Franklin Corrêa, grande flautista, e saíam juntos pela noite. Às seis horas da manhã podia-se encontrar os dois no bar Del Rey, em Copacabana. E a conversa girava sobre música e principalmente sobre as flautas. Franklin era também excelente reparador de flautas. Da palavra francesa *luthier* (que significa fabricante ou consertador de instrumentos de corda), Tom inventou para Franklin a palavra "fluthier". Às vezes Tom o convidava para gravar com ele.

Muitos anos depois, Franklin gravaria para Almir Chediak um lindíssimo solo de flauta, já com Daniel Jobim ao piano: "Paulo vôo livre, a lenda do homem asa", música de Tom.

Em qualquer folga, subia a serra. Passava por maiores dificuldades em seu casamento e era assediado por muitas mulheres. Em Poço Fundo era sempre a leitura de algum poeta: Rimbaud, Baudelaire, Eliot, Bandeira, Drummond. E muito Neruda, agora. O piano, o violão, a flauta, a cerveja gelada. E a conversa infindável, a graça peculiar. A ecologia. A palha útil do indaiá para cobrir os barracos dos mais pobres, os ventos, o céu, o universo. Um homem interessado no micro e no macro, com total intensidade.

Volta em 1975 para o frio de Nova York. Trazia guardadas com ele músicas que considerava expressivas para sua vida de compositor. Pensava muito na eternizacão de sua obra. Sabia que havia uma lacuna que precisava ser preenchida. Temas a serem desenvolvidos. Sabia também que só perdura o que fica escrito no papel. Dava como exemplo os *songbooks* de Cole Porter e George Gershwin.

As dores nas pernas pioravam. Mal podia andar um quarteirão. Tinha saído do Brasil com uma micose debaixo das unhas dos pés que remédio nenhum curava. Não sabia que esse sintoma já era decorrente de sua má circulação. Tinha os pés sempre gelados.

Uma noite estava num bar com Albert Goldman, biógrafo de Elvis Presley. O jornalista reparou que alguma coisa não ia bem com Tom. Toda hora ele se curvava e esfregava as mãos nas pernas, parecendo querer aquecê-las. Falou para Albert de suas preocupações:

— Hoje quando acordei, meu pé esquerdo não firmava no chão. Como se fosse sintoma de "pé eqüino". Massageei bastante e só assim pude pisar no chão.

Albert Goldman se propôs imediatamente a levá-lo a um dos maiores médicos diagnosticistas do Hospital Mount Sinai, que era seu amigo. Tom aceitou. Telefonou para Thereza, pedindo que ela mandasse do Brasil todas as radiografias que ele havia tirado da coluna. Assim que chegaram, falou com Albert e foram para o hospital.

Tom contava que o diagnosticista era um homenzinho pequeno, manco de uma perna. Sofria de severa artrite. Quis mostrar as radiografias e falar de seu tombo na praia, mas o médico interrompeu-o e mandou que tirasse a roupa. Quando estava de cuecas, pediu que andasse de um lado para outro do consultório. Que se abaixasse e se levantasse depressa, enquanto observava atento seus movimentos. Tom não conseguia se levantar depressa. O médico mandou que se deitasse na maca e, com o estetoscópio, auscultou a pulsação de sua virilha. Andou ao redor da maca por algum tempo. Vaticinou: angiologista. Tom não entendeu logo. Fez perguntas. O médico apontou para as pontas de cigarro amassadas, que Tom tinha deixado no cinzeiro. Disse secamente:

— *Inadequate perfusion.*

O angiologista disse que ele teria que se operar. Trocar as artérias entupidas até as femorais. Aloysio de Oliveira tinha sido operado por este médico, com sucesso. Tom pediu tempo para pensar. Tinha pavor de qualquer operação. Secretamente iria buscar outra forma de tratamento. Queria continuar seu trabalho.

Outra vez às suas expensas grava *Urubu*, com arranjos e regência de Claus Ogerman. De um lado do disco, "O homem", "Arquitetura de morar", e "O boto", música difícil, cantada com perfeição por Miúcha, músicas que estavam prontas há anos, e "Valse", esta de Paulo Jobim. E a antológica "Saudades do Brasil". Os músicos que tocaram nesta gravação eram da Orquestra Sinfônica de Nova York. Ao final, aplaudiram o maestro Antonio Carlos Jobim de pé. Uma obra-prima, que a crítica do Brasil nunca abordou, criticou, defendeu ou atacou. Radamés Gnatali foi o único que incitou Tom a continuar naquele caminho. E um dia, quando cobrado por Manoel a desenvolver o tema, tornar "Saudades do Brasil" uma grande e belíssima sinfonia, Tom disse amargamente:

— Não há reconhecimento dessas minhas músicas no Brasil. O que adianta eu sentir saudades do Brasil, se ninguém mais sente? O que todos querem é acabar com ele! Será que valeu a pena eu produzir com meu dinheiro esse disco? Fica apenas a mágoa com a crítica...

Ainda assim, já no Rio de Janeiro, empenha-se em fotografar um urubujereba, o caçador, para servir de capa para o disco. Tentava não pensar no seu problema de saúde. Acreditava que deixando de fumar reverteria, em parte, os danos em suas artérias. Tinha medo de se conscientizar da gravidade de seu estado.

Nasce sua neta Dora Canetti Jobim no dia 6 de maio de 1976. Uma menina de olhos azuis, serenos, num mês bonito no Rio de Janeiro. Tom, presente, fica feliz em ver a continuação de sua vida preservando-se. Um novo alento.

Convidou o fotógrafo Januário Garcia para trabalhar com ele. Partem de carro para Grota Funda, lugar que Tom conhecia bem. A procura foi longa. Em seu velho carro grande, apelidado por ele de "baleia branca", rodava por todos os cantos e nada de jereba para fotografar.

Percebendo que a gasolina estava no fim, parou em um posto. Suado, com seus cabelos compridos de índio semi-escondidos pelo chapéu-panamá, e Januário, um negro alto e magro, com uma enorme teleobjetiva pendurada no pescoço.

Tom fica sentado no carro e Januário salta, se aproxima do frentista agachado, colocando combustível, e pergunta:

— Tem visto algum urubu diferente por aqui?

O rapaz fica paralisado de medo, olhando fixo para o chão. Pensou que fosse um assalto. Nunca tinha ouvido falar de jereba. Tom ria às gargalhadas, contando o caso.

Na contracapa do disco, Tom escreveu um de seus mais belos textos:

Jereba é urubu importante como, aliás, todo urubu. Mas entre eles, urubus, observam-se prioridades. E esse um é o que chega primeiro no olho da rês. Sem privilégios. Provador de venenos, sua prioridade é o risco. O que ele não toca, é intocável. Jereba é urubu importante e por isso ganhou muitos nomes. Peba. Urubupeba. Urubu Caçador. Achador. Urubu Procurador. Urubu de Cobra. Urubu de Queimada. Camiranga. Urubu Ministro. De Cabeça Vermelha. Urubu Gameleira. Urubu Peru. Perutinga. Urubu Mestre. Cathartes Aura. *Não confundir com Urubu-Rei. Nem é Urububu. Não tem pompas nem é tão igual assim. Só se parece consigo mesmo. Não é Urubutinga. Nem Urubu do Mar, Carapirá. Nem o de Cabeça Amarela. Nem o famoso Urubu Chacareiro, que voa baixo sobre chácaras e quintais, só come manga e não existe. É mentira de caçador perna-de-pau, de cadeira de balanço, de aposentada carabina. Nem mera citação de nomes — Urubu Sonho. Nem conotação de azar — Urubu Morcego.*

Na verdade não és culpado de nossa devastação. Corcovado de duas corcovas, solenes ombros altos de tanta asa sobrante, as mãos cruzadas às costas, narinas conspícuas vazadas, grave, ministro de assuntos impossíveis, só tu sentas à mesa com o rei.

No chão não te moves bem. Fraco de pernas, maljeitoso, troncho, pousado és o mais feio dos urubus. Despropositado passarão. Matas com fezes ácidas a árvore onde dormes à espera do dia solar. E vem o dia, as termais e o vento, e a necessidade de voar.

Dia velho, as asas aquecidas, o jereba mergulha no ar. Pé de serra, fim de baixada onde começa a ladeira e os contrafortes azulam na distância, o jereba sobe, na chaminé do dia. Urububeba. As rêmiges das asas plúmbeas, prata velha fosca, dedos de mão apalpando o vento, adivinhando as tendências — Urubu Mestre. As grandes asas expandidas cavalgam as bolhas de ar quente emergentes da ravina. Tolo papagaio, tola pipa, boiante, oscilante, flotante, escorregando para cima, não-querente, não desejo navegante, à deriva, à bubuia — pois sim! — preguiçoso atento dormindo na perna do vento, ele sabe o que há de vir. Aquário do céu.

Teu canto imita o vento. Hissss... As asas agora curtas, sobraçando trilhos de ar, pacote negro compacto, bico cravado no vento, velocidade feita letal, muro de azul aço — e adeus viola que o mundo é meu. Nas lentes dos olhos a águia oculta.

Nada como asas. Oceano do céu. "Y entrabas y salias por las cordilleras sin passaporte." *(Pablo Neruda)*

Urubu Procurador. Urubu Achador. Que sabes do alto o que se esconde no chão da mata virgem e dos muitos perfumes que sobem do mundo. E das vantagens de uma queimada. E o que oferece a auto-estrada.

Eterno vigia de um tempo imperecível. Guardião de dois absurdos. Nos vetustos paredões de pedra, esculpidos pela millennia, *dorme de perfil um urubu.*

A vida era por um momento. Não era dada. Era emprestada.

Tudo é testamento.

Paulo faz de novo o desenho da capa interna do disco. Tom também gravou nesse disco "O boto". Anos mais tarde confidenciaria a Daniel, seu neto e seguidor:

— Eu devia estar muito louco quando fiz essa música. Quem compreende "O boto" já está em outra dimensão.

Tom procura por Dorival Caymmi. Soube que ele estava escondido, descansando em um apartamento no Posto Seis. Vai ao seu encontro, sem avisar, toca a campainha. Dorival abre a porta, de sandálias e bermuda. Tom diz apenas:

— Vim te buscar.

Dorival responde:

— Então eu vou.

Da maneira como estava vestido, desceu com Tom pelo elevador e entraram no carro. Passearam pelo Rio, sem destino. Sentaram no gramado do parque Guinle e observaram os pássaros. Sentaram no Bar Bem, em São Conrado, e beberam cerveja. Conversaram muito. Tom buscava um conselho para seu problema de saúde. Dorival, tentando acalmá-lo, sentenciou:

— Ninguém é tão sadio que não vá morrer, nem tão doente que já esteja morto.

Voltou com Dorival para casa já tarde da noite.

Um mês depois, telefona para Paulo e marca com ele um encontro num bar do Leblon, para conversarem sozinhos. Sentam-se os dois a uma pequena mesa de canto. Paulinho percebe a fisionomia de Tom, devastada pela angústia. Já sabia que os pais não estavam bem, que o casamento deles equilibrava-se por um fio.

Espera ansioso ele falar. Aos poucos, entre um uísque e outro, Tom se abre. Seu casamento está arruinado. Sente-se muito infeliz, não quer magoar Thereza. Não sabe como enfrentar a situação.

Paulo ouve o desabafo do pai. Sente também angústia. É difícil para ele:

— Bom, pai... Nem você nem minha mãe merecem isso. Tanto sofrimento.

— Eu não queria que fosse assim. Não sei como aconteceu. É complicado lidar com isso. Você comprende, meu filho?

— Compreendo.

— Não conheço o caminho de volta. Cada palavra que digo, sua mãe entende outra palavra — sorri amargo, apertando os lábios num cacoete que começava a adquirir.

Paulo fica em silêncio. Espera que o pai continue.

— As nossas emoções nunca mais serão as mesmas. O cristal se partiu. Foi isso que aconteceu: se partiu.

O filho de Tom observa mais profundamente a face do desgosto, estampado nos traços inchados do pai. Tinha envelhecido muito naqueles últimos meses. Em voz baixa, é quase um sussurro agora a voz de Paulo:

— Um dia pai, você encontrou Pixinguinha na cidade. E me ensinou que tinha aprendido com ele que o importante é ser feliz.

Lentamente, Paulo se recosta na cadeira incômoda daquele bar escondido do Leblon. Desamparado, vira o rosto para a porta de saída. Diz abruptamente:

— Por que você não se separa de minha mãe?

Mas ainda não havia chegado o momento que logo viria. Já existia, esse momento, silenciosa e surdamente existia. E preparava seu assalto. Essa hora chamada irremediável. Ia acabando de se fazer no espírito, na carne, esse tempo de escura dor. Sem ter ainda se materializado num pequeno gesto, a aliança de ouro sobre a mesa-de-cabeceira. Esconde-se ainda, esse próximo instante, por mais um pouco, à sombra das lágrimas maiores.

Antes de saírem do bar, param ofuscados pela claridade intensa daquela hora. Devagar, Tom abre a capanga de couro pendurada no ombro. Entrega ao filho um papel dobrado. Paulo guarda em seu bolso e ali mesmo despede-se do pai.

Sozinho no carro, lê o texto do "Pássaro solitário".

Poço Fundo era um refúgio. Tentaram muito, os dois. Tom se tornava outra pessoa lá. Muitas vezes descia para o Rio e Thereza ficava, sob o pretexto de cuidar de suas plantas. Tinha grande talento para jardinagem. E se intitulava, para os íntimos e com muita graça, de "Burra Máxima" — numa alusão ao grande paisagista Burle Max. Fazia terrários, com ferramentas especiais, delicadeza, mãos de chinesa. Ficava horas na varanda da casa, sentindo a seu redor a luminosidade diferente daquele lugar. A tarde caía de repente, arroxeando o céu.

Cada vez mais ensimesmada em seu sofrimento secreto. Seu casamento estava no fim. Não encontrava forças para lutar. Não sentia medo de ficar sozinha naquela casa grande de Poço Fundo. De noite fazia ioga, e depois dançava sozinha no estúdio de Tom.

No Rio, ele mal parava em casa. Sua vida passou a ser referenciada pelos bares que freqüentava. Continuava a beber muito. E lembrando Neruda, que dizia em seus versos ter atravessado muitas vezes a Cordilheira dos Andes, falava que "dormia andando e compunha caminhando".

Foi doloroso para ele e para Thereza. Era uma convivência de 36 anos, 29 destes, casados. E tinham dois filhos. Mas não havia mais jeito. As dificuldades do casal eram incontornáveis.

Estava perto de Tom completar 50 anos. Bené Nunes procurou Thereza para combinarem juntos uma festa surpresa para ele. Thereza, amargurada, respondeu apenas:

— É melhor você falar com Tom. Eu não sei mais se ele ainda mora aqui.

Nilza telefonou para Thereza uma semana antes do aniversário de Tom. Queria saber se ela ia fazer um jantar em casa. Thereza mostrou-se reticente:

— Não sei dona Nilza... Não combinamos nada.

— Então conversa com ele — pausa, silêncio no telefone —, depois você me diz o que resolveram.

Thereza esperou o marido chegar em casa. Estava deitada, quando ouviu o barulho do seu carro estacionando na rua. Ele não usava mais a garagem. Olhou o relógio. Eram três horas da manhã. Tom demorou a subir. Devia estar na cozinha, bebendo água ou comendo alguma coisa. Tentou continuar a leitura do livro, mas não conseguiu concentrar-se. Ouviu seus passos na escada, e logo depois o girar da maçaneta.

Ele entrou no quarto, colocou a capanga em cima da cadeira, sem falar com ela. Pela expressão de seu rosto, pelos olhos, percebeu que tinha bebido muito.

Deitou-se na cama, vestido mesmo, sem tirar os sapatos. Ela continuou em silêncio, até ouvir a respiração dele modificar-se no sono. Ressonava leve, um dos braços sobre os olhos. Teria que esperar o dia seguinte para falar com ele. E tinha de ser, entre um gole e outro do café, antes que se levantasse da mesa e sumisse de casa mais uma vez.

Inquieta, custou a dormir. Pensou vagamente em tomar um tranqüilizante. Virou-se de lado, tentando conciliar o sono. No dia seguinte se lembraria apenas de que imaginara ouvir um relógio carrilhão bater cinco vezes.

Levantou-se assustada. Tinha dormido apenas duas horas. Tom continuava dormindo. Pegou o penhoar na cadeira e desceu as escadas. A claridade entrava pelas cortinas. Já estava quente àquela hora. Sentiu o cheiro do café e foi direto para a cozinha. Raíl, junto à pia, passava o café. Falaram-se. A empregada percebeu que Thereza, como nas últimas noites, havia dormido pouco.

Foi para a mesa da copa, e tomou o mate quente. Passou a manhã inteira esperando Tom acordar. Quando ele veio tomar café, Thereza se sentou de novo. Ele adoçou o café com mel. Era assim que fazia sempre. Cortou uma fatia de queijo, e quando já ia se levantar, Thereza o deteve:

— Espera um instante. Quero falar com você.

Tom olhou para ela. Thereza percebeu que não sabia mais como alcançá-lo. Continuou:

— Dona Nilza telefonou ontem. Me perguntou se poderiam vir jantar com você no dia do seu aniversário.

Contrafeito, ele assentiu:

— Mas claro.

— Você não vai esquecer? Vai ficar muito desagradável se você não aparecer.

— Eu nunca falto aos meus compromissos. — Irritado: — Nunca deixei minha mãe esperando.

Levantou-se e foi para a sala. Thereza ouviu os acordes de uma melodia que não conhecia. Continuou sentada por mais alguns minutos, os olhos cheios d'água.

Raíl começou a tirar a mesa, fingindo não perceber o que acontecia. Cantava, lavando a louça, desafinadíssima como sempre. Os acordes, vindos do estúdio, cessaram. Ouviu a porta da casa bater. Tom saíra, mais uma vez, sem se despedir.

Thereza confirmou com Nilza o jantar e passou a tarde telefonando para os mais íntimos da família.

Vinte e cinco de janeiro de 1977. O jantar estava marcado para as oito horas. Celso e Nilza chegaram, pontuais. Nilza era muito forte ainda. Os cabelos curtos, prateados, os traços delicados, os atentos olhos oceânicos. Completaria, em fevereiro, também num dia 25, 67 anos. Movimentava-se com desenvoltura pela casa do filho. Ela e Celso gostavam muito de Thereza. Era uma relação tranqüila e íntima. Estavam constantemente juntos.

Às nove horas a casa estava cheia e Tom não chegava. Aflita, Thereza desdobrava-se, conversando com todos. Na sala de jantar destacava-se a mesa lindamente posta. Os talheres e os copos brilhavam à luz viva. No centro da mesa, um arranjo de rosas amarelas, como Tom gostava.

Às dez horas, Thereza e Nilza decidiram mandar servir o jantar. Pairava um constrangimento no ar. Na mesa grande havia 18 pessoas. Raíl, bem-vestida em seu uniforme azul, trazia impassível as travessas com saladas e carnes. A conversa em voz baixa continuava a demonstrar o embaraço de todos. Depois da sobremesa e do café, passaram para a sala de estar.

Eram onze e meia quando Tom chegou. Sem camisa, com um colete que Thereza nunca vira, óculos escuros de armação cintilante, e um pequeno chapéu pontudo de festa de criança. Tinha chegado do Antonio's, onde alguns amigos haviam preparado outra festa para ele.

Querendo transparecer naturalidade, sentou-se ao piano e tocou "Parabéns pra você". Todos cantaram junto com ele e entregaram os presentes. Mas percebendo seu cansaço, a família começou a se despedir. Nilza beijou Tom, depois Thereza. Disse emocionada:

— O que eu mais quero é que vocês sejam felizes, meus filhos.

Thereza trancou as portas da casa e subiu rápida para o quarto. Tom ainda ficou tocando piano até bem tarde.

No dia seguinte, ela arrumou uma grande mala e deixou-a encostada na porta de entrada. Quando Tom acordou e desceu, perguntou a Thereza que mala era aquela. Ela reuniu suas últimas forças:

— Essa mala é sua. Todas as suas roupas estão aí dentro. Acabou. Não agüento mais esta situação.

— É assim que você quer?

— Quem quer assim é você, não é Tom?

— Eu nunca falei isso.

— E é preciso falar? Eu tentei conversar com você. Mas você sempre se esquivou.

— Eu não me esquivo de nada.

Subiu de novo a escada, como se tivesse esquecido alguma coisa. Nesse meio-tempo, Thereza mandou Raíl colocar a mala no carro de Tom.

Mas não era tão simples. O último ato não terminaria assim. Durante semanas, com a mala no carro, Tom viajaria de casa até os bares, beberia e voltaria de novo. Não sabia ao certo que trilha tomar. O antigo caçador não estava perdido na floresta. Na floresta não sentia medo. Mas no asfalto, as dores eram maiores e muitas vezes não tinham cura.

Manoel trabalhava no centro da cidade e volta e meia alguém telefonava para ele dizendo que Tom estava bebendo demais. Quando um conhecido insistia muito, mandava-o comprar um disco de Tom e ouvir seus últimos sucessos. Mas ficava preocupado. Sabia do momento que o cunhado vivia.

Até que um dia, um grande amigo marcou hora para uma reunião. Foi ao escritório de Manoel e os dois se trancaram numa sala. Não queria acreditar no que o amigo lhe contava. Tom estava literalmente dormindo nos bares. Achou que era exagero.

— Nunca vim aqui para falar do teu cunhado. Estou contando o que sei. Não falo mais no assunto. Vamos tratar de negócios.

Eram quatro horas da tarde quando Manoel chamou seu gerente e disse-lhe que fechasse o escritório às seis horas. Não voltaria naquele dia. Desceu, pegou o carro e começou uma peregrinação pelos bares da zona sul da cidade. Em Copacabana, entrou no Alcazar. Nada. Ipanema, Garota de Ipanema (ex-Veloso), e nada. Foi pela praia até o final do Leblon. Degrau, Diagonal, Alvaro's, Real Astória, e nada. Entrou na rua Bartolomeu Mitre e avistou o carro de Tom com sua marca de ferrugem em cima do pára-lama traseiro: Moby Dick, como ele chamava. A baleia ferida. Ele estava ali.

Entrou na penumbra do bar. Viu Tom sentado a uma mesa do fundo, com o jornalista Tarso de Castro e o cineasta Joaquim Pedro. Sentou-se sozinho a uma mesa próxima. Tom o viu. Olhou-o sobressaltado. Manoel fez o sinal familiar de querer falar-lhe a sós. Tom levantou e sentou-se com ele.

— Me disseram que você está dormindo nos bares. Que não volta mais para casa. O que está havendo?

Tom desviou os olhos:

— Thereza me expulsou de casa.

— Mas como é que você está vivendo? Dormindo nos bares? Helena quer que você fique em nossa casa, enquanto resolve sua vida. Você não pode é ficar assim, se expondo dessa maneira. Eu também quero que você vá para nossa casa, até resolver esse rolo em que se meteu. Morando no bar, é que não dá.

Tom aceitou a proposta e seguiu o carro de Manoel. Foi morar, por algum tempo, com a irmã e o cunhado. Toda noite jantavam na churrascaria Carreta. Voltavam cedo para casa e Tom conseguia dormir. Levava uma vida mais tranqüila, coisa que há muito tempo não tinha. Era importante para ele, naquele momento, essa aceitação.

Todos da família estavam preocupados. Principalmente Nilza. Queria que o filho fosse para a casa dela. Mas Tom continuava morando com Helena e Manoel. Quando descobriram onde ele se escondia, o telefone não parou mais de tocar. Helena filtrava as ligações. O ponto de encontro da noite ficou sendo a casa deles. Tom pedia tudo à irmã. Do cafezinho aos telefonemas que precisava dar. Chegavam amigos. Miúcha e Dico Wanderley eram os companheiros de todas as noites.

Thereza telefonou para Celso:

— Você me casou com Tom. Agora tem que me descasar.

Celso, atrapalhado, não teve como recusar a incumbência. Nilza estava muito triste. O casamento que eles haviam ajudado tanto, se empenhado, acreditado. Celso não suportava ver Nilza deprimida. Mas não era homem de se entregar. Era homem de ação. Mandou preparar toda a papelada necessária para o desquite e deu entrada no cartório. Dias depois, a audiência foi marcada.

Thereza telefonou para Helena e pediu que ela e Manoel a levassem para o fórum. Tom iria com Celso.

Na manhã quente de sol, Tom entrou na sala e encontrou sua irmã, já pronta, esperando por ele. Estava lívido. Sua expressão era de muito sofrimento. Disse em voz baixa :

— Não era isso que eu queria.

Helena beijou seu rosto. Falou com carinho:

— Mas você abusou demais...

Ele não respondeu. Manoel se juntou a eles, também já pronto para sair.

O interfone tocou. A empregada chegou na porta da sala e disse:

— Seu Celso está subindo.

Tom saiu rápido com ele. Helena ligou para Thereza e avisou que passariam para pegá-la em quinze minutos. Quando chegaram na Codajás, Thereza já esperava no portão. Entrou no carro e sentada no banco de trás, inclinou a cabeça no encosto. Até a cidade não disse uma palavra.

Manoel deixou-as no portão de entrada do fórum e procurou um lugar para estacionar o carro.

Foi tudo muito rápido. Thereza foi chamada sozinha e logo depois chamaram Tom. Formalmente, o juiz perguntou se havia possibilidade de uma reconciliação. Ambos, monossilábicos, disseram que não.

Tom desapareceu com Celso. Manoel e Helena levaram Thereza de volta para casa. Da mesma maneira como viera, Thereza sentou no banco de trás do carro, colocou óculos escuros e descansou a cabeça no encosto. Pelo espelho retrovisor, Manoel viu as lágrimas, abundantes, descerem pelo seu rosto.

A separação de Tom e Thereza abalou muitas pessoas. Principalmente no meio musical, onde eram tidos como exemplo de casal feliz. Ninguém jamais imaginou — apesar dos problemas e dificuldades comuns a um casamento — que se desquitassem.

Entre os casais mais próximos, pairou um clima de insegurança e perplexidade. Tom e Thereza, na imaginação de muitos, eram uma só pessoa.

Comentavam até que que a música de Chico Buarque e Francis Hime, "Trocando em miúdos", havia sido inspirada na dor da separação de duas pessoas que um dia se amaram muito.

Nilza fez questão absoluta que o filho fosse morar com ela e Celso. Foi à casa de Thereza e apanhou tudo o que Tom havia pedido. Arrumou um quarto com os objetos pessoais dele. Com sua praticidade, inventou um armário atrás da porta, com divisões próprias para ele colocar todos os seus remédios em ordem. E não eram poucos.

Tom buscava, de todas as maneiras, soluções alternativas para não ter que se operar. Acreditava na forma de vida do índio que Castaneda descrevia em seus livros. Afinal, em sua vida, já tinha visto muitas coisas sem explicações formais ou científicas.

As noites eram passadas com muita conversa e um violão na casa da irmã. Mas a Carreta era o lugar mais certo de Tom ser encontrado. Tanto no almoço, que se estendia até o final da tarde, como no jantar, que entrava pela madrugada.

Conversava com Helena sobre sua vida, suas vitórias, seus desencantos, e falava de uma moça que tinha conhecido no Luna Bar. Esquiva, e com um nariz parecido com o de Thereza. E pelos mesmos caminhos que tinha buscado Thereza, procurou Ana. Levava-a para passear na Floresta da Tijuca. A beleza do lugar os envolvia: o Lago das Fadas, o Açude da Solidão, o mistério da floresta. O próprio mistério desse amor que surgia. Ensinava a ela os poetas que amava, as músicas, lia trechos dos livros de Castaneda e copiou para ela um lindo poema de Raul de Leoni.

Muitas vezes conversavam horas pela noite a dentro, sem sentir o tempo passar.

Helena perguntou:

— Você gosta dela?

Tom respondeu:

— Gosto.

— Está apaixonado por ela?

— Estou. Mas não sei se ela gosta de mim. Dou meus discos para ela, para ver se me conhece por dentro.

— Para te conhecer por dentro, é preciso tempo — respondeu Helena rindo.

— Falei de você para ela. Gostaria que a conhecesse.

— Quando você quiser. Como é o nome dela?

— Ana. Ana Beatriz.

Uma semana depois, Tom telefonou para a irmã e chamou-a para almoçar com ele. Disse que em menos de uma hora a pegaria em casa.

— Só nós dois? — Helena quis saber.

— Não. Quero que você conheça Aninha.

Na hora marcada Helena estava na portaria do prédio, esperando por ele.

Em poucos minutos, Tom chegou. Helena entrou em seu carro e pegaram a praia. E lá estava ele, azul, verde, encrespado de espumas pelo vento forte. O grande mar das safiras que era deles desde que nasceram. O mormaço ofuscava no céu branco. Os vidros do carro estavam fechados e o ar-condicionado ligado. Tom abriu os vidros:

— Sente o cheiro do mar, Nena. E tira esses óculos. Quero ver teus olhos azuis. Veja a vida às claras! — e riu.

Helena tinha passado a vida inteira ouvindo seu irmão falar de seus olhos. Era uma fixação. Dra. Catarina diria talvez que Freud já havia explicado isso. Nilza e Mimi também tinham os olhos muito claros. Helena ficava embaraçada, quando Tom a apresentava assim:

— Conhece a minha irmã? Ela tem os olhos azuis.

Ou então:

— Se eu tivesse esses olhos, estaria em Hollywood.

Ela retrucava, rindo:

— Mas quem está em Hollywood é você!

Chegaram à portaria de um elegantíssimo hotel na praia de Copacabana. Entraram e subiram para o último andar. De lá, a única coisa que se avistava era o mar. De novo o mar. Visto de cima, pelo lado de dentro das vidraças, longínquo, neblinado como num quadro muito antigo.

Os garçons o cumprimentavam quando eles passavam. Sentaram-se e esperaram.

Ficaram conversando um bom tempo até Ana chegar. Helena viu quando a porta do restaurante se abriu e um rosto jovem apareceu. Durante alguns segundos ela olhou, inquieta e hesitante, antes de entrar. Quando finalmente veio em direção à mesa, Helena viu que ela era ainda mais jovem do que imaginara. Tinha 19 anos e era muito bonita. Clara de pele, cabelos compridos e escuros. Lembrava mesmo Thereza, quando moça. Tinha altura mediana e era esbelta. Sentou-se com eles, visivelmente embaraçada.

A conversa girou em torno das pessoas da família, dele e dela. Era uma moça tímida, quase não falava. Um ar de desamparo pairava em seu rosto.

Mais tarde, quando se conheceram melhor, Ana contou a Helena que, naquele encontro, imaginara que tudo tinha sido forjado por Tom. Desconfiara que ela, com seu tipo nórdico, não era irmã dele.

Depois do almoço, combinaram se ver de novo em casa de Helena.

No Luna Bar, Tom e Ana encontravam-se quase sempre com os parceiros da noite. Eram muitos. Os jornalistas Tarso de Castro e José Carlos de Oliveira, o pintor Ângelo de Aquino e sua namorada Ana Lúcia, amiga de infância de Ana, as atrizes Tessy Callado e Marta Alencar, os atores Hugo Carvana e Antônio Pedro, o compositor Chico Buarque, o economista e intelectual Ronald Chevalier (o Roniquito), e Dico Wanderley, o banqueiro que mais apoiava as artes no Rio de Janeiro. Os artistas ocupavam quase todas as mesas do bar. Sentiam falta de Vinícius. Estava morando na Bahia, casado com Gesse.

A noite era curta para as conversas na casa de Helena e Manoel. Aninha confidenciou a Helena que a música "Ângela" tinha sido feita para ela. O título era uma homenagem ao pintor Ângelo de Aquino, que os havia apresentado um ao outro.

Durante esses quase dois anos que durou esse amor platônico de Tom e Ana, muitas vezes ele a deixava em casa e voltava para o bar:

— Hoje se comemora mais uma vitória do espírito sobre a matéria!

Os amigos riam.

Quando Vinícius voltou da Bahia foi uma surpresa geral. Já casado com Marta, uma moça argentina. Quase que diariamente Tom e Ana freqüentavam a casa deles. Era uma casa de vila, na Gávea, muito simpática, com mesinhas antigas de tampos de mármore, no pátio da frente, parecendo um bar de verdade.

Além dos filhos de Vinícius, que apareciam sempre, chegavam também os amigos. Entre eles, Toquinho, violonista e compositor, parceiro de Vinícius, e o industrial Zequinha Marques da Costa com sua mulher Regina.

De manhã, deitado em sua enorme banheira, Vinícius pedia um gim-tônica. Sobre as bordas da banheira, uma tábua atravessada servia de apoio para seu copo e os livros que ficava lendo durante horas. Sempre bem-humorado e gentil, minimizava os malefícios do álcool e do tabaco, usando diminutivos:

— Me dá um uisquinho, um cigarrinho...

Era de temperamento carinhoso e também usava diminutivos para chamar seus amigos. Só chamava Tom de Tonzinho.

Zequinha era tão íntimo da casa que, quando Vinícius preparava seus banhos quentes de banheira com sais perfumados, tirava imediatamente toda a roupa e entrava junto com Vinícius na banheira. Ficavam ali um longo tempo, batendo papo, até a água esfriar.

Miúcha ia gravar um disco sob a direção de Durval Ferreira, com músicas de autores antigos e clássicos da música popular, como Ari Barroso e Custódio Mesquita. Convidou Tom para gravar uma das faixas do disco. Quando ele entrou com o piano, Chico Buarque se entusiasmou e compôs "Maninha" para ela e "Olhos nos olhos". Tom acabou gostando tanto que quis gravar todas as faixas tocando e cantando, junto com Miúcha e Chico. O ambiente de trabalho era alegre. Ficou pronto o disco *Miúcha & Antonio Carlos Jobim.*

Aloysio procurou Mário Priolli para conversar. Ele era dono da maior casa de espetáculos do Rio naquela época, o Canecão. Há 15 anos Tom não se apresentava no Rio. Aloysio propôs dirigir um *show* com vários astros, estrelas, e orquestra. Era um risco grande para o produtor. Mas Priolli aceitou sem hesitar. Pressentia que seria um *show* histórico.

Aloysio chamou Tom, Vinícius, Miúcha e Toquinho para os papéis principais, e organizou um primeiro coral com Ana, Beth, e as irmãs de Chico, Pii, Cristina e Bahia. A orquestra seria regida pelo maestro Edson Frederico. Tudo sob a direção de Aloysio de Oliveira.

Começaram os ensaios e os comentários em jornais sobre o espetáculo que iria acontecer. Correu um *frisson* pela cidade. O reencontro dos parceiros Tom e Vinícius, cantando suas músicas, era esperado com entusiasmo. Amores, namoradas, carinhos perdidos e encontrados, sob o som doce e romântico das melodias da dupla. A mulher e o Rio de Janeiro como temas principais, cantados por esses dois homens que se tornaram um símbolo da cidade.

Na noite de estréia, do lado de fora do Canecão, filas gigantescas esperavam por alguma desistência que não houve. Nos camarins, o nervosismo de todos era atenuado pelo bom humor de Vinícius. E a famosa "barrigose" de Tom, continuava a incomodá-lo.

A abertura do espetáculo ficava por conta de Vinícius. Para pânico de Tom e Aloysio, Vinícius, na hora de entrar no palco, avisou:

AryBarroso, Tom,
Ronaldo Bôscoli e
Carlos Lyra

ARQ. JOBIM MUSIC

Dorival Caymmi, uma das grandes admirações de Tom

ARQ. JOBIM MUSIC

Ao lado:
Tom e Vinicius compondo "O morro não tem vez" para o Orfeu da Conceição.
Parque Guinle, apartamento de Vinicius. 1961

FOTO CARLOS. ARQ.JOBIM MUSIC

Breeding lilacs out of the dead land
Mixing memory and desire
Stirring dull roots with spring
The winter kept us in forgetful snow (rain)
How intimate this Chopin

Para Helena
com um beijo na
boca
Tam-Tam.
T. S. Elliot.
Rio. 12 de Março - 85

The conditions of a
solitary bird are five:
1) That it flies to the highest point
2) That it doesn't have a definite color
3) That it doesn't suffer for company;
not even of its own kind
4) That it points its beak to the skies
5) That it sings very softly
(Dichos de luz y amor)

William Kandimble

Ao lado:
Com seu grande amigo Aloysio de Oliveira e Sylvia Telles. 1960

ARQ. JOBIM MUSIC

Abaixo:
"Tom Brasil", com seu grande amigo Tião Neto. Nova York. 1963

ARQ. JOBIM MUSIC

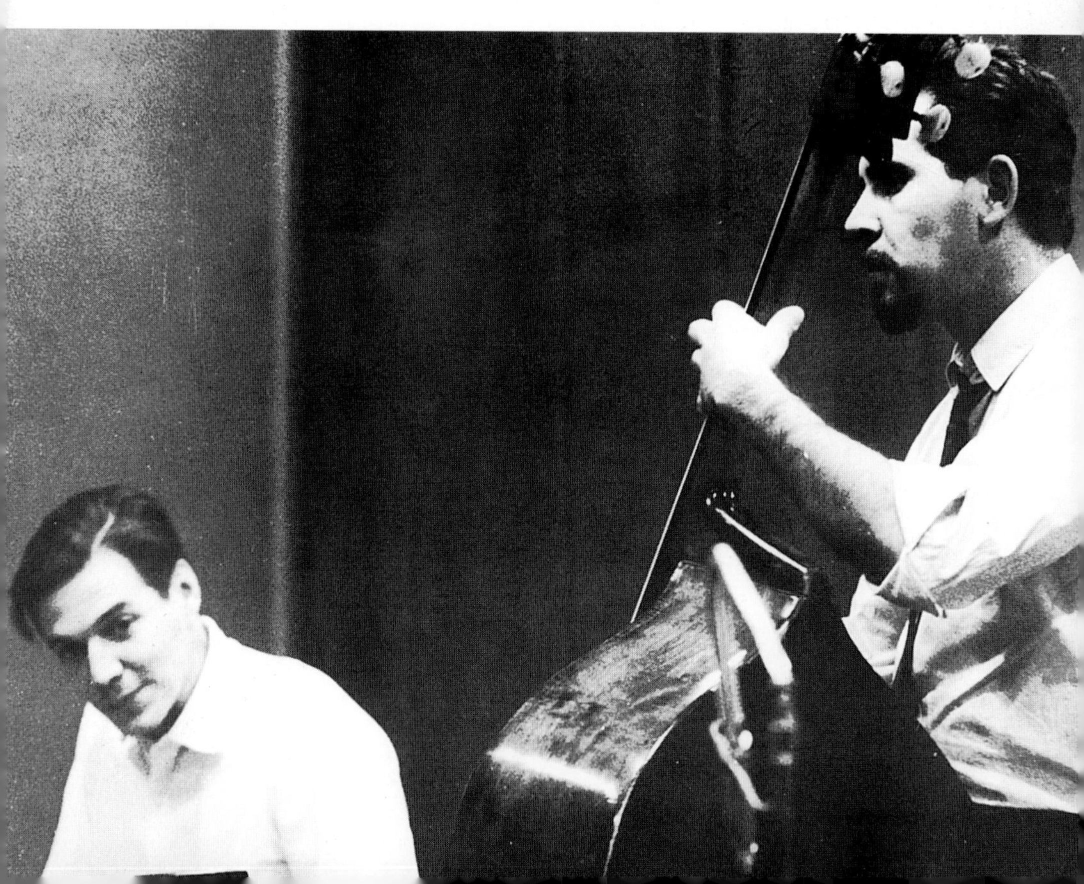

Tom, Oscar Niemeyer e ao fundo, o Palácio da Alvorada. 1960

ARQ. JOBIM MUSIC

Com o presidente Juscelino Kubitschek, no lançamento da "Sinfonia da Alvorada", Brasília. 1960

ARQ. JOBIM MUSIC

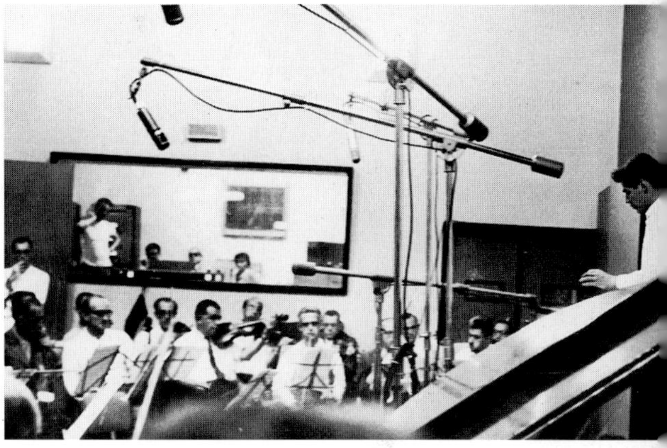

Antonio Carlos Jobim regendo a "Sinfonia de Alvorada", dedicada a seu padrasto Celso Frota Pessoa. Estúdios da Columbia. 1960

ARQ. JOBIM MUSIC

Ao lado:

Tom e o mestre Pixinguinha. Rua Codajás. 1971

FOTO S. ROBERTO / ARQ. JOBIM MUSIC

Abaixo:

Tom, Pixinguinha, João da Baiana e Chico Buarque
O choro, o samba e a bossa nova

FOTO CLÓVIS LOREINO / ARQ. JOBIM MUSIC

Tom, Nilo Dante e Ary Barroso.
Rua Nascimento Silva, 107. 1960

ARQ. JOBIM MUSIC

Sylvia Telles, Tom, Roberto Menescal e Marcos Valle

ARQ. JOBIM MUSIC

Com Ray Gilbert em Los Angeles

ARQ. JOBIM MUSIC

Abaixo:
Aloysio de Oliveira, Astrud Gilberto e Tom, na Califórnia

ARQ. JOBIM MUSIC

Tião Neto (baixo), Tom Jobim(piano), Stan Getz(sax-tenor),
João Gilberto(violão-vocal) e Milton Banana(bateria).
O sucesso do Carnegie Hall. Nova York. março de 63

ARQ. JOBIM MUSIC

A volta de uma noite perdido na neve

ARQ. THEREZA HERMANNY

Na página anterior:

Gravando com Frank Sinatra. 1967

ARQ. JOBIM MUSIC

— Tonzinho, estou completamente bêbado. Vou curar o porre no palco.

Aloysio começou a rezar. Vinícius entrou muito aplaudido. Todo de branco, dançando de costas para o público, que gritava carinhosamente: "Poetinha! Poetinha!"

Sentou-se em um banco alto e a primeira coisa que fez foi pedir um copo de uísque a Pepe, organizador dos camarins, figura muito querida entre os artistas. Pepe entrou no palco com dois copos sobre uma pequena bandeja. Entregou um a Vinícius e colocou o outro sobre o piano Yamaha, que Tom tinha levado de casa para o Canecão.

Vinícius começou contando histórias da sua vida de artista e diplomata, para embevecimento da platéia. Disse alguns versos seus, contou ditas e desditas. Entraram Toquinho e Miúcha, mais aplausos. Mas sentia-se no ar a espera. A espera por Antonio Carlos Jobim.

Quando Vinícius o chamou, e ele entrou, o público foi ao delírio. Foram muitos minutos de aplausos. Estava todo vestido de branco, bronzeado de sol. Curvou-se para a platéia sorrindo e andou devagar até o piano, com o irresistível desamparo que apaixonava a todos. Estava muito nervoso.

Helena e Manoel, sentados em torno da mesa junto ao palco, esbanjavam orgulho e alegria. Helena se lembrou de Azor. Havia também em Tom a sedutora combinação de ternura e virilidade. Era íntimo do Rio que exaltava. Homens e mulheres o respeitavam e amavam, como ideal do bem viver.

Houve um profundo silêncio quando Tom sentou-se ao piano e o maestro Edson Frederico ergueu os braços. Ia começar a tocar. Desafortunadamente, entrou com um acorde errado. Ele e a orquestra imediatamente pararam. Acentuou-se o silêncio na platéia. Tom inclinou levemente a cabeça em direção ao microfone, e disse em voz baixa:

— Perdão.

Depois de um segundo de perplexidade, o público aplaudiu-o freneticamente. Mais uma vez, com sua sensibilidade, Tom vencia. Ele era carioca. Brasileiro. Tornara-se cidadão do mundo.

Tocou algumas de suas mais belas canções. Toquinho acompanhando ao violão, Miúcha e Vinícius cantando. A maior parte da platéia cantava, sussurrando as letras das músicas, junto com eles. Era emocionante esse desejo de integração com os artistas, num profundo respeito ao seu trabalho.

Começou então o bate-papo de Tom e Vinícius. Era uma conversa inteligente e engraçada. Trocavam até nomes de remédios para o fígado, apostando quem sabia mais. Faziam o público rir muito, com histórias inventadas na hora. Tom também contava passagens de sua vida, satisfazendo a curiosidade da platéia, que queria conhecê-lo na intimidade.

Vinícius continuava a beber com sua sobre-humana resistência. O copo de Tom, sobre o piano, continha chá e muito gelo. Tinha a cor do uísque. E quando, erguendo o copo e se virando para a platéia, ele disse que era chá, riram muito. Não acreditaram que fosse verdade.

No final do *show*, além dos aplausos, o chão do palco ficou coberto de rosas vermelhas atiradas pelo público. O ator Carlos Eduardo Dolabella aplaudia de joelhos. Depois do espetáculo, iam todos, artistas e amigos, jantar no restaurante Concorde, na praça General Osório. Eram tão freqüentes ali que Tom, Ana e Vinícius tinham seus nomes gravados nos pratos que usavam. Saíam de lá com o raiar do dia. Certa vez, Vinícius ficou até as nove horas da manhã contando o final de seu casamento com Martita. As cadeiras já estavam viradas em cima das mesas e o garçom, impassível, continuava servindo os três. Quando finalmente deixaram o restaurante o sol já brilhava sobre as barracas de uma animadíssima feira livre. Eles riam muito, pensando no que o garçom diria quando chegasse em casa àquela hora.

Esse *show*, que teria a duração de quatro semanas, permaneceu em cartaz durante oito meses. Foi gravado ao vivo e o disco, rapidamente, transformou-se num sucesso absoluto.

O *show* ainda fez grande sucesso, durante um mês, no Anhembi, em São Paulo.

Viajam para Argentina, contratados por Mario Priolli, para uma temporada em um cassino em Mar Del Plata. Foi também um acontecimento. Na volta ao Brasil, Tom contava rindo que não conseguiam almoçar. Dormiam e acordavam muito tarde. E quando queriam almoçar, lá pelas três horas, encontravam todos os restaurantes fechados. Era a hora da sesta. Garçons enormes, vestidos a caráter, com um guardanapo pendurado no antebraço, diziam ao grupo de modo solene:

— *Ahora no hai nada. Todo cerrado. Hay que descanzar um rato. Empezamos a las siete de la noche!*

E se insistiam, voltava a dizer entredentes:

— *Todo cerrado!*

E o bando morria de fome até as sete horas da noite.

De volta ao Rio, na churrascaria Carreta, o garçom tinha trazido cerveja e o serviço da casa. Na mesa de Tom, o violonista Luiz Roberto Oliveira falava entusiasmado a Sérgio Sarraceni de um paranormal que ele assistira operar. Chamava-se Lourival de Freitas, o Nero. Contavam dele histórias de curas incríveis. Trabalhava com ervas, e operava usando música como anestesia. Tom parou de falar e prestou atenção ao que Luiz contava.

Na saída, Luiz Roberto perguntou a Tom se queria conher o Nero. Tom disse que sim, queria muito. Mas quando Luiz falou com Lourival, ele relutou. "O Tom Jobim? Ah, não..." Depois de alguma pressão, acabou concordando e marcou um encontro na casa dele.

Luiz foi almoçar com Tom em casa de d. Nilza. Logo depois do almoço, partiram para o encontro. Lourival morava nas Laranjeiras, em frente a uma pequena praça. Assim que Tom foi chegando, apontou para um homem na porta de um prédio e perguntou a Luiz:

— O Lourival é aquele ali, não é?

E era. Luiz Roberto se espantou.

Tom conversou muito com Nero sobre o seu estado. Sobre suas artérias entupidas, sua falta de fôlego. Lourival propôs um tratamento com resinas de árvores amazônicas. Prometeu "empelicar" seus órgãos e dar a ele uma sobrevida mais longa.

Era um verdadeiro sábio nessa matéria. Um profundo conhecedor das plantas da região amazônica. Com suas ervas, conseguiu que Tom deixasse o cigarro e a bebida. Já era um grande passo para melhorar sua saúde.

Morando ainda em casa de Nilza e Celso, Tom começou a tomar as seivas receitadas por Lourival. Parecia ter-se incorporado nele algum ente da floresta. Durante semanas, acordava, comia, andava, e ia dormir como um "encantado", dizendo apenas:

— Ai meu Deus, ai meu Deus...

E dormia, e dormia. Tomava o café da manhã e dormia, dormia o dia inteiro. Jantava e dormia. A família acompanhava apreensiva. Em pouco tempo uma cor rosada e sadia começou a aparecer em seu rosto. Um colorido na face, que Tom não tivera nem em sua primeira infância.

Obsessivamente, passou a acompanhar Lourival em todos os lugares em que ele atuasse. Assistiu então a fenômenos negados pela ciência. Cirurgias realizadas sem dor, sem perda de sangue, ao som de músicas de um violão, executadas com giletes, agulhas de costura, facas ou canivetes, sem qualquer assepsia e com resultados positivos. Às vezes, até com pessoas desenganadas pela medicina convencional. Ajudando Lourival, Tom chegou a tocar violão em algumas dessas cirurgias, fazendo o papel de anestesista. Era assombroso.

Tendo perdido dez quilos, parado de fumar e beber depois de tantos anos, seu semblante voltou a ser tranqüilo e sorridente. Desinchou, e seus traços de novo se definiram. Rejuvenesceu muito. Pensavam que ele tinha feito uma operação plástica no rosto.

Paulo, entusiasmado com o tratamento do pai, aprofundou-se no assunto. Conversava muito com Lourival, queria saber tudo sobre a vida dele. Ficou tão envolvido que escreveu um texto sobre o "Bruxo":

Conheci Lourival quando ele tratava de meu pai há algum tempo. Ele me contou que ainda menino, quando tinha 10 anos de idade, aconteceram dois fatos estra-

nhos que determinaram uma mudança radical em sua vida. Uma vez, bebendo água num riacho, viu surgir entre os reflexos da água a figura de Nero, imperador romano. Esta figura entrou subitamente dentro dele, incorporando-se à sua personalidade. Pouco tempo depois, trabalhando para um homem que o maltratava, numa plantação de bananas, na região de Angra dos Reis, viu esse homem contorcer-se de dores violentas, atravessadas na barriga. Era nó nas tripas. Estavam no meio do mato, e o menino não teve dúvidas. Com o canivetinho que tinha no bolso, abriu a barriga do homem e salvou-o. Sabe lá Deus como!

A avó do menino era uma cigana russa, que lhe ensinara tudo o que sabia sobre ervas. O menino cresceu, e cresceram com ele seus poderes paranormais. Lourival me dizia que quando operava as pessoas, incorporando o Nero, não tinha a menor idéia do que fazia. Mas quando tratava com ervas, era um botânico de grande conhecimento. A maioria das pessoas que o procurava, doentes terminais, morriam. Isso, segundo ele, lhe deixava um peso no carma, pelo qual teria de pagar. Por sua vez, Nero estaria também pagando as perversidades que fizera em suas vidas passadas.

Eu gostava de ervas e plantava tudo o que servia para a saúde: boldo, saião, capim-santo, alecrim, erva-doce, manjericão, arnica, temperos ou remédios, na pequena casa que meu avô me dera no Poço Fundo. Era uma casa de pau-a-pique com alguns abacateiros, limoeiros, e dois pés de trombeta de bruxa, macho e fêmea. Mas eu ainda não conhecia quase nada sobre plantas.

Um dia meu pai ia para Poço Fundo e me pediu que levasse Lourival para lá. Saí de casa cedo, peguei Lourival em sua casa, e subimos a serra num dia bonito, com alguma neblina. Eu, naturalmente só falava de ervas, enquanto Lourival ouvia, um pouco reticente. Quase chegando no Soberbo ele me disse que parasse o carro. Vimos algumas pessoas pegando ervas em uma pedra e Lourival pediu que dessem um pouco para ele. Já de volta ao carro, me ofereceu para provar. Era carqueja, um gosto amargo que não saía da boca. Disse-me que era uma erva de primeira qualidade, mais poderosa porque nascida na pedra. E que tudo o que ele receitava às pessoas, tomava também.

Chegando a Poço Fundo, fui logo mostrar a ele o que eu havia plantado. Lourival não demonstrou o menor interesse pelas minhas ervas, mas agachou-se por baixo dos galhos do abacateiro e começou a colher tudo quanto era "mato" por perto: trapoeiraba, broto de chuchu, pendão de milho, quebra-pedra, quase tudo lhe servia. Eu observava atônito, imaginando quando poderia conhecer tudo aquilo.

Já na casa de meu pai, pediu um pé de picão para Nininha e colheu no mato de um canteiro abandonado uma erva desconhecida para mim, e preparou um chá. Meu pai tomou e passou o dia inteiro fazendo pipi, enquanto Lourival observava num frasco se ainda estava turvo. Em um só dia, visivelmente, meu pai perdia bastante peso. Quando o pipi já estava completamente transparente, Lourival começava a lhe dar as Omecas, resinas que se formam em árvores seculares da Amazônia. Era difícil consegui-las. Recebia-as através do exército ou da aeronáutica, únicas fontes de contato entre os mateiros de lá e o Rio de Janeiro. Uma vez, na falta destes meios, Lourival pediu a meu pai que comprasse a tal Omeca em Nova York. Meu pai conseguiu encontrar e no rótulo do vidrinho tinha escrito algo como: "Para pesquisa, NÃO utilizar em seres humanos!" Meu pai tomou essas ervas durante anos. Ele recendia a um perfume de mata virgem, e chegou a achar que Lourival o estava envernizando por dentro.

De cada qualidade de Omeca, Lourival extraía várias substâncias, destilando-as em casa. Queria que eu escrevesse com ele um livro, falando de cerca de 10 mil substâncias que ele aproveitava dali. Eu queria saber das ervas mais simples, caseiras, e tinha medo de me envolver naquela loucura que assustava a maioria das pessoas. Nunca nem comecei tal livro. Talvez a Mônica, sua mulher na época, ou uma outra menina mineira bonitinha, que teve um filho com ele, e que ele dizia que era uma bruxinha, tenham guardado algo dessa sabedoria.

Certa vez, em Poço Fundo, Lourival colocou colheres nas mãos de Daniel e Marcela. Sem tocar em nada, entortou os talheres como fazem outros bruxos, deixando as mães desconfiadas.

Contava que em Mazomba, perto da região onde nasceu, havia um bruxo seu amigo que era mais poderoso do que ele. Sentado na beira de uma fogueira, os sapos vinham pulando em sua direção, e o bruxo os devorava. Uma vez um fazendeiro teve uma desavença com esse bruxo e ele, com um olhar apenas, fez com que toda a boiada do fazendeiro morresse.

Quando Antonio viajou para Nova York, em pleno tratamento, a fim de gravar o disco Terra Brasilis, *contou que acordava vendo grandes árvores amazônicas, de imensas copas que chegavam até o céu.*

Em maio de 1978 Tom deixa a casa da mãe e vai com Ana para Nova York, em lua-de-mel. Ficam três meses hospedados no Hotel Adams. Mas continua trabalhando. Faz, entre outras canções, "Você vai ver" e "Falando de amor".

Claus Ogerman, sempre que chegava em Nova York, telefonava para Tom do aeroporto. Tom contou ao amigo que tinha se casado de novo e estava muito feliz. Tinha parado de beber e de fumar. Claus convida o casal para jantar. Tom apresenta Ana a ele. Gentilmente o amigo presenteia-a com um vidro de perfume Opium, e entrega a Tom, rindo, uma garrafa de Coca-Cola.

No final desse agradável jantar, Claus declara a Tom:

— *If you love her, I love her too.*

Tom fica comovido com a demonstração de amizade e plena aceitação de Claus.

Tom e Ana voltam ao Brasil e passam a morar no Hotel Marina. Da janela do apartamento, podiam contemplar o mar das safiras.

Antes de ir para a Europa com o *show* do Canecão, contratado por Franco Fontana, começa a gravar com Miúcha um novo disco: *Tom Jobim & Miúcha.* As gravações foram iniciadas, mas a RCA começou a segurar as verbas para o pagamento dos músicos. Tom considerou isso uma ofensa pessoal. As gravações foram interrompidas.

Tom viaja com Ana para a Europa no avião Concorde, sua nova paixão. Na volta, ele quase não comenta os sucessos dos *shows.* Fala só do avião, impressionado pela sua beleza e velocidade, e pela cabine de comando que se movimentava na hora da aterrissagem. Esse avião, dizia, não era "passarim de pescoço duro", como escrevera Guimarães Rosa. Contava também entusiasmado que, na viagem, Ana e ele tinham conversado muito com o bailarino Barishnikov e com o músico Michel Legrand, companheiros de vôo.

O *show* estréia em Paris. Faz dez apresentações no Olympia. Viaja por várias cidades da Itália e vai também para a Suíça. Nessa temporada, o *show* completa um ano inteiro de sucesso.

Nos *shows* do Olympia, Baden Powel, que já era muito conceituado na Europa, sobe ao palco e dá "uma canja".

Assim que Vinícius chegou ao aeroporto Charles De Gaule, encontrou Gilda Mattoso, que trabalhava para Franco Fontana. Amor à primeira vista. Voltaram para o Brasil casados.

As viagens se sucediam muitas vezes em pequenos e confortáveis ônibus. Um grupo alegre, passeando pelas estradas da Europa.

Vinícius já estava doente. O *show* teve que parar duas vezes em função disso. Diabete, com taxas altas de açúcar no sangue. Ele se automedicava, onde estivesse. Mas as complicações cresciam.

Até morrer, dois anos depois, Vina não mudou seu estilo de vida. Repetia sempre para Tom:

— Só me interessa viver fazendo tudo o que quero.

Em dezembro de 1978, Tom e Ana alugam uma casa na rua Peri, no Jardim Botânico, onde moram durante seis anos. Mas queriam ter sua casa própria, planejada com amor e cuidado. Dizia, sério: "Guimarães Rosa tem razão. Deus está nos detalhes."

Olham muitos terrenos neste bairro e Tom se encanta especialmente com uma rua e um terreno a montante dela, onde havia uma mangueira centenária e cujo fundo dava para a reserva da Floresta da Tijuca:

— Esse lugar é maravilhoso. A casa deve ser feita em lugar alto, ventilado e soalheiro.

Muitas vezes subiu ali com Lourival, examinando tudo, observando o caminho dos ventos, a direção dos pontos cardeais. Dali podia ouvir os ruídos da mata que conhecia tão bem: o guincho dos macacos, os tucanos batendo bico, o pio dos pássaros, o zumbido das cigarras, a cantilena dos sapos ao anoitecer. Junto com Ana, conheceu a primeira moradora daquela rua, Maria Clara Mariani. Ficaram amigos e Tom, como sempre, fazia perguntas inusitadas:

— Em que ponto exato do céu Vênus aparece quando a noite cai? O vento sudoeste quando bate forte faz muito barulho nas frestas das janelas? Já caiu algum galho de uma dessas árvores no telhado da sua casa? Ainda aparece por aqui aquela borboleta grande, azul vitral, que voa devagar?

Compraram o terreno.

Tom precisava organizar sua obra musical. Durante muito tempo, sua ex-mulher, Thereza, tentara fazer isso. Mas Tom reagia. Fantasiava que arquivo tinha conotação com morte. No entanto, a extensão de seu trabalho exigia uma ordem. Achar uma de suas partituras já se tornara difícil. Thereza já havia mandado tudo para a casa deles. Tom reclamava da desordem dizendo:

— Eu fui casado com uma arquivista.

Ana retrucava:

— Agora você é casado com uma anarquista!

Chamaram a museóloga Vera de Alencar, grande amiga de Helena, e contrataram-na para criar um arquivo, catalogando partituras, cartas, artigos, fotos, premiações, *curriculum* etc.

Depois de meses de trabalho, com tudo pronto, Tom ficou muito satisfeito. Sua vida agora era mais fácil. Mas até se habituar a lidar com seu arquivo, volta e meia pedia socorro a Vera, onde quer que ela estivesse. Ela tinha de rearrumar tudo, pois os documentos, depois de utilizados, não voltavam aos seus lugares.

Entre janeiro e fevereiro de 1979, toda a família ficou de luto: no dia 15 de janeiro, três dias após ter completado 70 anos, morreu de enfarte João Lyra Madeira, cujo violão clássico marcou toda a vida de Tom.

Nilza e Celso mudaram-se imediatamente para a casa de Yolanda, para acompanhá-la. Dezoito dias depois, no dia 2 de fevereiro, morre de edema pulmonar Celso Frota Pessoa, o padrasto que foi mais que um pai para Tom e Helena. No dia 17 de fevereiro, Celso completaria 69 anos.

Nilza ficou morando com sua irmã, depois de passar um mês em estado de choque.

Em março de 1979, Tom é convidado para se apresentar na festa de comemoração pelo aniversário de dez anos da agência do Banco do Brasil, em Nova York. Tom resolveu gravar o restante do seu disco com Miúcha lá.

Ainda muito abalado com a morte de Celso, voa para os Estados Unidos com Ana, Miúcha, Aloysio de Oliveira, e o compositor Oscar Castro Neves. Chico e Marieta chegam e juntam-se ao grupo. Tom e Chico criam uma abertura para a animadíssima música de carnaval que Helena cantava sempre em Poço Fundo: "A Turma do Funil".

As gravações recomeçaram. Aloysio encontra André Midani e fala do que estavam fazendo. Midani compra o disco sem nem querer ver o trabalho. Pagaria toda a produção.

Foram gravadas músicas diferentes como "Dinheiro em penca", homenagem de Tom a Lourival, com letra de Cacaso; "Turma do Funil", com uma abertura criada por Chico e Tom; "Sublime tortura", música de Bororó; "Triste alegria", de Miúcha, entre outras.

O músico americano Ron Carter participou das gravações. E foram gravadas outras músicas para compactos, com Tom tocando flauta divinamente, na música "Sol da meia-noite", traduzida para o português por Aloysio de Oliveira.

Voltam todos para o Brasil, menos Tom e Ana, que ficam para gravar o disco duplo *Terra Brasilis*, com Claus Ogerman. Mais uma vez, Claus faz os arranjos e rege a orquestra. Aloysio produz o disco com a linda capa de Paulo Jobim. Neste disco, Ana canta com sua bela voz uma faixa, por sugestão de Claus: "Você vai ver".

Quando Tom e Ana voltaram de Nova York, no final de agosto, ela esperava um filho. Na rua Peri, de seu estúdio, o piano próximo à grande janela francesa que se abria para um pátio interno, Tom podia ver junto ao pequeno lago os passarinhos que pousavam para beber água e se banhar. Seu olhar pousava descansado nos pés de manacás junto ao muro. As flores roxas e brancas desprendiam o dulcíssimo perfume quando a noite queria chegar. Seus dedos corriam pelo teclado.

Os amigos chegavam. Era sempre uma festa. Miúcha, Chico e Marieta, os atores Lucélia Santos e Marco Nanini. E Nero. Foram dois anos de convívio intenso com ele. Dizia que estava "reconstruindo" Tom. Descrevia um por um seus órgãos. De repente exclamava:

— Mas "Tão" é bonito!...

E acrescentava:

— Eu tinha pena quando Aninha tinha que andar atrás dele com uma mala cheia de remédios.

E pedia para ler a mão dela.

Tom e Ana freqüentavam também o apartamento de Lourival, nas Laranjeiras. Na primeira vez que foram lá, Lourival recebeu Ana com um buquê de rosas.

Em 30 de outubro de 1979, nasce João Francisco Lontra Brasileiro de Almeida Jobim. Tom tinha resolvido colocar no filho o sobrenome Brasileiro de Almeida, em homenagem ao tio Marcello Brasileiro de Almeida, pois João tinha nascido no mesmo dia do tio-avô. Como Marcello não teve filhos, o sobrenome do avô Azor terminaria com Tom.

Vinícius foi convidado para ser padrinho de João, mas logo depois adoeceu. Paulo Jobim e Ana Lúcia foram os padrinhos do menino.

João Francisco era um bebê forte e bonito. Era marcante sua semelhança com o pai. Tom achava inusitado ser pai aos 52 anos. E olhava, curioso, os movimentos ainda descoordenados da criança no berço. Às vezes, deitava no sofá e imitava o filho. Ana chamava o marido de "nenenzudo". Seu riso cristalino invadia a casa. Estavam muito felizes.

Na passagem do ano, fizeram um alegre *reveillon*. Ninguém sabia arrumar tão bem uma mesa como Ana. Tom tocou a noite inteira e, a seu lado, Vinícius cantava. Sua mulher Gilda estava presente e alguns casais amigos. João tinha dois meses e Ana, de vez em quando, tinha que subir ao quarto para amamentá-lo.

Recomeçaram as idas a Poço Fundo. Era uma quarta-feira quando Helena telefonou para Ana, querendo saber se eles iriam para o sítio. Aninha disse que eles não subiriam a serra porque Tom tinha compromissos inadiáveis. Como de costume, Helena e Manoel foram para Poço Fundo na sexta-feira à noite. Para surpresa deles, na hora do almoço de sábado, Tom chegou com a mulher e o filho. Curiosos, perguntaram a Tom o que tinha acontecido, se tinha desmarcado qualquer gravação ou coisa parecida. Tom contou que tinha sido procurado pelo empresário de Sinatra, que se apresentaria no Rio de Janeiro no final da outra semana. Queria que Tom se apresentasse junto com Sinatra. Ele perguntou quanto ganharia e o empresário disse a Tom que não pagaria nada. Que ele iria dar só uma "canja". Tom não respondeu e tentou em vão falar com Sinatra. Deixou recados em todos os telefones e não teve resposta. Contrariado, resolveu ir para Poço Fundo: "Se o Sinatra me chamasse, como meu amigo, é claro que eu tocaria de graça. Mas eles formaram uma barreira impedindo que isso acontecesse."

Tom bebia religiosamente as ervas receitadas por Lourival. Continuava sem beber e fumar e tinha mudado seus horários. Dormia cedo e acordava cedo. E trabalhava a manhã inteira no piano.

Alimentava-se corretamente. Ana cuidava de sua dieta. Muitas saladas e legumes, evitando as gorduras. Só se deixava trair pelo desejo incontido dos ovos de galinha. Descobriu que os ovos de granja tinham muito mais colesterol do que os ovos de galinha-índia, criadas soltas. Mandou então construir um galinheiro em Poço Fundo. Quando não ia lá, alguém tinha que levar os ovos da semana em sua casa no Rio. Gostava de ir para a cozinha fritar ele mesmo dois ovos. Só comia as claras, com uma das gemas. Não conseguia resistir.

Em Poço Fundo, chamava a família e os amigos para junto do piano e mostrava suas últimas músicas. Mesmo que não estivessem prontas, repetia o tema muitas vezes, temas que seriam utilizados em seus próximos discos. Continuava pedindo a opinião de todos que o cercavam.

Vinícius, em visita a Poço Fundo, queria ainda viver intensamente. Recuperava-se de um AVC que tivera no avião, voltando de uma viagem à Europa. Preocupava a todos com suas extravagâncias. Era sauna, banho de piscina, de sol, muito uísque e cigarro. Desprezava qualquer dieta. Mas continuava sendo a pessoa humana bonita que sempre foi. Ele era a poesia para todos que o cercavam.

Os médicos haviam diagnosticado hidrocefalia. Ele brincava com sua desdita:

— Só pode ter sido por causa de muito gelo no uísque. Nunca bebi água.

Era carnaval. Como sempre, todos se reuniam no sítio. Mas dessa vez a animação pareceu maior do que nunca. Havia uma frase entre os amigos, que era um verdadeiro chamado à alegria: "Carnaval é no platô!", numa referência à casa de Tom, construída sobre um platô. Como sempre, Vera Alencar e seu marido Luís Eduardo, amigos fiéis, estavam presentes.

Domingo de carnaval, Vinícius quis tomar banho de piscina. Manoel e seu genro, Danilo Caymmi, ajudaram-no a entrar n'água, caminhar com ele pela parte rasa, e sair da piscina.

Sentindo muita dificuldade em locomover-se, disse para Gilda:

— Assim eu não fico.

Os amigos perceberam a tristeza de Tom. Depois que Vinícius e Gilda desceram para o Rio, Ana perguntou ao marido o que havia com ele. Tom vaticinou:

— Foi a primeira vez que ele veio aqui em Poço Fundo. E a última. Veio para se despedir.

No dia 9 de julho de 1980, Helena ouviu pela televisão da casa de sua filha Sonia, na Califórnia: "Morreu no Brasil o grande autor de 'Garota de Ipanema'."

Levou um susto terrível. Pensou que fosse seu irmão. Era o parceiro e grande amigo de Tom, Vinícius de Moraes, amigo dela também.

Conforme tinham combinado, de um não assistir ao enterro do outro, Tom não acompanhou o parceiro nessa hora. Sentou-se na churrascaria Plataforma de manhã. Voltou a beber. Tomou o maior porre de sua vida, junto com Vera Alencar. Chegou em casa tarde da noite.

A missa de sétimo dia foi rezada numa capela da Gávea, Igreja da Divina Providência, na rua Lopes Quintas. Bem ao lado da chácara onde Vinícius nasceu. Tom compareceu à despedida do amigo, pálido, tresnoitado.

Durante aquela semana, tocou muitas vezes em seu piano, "Soneto da separação", o belíssimo poema de Vinícius que musicara. No terceiro dia da perda de seu amigo, Tom recebeu um jornalista que desejava entrevistá-lo. Como era de seu feitio, abriu as portas de sua casa para o rapaz, com delicadeza e boa vontade.

Sentaram-se para conversar. Tom fumava um charuto — tinha permissão de fumar dois por dia — e pousou-o no cinzeiro. Falavam da existência ou não de vida além-morte, da imortalidade do espírito. O repórter perguntou a Tom:

— Onde estará Vinícius nesse momento?

Ouviu-se um estalo e o cinzeiro pesado de cristal partiu-se ao meio. Olharam-se espantados. A entrevista terminou.

De noite, durante meses, Tom custava a dormir. Conversava até tarde com Ana, que tentava consolá-lo. Era outra perda difícil para ele. A perplexidade da morte confundia seu espírito.

O "poetinha", esse grande poeta, o personagem mais importante da cultura brasileira na desmistificação do preconceito contra a música popular. Drummond dizia que Vinícius foi um dos poucos poetas que viveu como poeta.

Antonio Carlos Jobim estava muito desgostoso com a devastação das florestas brasileiras e do planeta. Citava um artigo de uma revista americana, que reproduzia a conversa de um comandante, num avião de carreira, voando sobre a floresta amazônica. Comunicava à torre que a Amazônia inteira estava pegando fogo. Na mesma época, implantavam-se grandes empresas lá.

Ficou furioso quando — para fazer uma hidrelétrica — criaram um lago em que submergiu toda a floresta existente ali, perdendo-se uma fortuna em madeiras nobres e criando-se gases impeditivos à vida aquática. Além do risco de uma embarcação chocar-se contra os troncos abandonados.

Quando voltou ao Brasil, estava obcecado com isso. Dizia a todos:

— Hoje está provado que a nossa técnica de destruição supera a capacidade de resistência da natureza. Mas se Deus deixa que se destruam 3 milhões de árvores na Amazônia, assim sem mais nem menos, é porque as faz nascer em outro lugar, onde também deve haver macacos, flores e águas altas. É para lá que eu vou, quando morrer.

Lançou nesse mesmo ano de 1980 *Terra Brasilis*, no Clube Marimbás. E fez ainda, com Chico Buarque, a canção "Eu te amo", para tema musical do filme homônimo de Arnaldo Jabor.

Em 1981, Ella Fitzgerald, a diva do *jazz* clássico, grava o disco *Ella abraça Jobim*. Foi imensa a satisfação de Tom quando ouviu suas músicas cantadas pela voz que amava desde jovem.

Volta ao Brasil e grava a convite de Aloysio de Oliveira um disco com o talentoso compositor Edu Lobo. Outro disco antológico: *Tom & Edu, Edu & Tom*.

Alcançava agora a unanimidade da crítica. Depois de muitos anos. A independência e a liberdade interna nortearam sua vida de artista. Foi sem dúvida um desbravador. E nunca fez concessões. Sempre a brasilidade. Em todo lugar que chegava, fora do Brasil, olhava para o céu, abria os braços querendo se orientar. A mão direita apontava o nascente. A esquerda o poente. Era o bastante para que ele sozinho, ou acompanhado por alguém, apontando o espaço, dissesse num quase sussurro: "O Brasil está lá." Levou suas raízes para o estrangeiro. Não esquecer delas foi fundamental para suas vitórias. Definiu isso bem:

— Não acho que deva procurar uma música mais universal. As raízes são importantes.

Em sua modéstia, comentava:

— Eles querem me levar para o Japão. Mas eu não vou. Não vou para uma terra só por dinheiro. Eles não conhecem minha música.

Tempos depois, voltou a falar do Japão. Vinha de Los Angeles, num avião que fazia a rota dos Andes:

— Tinha tanto japonês no avião, que ele vinha com as asas cansadas...

E na volta de outra viagem, confidenciou:

— Eles agora estão me oferecendo um piano Yamaha. Escolhido na fábrica!

Foi a primeira vez que a família acreditou que Tom fosse ao Japão. E só lá ele saberia o quanto seu nome era conhecido e respeitado.

No Brasil, a nova geração de críticos já compreendia a extensão e a qualidade da obra de Antonio Carlos Jobim. Um dos mais sérios e competentes críticos musicais, Tárik de Souza, declarou: "Como Radamés, Tom faz obra camerística com formatos populares. Sua declarada ascendência brasileira reúne ainda a tríade Pixinguinha, Ari Barroso e Dorival. E seus sambas de requintada compleição harmônica, dificilmente podem ser batidos com fidelidade em uma caixa de fósforos. Suas canções incorporam modernidade às formas clássicas."

Joaquim Pedro, o grande cineasta que passou para a tela *Macunaíma*, de Mário de Andrade, e sua mulher, a atriz Cristina Achê, convidaram Tom e Ana para padrinhos de seu filho Antonio Francisco. O batismo aconteceu na igreja do Outeiro da Glória. Outro grande cineasta e amigo, Arnaldo Jabor, batizava também na mesma igreja, naquele mesmo instante, sua filha caçula, Juliana.

Durante alguns anos, Tom esforçou-se para cuidar de sua saúde. Freqüentava, três vezes por semana, a Academia Coelho, perto de sua casa. Fazia exercícios leves, sauna e tomava ducha. Brincava muito. Toda hora saía da sauna, se banhava e voltava molhando o chão e as pessoas que faziam sauna com ele.

Até que um dia, um senhor alemão, professoral, alertou-o de que aquilo fazia mal à saúde. Tom, que era meio cavaquista, ficou tocado com a observação. Certa manhã, entrou na sauna e encontrou o alemão dormindo profundamente. Teve a pachorra de acordá-lo e dizer a ele que aquilo era muito mais perigoso para a saúde.

Saía da academia direto para a churrascaria Plataforma. Já era freguês antigo da casa e gozava de certas regalias com *maîtres* e garçons. Ratinho e Esquerdinha eram seus prediletos.

Um dia, foi à Plataforma com os cabelos molhados e o ar-condicionado o incomodou. Chamou o Ratinho e pediu a ele alguém que secasse seus cabelos. Quando Ana chegou, não acreditou no que viu. Muito menos os outros fregueses que olhavam e se divertiam com a cena: um garçom secando os cabelos de Tom com uma toalha. Ele, tranqüilo, tomava num copo de vinho um minichope que tinha apelidado de pipoca.

Quando não comia carne vermelha ou camarão, pedia frango desossado, na brasa, que batizara de "franguinho atropelado".

Muitas vezes seu pensamento voltava ao passado. Na garagem da Sadock de Sá, ainda um adolescente, o deslumbramento pela música revolucionária de Villa-Lobos já o acompanhava. O som nativo, brasileiro, tornava-se uma obsessão. Identificava-se com ele. Queria conhecer o homem que inovava a música brasileira. Villa-Lobos era o futuro. Tom via nele todas as possibilidades.

Muito mais tarde, quando entrevistado por estudantes das Faculdades Integradas Estácio de Sá, matéria publicada depois pela Editora Rio, disse:

O Villa-Lobos, eu queria falar do Villa-Lobos. Acho que foi um gênio. Estive na sua casa três vezes, naquele edifício onde ficava o "Vermelhinho", um bar muito conhecido, em frente ao prédio da ABI. Conheço bem a obra do Villa-Lobos e fui lá num aniversário, levado pelo Leo Peracchi. Lá estava dona Arminda, fazendo todo mundo ficar a distância regulamentar. Não podia pisar a linha demarcatória que ela, a segunda mulher do Villa-Lobos, havia estabelecido.

O Leo Peracchi orquestrava muita coisa para o maestro que, então com 70 anos, não tinha mais resistência nem tempo para realizar. No apartamento pequeno, encontrei uma pequena orquestra tocando uma sinfonia do compositor, com uma soprano berrando a plenos pulmões. Num canto da sala, pessoas conversavam e um rádio tocava alto. O grande maestro, sentado ao piano, escrevia uma partitura.

Cheguei perto do Villa-Lobos, envolvido na fumaça do seu charuto, e perguntei se tudo aquilo não o incomodava: "Meu filho", respondeu ele, "o ouvido de fora nada tem a haver com o ouvido de dentro."

Fiquei com a frase na cabeça durante muito tempo.

"Mas onde está a memória desse país?" Tom se queixava. Quando ia aos concertos do teatro Municipal, admirava uma placa de bronze que homenageava Villa-Lobos. Anos depois, marcou com Pixinguinha um almoço no restaurante Assyrius, ao lado do teatro. Quis mostrar a placa ao amigo. Tinha desaparecido. Perguntou a vários funcionários, que trabalhavam ali sobre seu destino. Ninguém sabia.

Tom ficava indignado com a falta de respeito ao maior compositor brasileiro. E reclamava de não encontrar aqui as partituras de Villa-Lobos para estudar. Quando precisava de uma, ia à Embaixada da França, perguntava quem editava as partituras lá, escrevia encomendando, e esperava muito tempo até que chegassem.

Descobriu pasmo que nas grandes livrarias de Nova York podia obter mais informações sobre a música brasileira do que no Brasil.

Acusaram-no de plágios — os mais ridículos, os mais absurdos —, o que lhe valeu um processo. Ganhou na justiça, depois de anos de amolação.

De algumas acusações ele pôde rir: "Stravinsky dizia que só se pode roubar de quem se ama. Mas Picasso foi mais longe: O medíocre copia, o gênio rouba." Depois, ficava sério: "Se estou vivo, é natural que sofra influências. Tudo sofre influência. Não sou um cristal."

E antes de aparecer a palavra ecologia, Tom já era um ecólogo. Quem acompanhou sua vida, quem prestou atenção às suas inúmeras entrevistas, percebe que ele manteve uma coerência. Lutou sempre em defesa da floresta brasileira. Denunciou, incansavelmente, as espécies de animais em extinção. Numa de suas mais belas canções, diz: "Não quero fogo, quero água (...) deixa o mato crescer em paz (...) deixa o índio..."

Ninguém amou mais seu país do que ele. "Sou Brasileiro até no nome", dizia orgulhoso. Mas as frases que repetia nem sempre eram jocosas. Algumas delas carregavam uma grande tristeza: "O Brasil não gosta do Brasil..." "O Brasil não conhece o Brasil..." "O Brasil é de cabeça para baixo..." "O Brasil não é para principiantes..."

Muitas de suas frases ficaram famosas. Trespassadas de humor e melancolia — mas sempre inteligentes. Frases de um bom observador. Algumas delas, publicadas por Renato Sérgio, na revista *Manchete:*

Estou na hora em que se pode dizer tudo.

Estou numa idade em que começo a olhar para trás. Acho que vai começar a virar saudade.

Sou produto de um lar desfeito, da separação de meu pai e minha mãe quando eu tinha um ano.

Sou caseiro, na verdade levo vida monástica, mas saio todo o dia para beber. Qual é o monge que não bebe?

Se eu deixar agora esse planetinha tão simpático, é capaz de aparecer alguém dizendo que eu fugi do Imposto de Renda.

O drama do artista é que ele luta para ser conhecido, e quando consegue, compra uns óculos escuros e vai morar escondido em cima de um morro.

Siga em direção contrária à seta. Na mesma direção, você já encontrará tudo desfigurado.

O ouro do Brasil são os jovens.

O importante é permitir que cada um siga sua profissão. Não adianta fazer um sujeito com boca de flauta, tocar contrabaixo.

Oitenta por cento do meu trabalho não têm nada a ver com a Bossa Nova.

Como diz Carlos Drummond de Andrade, devido ao adiantado da hora, eu me sinto anterior às fronteiras.

Aquela hora exata em que os bandidos já foram dormir e os inocentes ainda não chegaram.

Sem falsa modéstia: sou o homem mais modesto do mundo.

Acho que devo muito de minha música à beleza do Rio.

A vida está ficando muito cheia de gente. Como é que eu vou arranjar tempo para fazer uma autobiografia? E tem mais: deve ser uma coisa muito dolorosa!

Que eu saiba, a única coisa que tem de novo todos os dias é o sol da manhã.

Fumaça saindo de chaminé já foi símbolo de progresso, hoje é poluição.

Tem gente escolasticamente perfeita. Mas não são criativas.

O futuro já era: vou acabar em plena Amazônia toda asfaltada, como um matitaperê empalhado no dedo.

Stravinsky, Debussy, Chopin e Villa-Lobos, foram meus mestres. Me deram alimento musical e espiritual. Não foi o over-night, *nem o dólar.*

É como o Chico Buarque falou outro dia: artista brasileiro só é bom depois de morto.

A Bíblia diz que Deus separou o homem de suas obras. Ninguém é dono de sua própria obra.

Os desejos me abandonaram, graças a Deus.

Há muitas maneiras do Mal servir ao Bem.

Quero morrer é aqui mesmo. É mais confortável morrer em português. Como é que você vai dizer para o médico, gringo, em inglês: Tô com uma dor no peito que responde na cacunda?

Tudo o que desejo é viver em paz e ser compreendido como um aprendiz de ternuras.

Não pensava na morte. Até o Vinícius morrer.

João Francisco se desenvolvia rapidamente. Era fortíssimo. Quando completou dois anos, Tom repetiu com ele o ritual que Lourival lhe ensinara.

Pegou sua arma de caça, guardada há tantos anos, tirou da caixa o pio da juriti e foi para o mato. Acomodou-se e começou a piar. Ela veio. Tom abateu-a e voltou para casa. Foi para a cozinha, preparou a ave. Sentado à mesa, dividiu-a com João. Comeram juntos. Passava a vitalidade da caça para o filho. E a sabedoria. Era também a "comida de poder", do índio dos livros de Castaneda.

Tom considerou, nesse momento, João Francisco iniciado para a vida. Lembrou-se naquele momento dos versos de Chico Buarque:

> Hoje é dia da graça,
> Dia da caça e do caçador.

Em 1982, Tom foi convidado por Luiz Carlos Barreto para fazer a trilha sonora do filme *Gabriela*, dirigido por Bruno Barreto. As filmagens seriam em Parati, perto de Angra dos Reis. Os atores principais, Sonia Braga e Marcello Mastroianni. Tom sentiu desejo de ir ao local das filmagens. Bem perto de Mambucaba, onde caçava outrora. Já conhecia Sonia Braga pessoalmente e a admirava.

Logo que foi apresentado a Marcello Mastroianni, sentiu uma enorme afinidade. Era como se o conhecesse há muito tempo. Conversaram longamente. Ali, nas filmagens, o artista italiano parecia o mais brasileiro de todos. Um cidadão que se poderia encontrar em qualquer esquina do Rio. Para encarnar o personagem de Jorge Amado, usava um terno de linho branco, paletó curto, uma gravata colorida e um chapéu-panamá. Acentuando o tipo, fumava um cigarro de palha. Quando terminou o trabalho, Mastroianni deu para Tom, como lembrança, seu chapéu.

A beleza do tema do livro de Jorge Amado, *Gabriela, cravo e canela*, a pungência do romance entre Nassib e Gabriela, envolveram Tom de tal maneira, que ele compôs uma de suas mais belas canções: "Gabriela". Com a voz deliciosa de Gal Costa, conseguiu que a música e a letra se mesclassem de forma perfeita ao desenvolvimento do filme. Mais uma música do seu período pós-Bossa Nova. Outro grande sucesso.

Recebe, no Rio de Janeiro, o violonista clássico Antônio Carlos Barbosa Lima, radicado há anos nos Estados Unidos. Ele tinha feito um disco com músicas de Tom e George Gershwin. As músicas de Tom foram gravadas por ele, que fez a transcrição das mesmas para o violão clássico. Uma grande festa no pátio da Beton, empresa de seus amigos Fredy Rosenberg e Simon Weglinski marcou sua estada no Rio.

Começou o assédio para que ele se apresentasse na Europa, Estados Unidos e Japão. Mas Tom se sentia bem morando no Rio, com sua mulher e seu filho. Resistia. Lembrava Castaneda, falando dos inimigos do homem: quando jovem, o homem tem a força e a vontade de fazer as coisas, mas ainda não sabe. Quando fica mais velho e já sabe fazê-las, seu maior inimigo é a preguiça.

Curtia sua casa da rua Peri. Seu cuidado era tanto que, para não machucar as avencas do muro de entrada da garagem, deixava o carro na rua. Gostava de uma decoração muito simples, misturando o moderno com alguns móveis coloniais brasileiros. Acordava cedo, ficava de pijama, estudando e tocando piano. Via os pássaros tomando banho no laguinho do pátio interno. Atendia a todos os telefonemas, e depois de atender, se queixava. Mas quando Ana lhe pedia alguma coisa, ele dizia:

— *Your wish is my desire!*

Almoçava muitas vezes em casa. De tarde voltava ao piano. Ao anoitecer, os sapos começavam a cantoria. Os amigos chegavam.

A vida corria tranqüila.

Tom gostava de dizer que a placa de seu carro era gaga: EE 0099. Saindo de casa à noite, foi detido na calçada por dois homens. Um deles sacou a arma e apontou-a para Tom. A mão do assaltante tremia. Percebeu claramente seu nervosismo. Procurou ficar completamente imóvel. Revistaram-no, sua capanga foi aberta e seu dinheiro retirado. Tudo em questão de segundos. Os dois saíram correndo.

Tom voltou para casa e contou o assalto. Tinha perdido a vontade de sair. Disse que o mais assustador foi o medo que transparecia na fisionomia dos homens. Arrematou:

— Eu tenho medo de quem tem medo.

Recebe o prêmio Shell, como o melhor compositor popular do ano, num belo espetáculo para 1.400 convidados, na Sala Cecília Meirelles. Sobe ao palco acompanhado por Olívia Byngton e Radamés Gnatalli. No início de sua carreira, Tom ganhou muitos prêmios como arranjador. Agora, os prêmios são para o compositor Antonio Carlos Jobim.

Seria o início de uma série de homenagens. O reconhecimento de uma vida de trabalho em prol da música popular brasileira. Suas canções levaram o nome do Brasil ao estrangeiro. A tal ponto que o grande ator inglês Peter Sellers declarou ao jornal *The Sunday Times*, de Londres, que a música de Antonio Carlos Jobim estava entre as dez coisas de maior classe do mundo.

Os amigos que viajavam para a Europa, Estados Unidos, Japão, nos lugares mais distantes, voltavam e falavam com Tom da satisfação de terem matado as saudades do Brasil ouvindo suas músicas em bares, teatros, táxis, em todos os cantos do mundo. Tom ouvia sério, mas os que o conheciam bem, percebiam o seu orgulho e sua satisfação.

No final de 1983, foi convidado a passar férias na Bahia com Ana e João. Tom tinha receio e desejo de ir à Bahia, um sentimento indefinido, místico. Mas foi.

Comemoraram o *reveillon* na casa do grande escritor Jorge Amado e sua mulher Zélia, no Rio Vermelho, em Salvador. Lá encontraram Fernando Sabino, sua mulher Lígia Marina, Heloísa Ramos, viúva do escritor Graciliano Ramos, o talentoso pintor Carybé, inúmeros convidados e toda a família de Jorge e Zélia. Experimentaram as melhores comidas baianas feitas por Zélia.

Aproveitam para ir ao encontro de Caetano Veloso e sua mulher Dedé, no bairro de Ondina. Tom e Caetano tocam e cantam noite a dentro. Tom mostra a Caetano o quanto gosta de uma de suas primeiras composições: "Coração vagabundo". Caetano afirma que "Chega de saudade" foi o maior acontecimento estético de sua vida. Um dos momentos mais importantes da cultura brasileira. Diz também que os arranjos de Tom para os três primeiros discos de João Gilberto nunca foram igualados. Que todos os arranjadores do mundo respeitam e mantêm as mesmas linhas melódicas que Tom criou.

Afirma, de modo inteligente, "para que a música seja boa é preciso que o músico seja grande — mas também que o ouvinte não seja pequeno".

Confessava intimidar-se na presença de Tom:

— Ele estava sempre, com suas brincadeiras e ironias, como quem está "desbaratinando" a própria solenidade da sua existência. Se desmistificando. Estava sempre fazendo graça para poder conviver com a monumentalidade da pessoa dele. E para que as outras pessoas conseguissem conviver com ele.

Nessa temporada na Bahia — que afinal Tom apreciou — combinaram que Caetano iria apresentar Tom e Ana à Mãe Menininha, ialorixá do candomblé, no terreiro do Gantois. Já bem idosa, sentada em seu quarto, conversava muito. Tom aproveitou a oportunidade, já que estava com dor de dente, para sentar-se no chão ao lado de Mãe Menininha e colocar a mão dela sobre sua face. Ela olhava para Caetano e perguntava se Tom era estrangeiro. Caetano ria e dizia que não. Que ele era do Rio de Janeiro. Mãe Menininha disse que Ana era muito velha, filha de "Nanã" e a beijou na mão. Depois do encontro encerrado, Tom reclamou com Caetano que a sua dor de dente não tinha passado.

Caetano declarou que foi muito importante, muito auspicioso, para a geração dele, conviver com Antonio Carlos Jobim:

— Chico fez obras-primas com ele. Era um trabalho estimulado, em vez de esmagado, pela grandiosidade da figura do maestro. Quando se pensa na história da evolução de uma arte, o ouro está no passado. Nos anos 30, tivemos figuras gigantescas na música brasileira. Mas Tom, sendo contemporâneo de uma geração anterior à nossa, conviveu com a nossa geração. Era o ouro presente. Ele era melhor do que os melhores. Ele era maior do que os maiores. Era o maior de todos.

Muitas vezes, indo para Poço Fundo, Tom e Ana, Helena e Manoel, paravam no Gota D'água, pequeno restaurante em Teresópolis, de Ivan Matta

Machado. Ficava na praça de Santa Thereza D'Ávila. Sentados no restaurante, viam os pombos voando em torno da igreja. Na hora do ângelus, os enormes vitrais coloridos se iluminavam, acesos pela luz interna da igreja.

Ivan era economista e sua mulher, Márcia, professora de literatura. Em certo momento de suas vidas, resolveram parar tudo o que faziam, deixar o Rio e irem para a cidade serrana, tentar vida nova.

No aconchego do ambiente, as paredes repletas de retratos ou textos de artistas, inclusive um pôster grande de Pixinguinha, sentado em uma cadeira de balanço, seu rosto bom sorrindo.

O prato famoso da casa eram as trutas, criadas por Ivan em seu sítio. O antepasto era sempre delicioso: queijos da Escola de Friburgo, amendoins grandes tostados, batatas miúdas em conserva, torradas de alho com queijo parmesão. Batidas de todas as qualidades, feitas em casa. E a cerveja sempre bem gelada. Márcia e Ivan sentavam-se à mesa, e começava a conversa interessante. O duelo amável entre Ivan e Tom, ambos com memória colossal, dizendo versos de Rimbaud, Baudelaire, T.S. Eliot, Drummond, Bandeira, Fernando Pessoa.

E lá se ia a tarde e chegava a noite, mas a conversa não parava. As graças e o riso. E quando algum outro freguês habitual aparecia, ouvia também os poemas, batia palmas, imediatamente incorporado ao grupo.

Uma tarde, passou pela rua um carro de som, tocando bem alto uma música, cujos versos diziam que "o pescador gosta mais da rede que do mar". Ivan se mostrou irritado com o barulho interrompendo a conversa, e disse para Tom que, além disso, aqueles versos eram sem sentido. O pescador não pode gostar mais da rede que do mar. Tom riu e disse que não, que o verso tinha muito sentido sim. Ivan nunca discutia com Tom. Mas dessa vez ficou curioso:

— Como é que um pescador pode gostar mais da rede que do mar?

Tom, rindo, disse:

— Mas é que ele está falando da "Rede" Globo!...

Ainda em 1983, participa, com Chico Buarque, da trilha sonora do filme de Miguel Faria, *Para viver um grande amor*. Satisfeito, desengaveta de sua memória a valsa "Imagina", composta quando ainda era um rapaz e estudava com Lúcia Branco.

Paulo Jobim, que além de músico talentoso era também um excelente arquiteto, fez com a arquiteta Maria Elisa Costa o projeto da casa de Tom e Ana. Observaram cuidadosamente na planta todas as minúcias que Tom desejava.

A obra já ia adiantada. Quando a estrutura ficou pronta, Tom percebeu que o pé-direito dos quartos era baixo para o seu gosto.

Isso bastou para que ficasse obcecado, e começasse a se queixar sobre possíveis desconfortos. Dizia que o teto baixo ia esquentar sua cabeça, e que não poderia tirar a camisa sem bater com as mãos no teto.

Ia para casa de Chico Buarque, e no seu estúdio, levantava os braços, pulava, e dizia para Chico que queria no quarto uma altura para poder desembainhar a espada e gritar "independência ou morte", sem que a espada batesse no teto. Senão não ia haver independência. Que montado em seu cavalo não poderia tirar o chapéu para cumprimentar os que passassem. Algumas vezes Chico estava dormindo. Quando acordava, a empregada só dizia:

— Ele hoje esteve aqui de novo.

Tom procurava soluções para sua aflição. Depois de muito perguntar, resolveu o problema de forma pouco ortodoxa. Mandou levantar a laje com 32 macacos hidráulicos. Um risco total. Mas levantaram e a escoraram imediatamente. Deu certo. Todos ficaram aliviados com o fim da aventura.

Pouco depois vai para Nova York tratar de seus negócios. Agora sempre no verão, para fugir do frio que não suporta mais. Volta em três meses, e já em 1984 é nomeado conselheiro cultural do Estado do Rio de Janeiro pelo antropólogo e vice-governador Darcy Ribeiro.

Antonio Carlos Jobim torna-se o segundo conselheiro da família Jobim. E olhando a medalha com a figura de José Martins da Cruz Jobim, que deixava em cima de seu piano, pensa em seu antepassado, conselheiro do Império e fundador da Escola de Medicina do Rio de Janeiro.

Tom continuava a ser assediado para se apresentar em vários países do mundo. Até que aceitou se apresentar em Viena. O maestro Peter Guth telefonava sempre para ele, para combinarem a apresentação. Tocaria acompanhado da Orquestra Sinfônica de Viena. Isso o preocupava. O fato de tocar com uma orquestra que talvez não tivesse intimidade com a música brasileira. Falou com Peter e disse que levaria o cantor e flautista Danilo Caymmi e também seu filho Paulo Jobim, que tocaria o violão. O maestro aceitou e começaram os ensaios. Mas Tom, sempre pensando na platéia austríaca, não estava ainda satisfeito.

Resolveu chamar o baixista Tião Neto e o baterista Paulo Braga. Achava que assim suas músicas e sua voz teriam mais apoio para as apresentações. Novamente, falou com o maestro Peter, e ele aceitou que Tom levasse mais dois músicos. Mas em se tratando de tocar com uma orquestra, sentia falta dos metais. Seria impossível levar tanta gente para Viena.

Em um dos ensaios, olhou para Ana e disse:

— Vem cantar comigo.

A voz de Ana deu vida nova ao conjunto. Tom percebeu que o caminho estava certo. Trocar os metais por vozes. Complementar os arranjos.

Na mesma noite, chamou sua filha Beth para cantar no ensaio do dia seguinte. Simone, mulher de Danilo Caymmi, que sempre acompanhava o marido aos ensaios, também foi convidada. Estava pronto o coro. Danilo deu de presente a Tom duas guias do candomblé para protegê-lo. Disse que devia usá-las sempre no pescoço. Uma era de Oxalá, de contas brancas. A outra, azul-turquesa, de Oxóssi, o dono da floresta.

Tom, de novo, liga para o maestro Peter que, depois de muita argumentação, aceita que leve com ele mais seis músicos brasileiros. Estava criada a Banda Nova, que faria sucesso durante dez anos, tocando pelo mundo inteiro.

Viajaram para Viena e tocaram com a ORF Sinfonietta, no Wienner Konzerthausgesellschaft. A apresentação foi um sucesso tão grande, que repercutiu em toda a Europa. Foram chamados imediatamente para fazer mais dois *shows* em Roma.

Em outubro, com uma apresentação no Teatro Municipal do Rio de Janeiro, Tom convida os últimos elementos que comporiam definitivamente a Banda Nova: o violoncelista Jacques Morelenbaum, sua mulher Paula e Maúcha Adnet.

Tom gostava muito de ensaiar a Banda em sua casa, num ambiente descontraído e engraçado. João Francisco vibrava ao assistir aos ensaios. Gostava especialmente de "Gabriela" e "Águas de março". Mas quando ouvia o ritmo de "É na corda da viola..." vinha correndo. Tom era exigente com o coral. Fez com que as cantoras procurassem a competente professora Heloísa Madeira. Com ela, aprimoraram suas vozes.

A casa nova estava pronta. Imediatamente a família se mudou para lá. Podiam agora usufruir do frescor da reserva florestal da Mata Atlântica. De praticamente todos os cômodos da casa, tinham a vista deslumbrante da lagoa Rodrigo de Freitas, seu grande amor, que Tom fazia questão de chamar pelo nome original de Sacopenapã. O Corcovado, com a estátua do Cristo Redentor, e todos os morros que conhecia tão bem.

E a praia de Ipanema, banhada pelo grande mar das safiras.

No final de 1984, sua casa de Poço Fundo estava cheia de amigos. As crianças na piscina gritavam de alegria e, na varanda, Nininha servia pastas com temperos picantes que Ana comprava no Rio, especialmente para servir aos amigos. E sempre a cerveja gelada da barraca do Joel, que Silas trazia sorridente. Tom estava eufórico. Entrava e saía da casa, sentava-se ao piano, tocava alguns acordes, voltava para a varanda.

De repente chamou todos para junto do piano. Começou a tocar e cantar uma música nova: "Passarim". Emocionado, arrepiado nos braços e no pescoço, tocava e ensinava letra e música para os que o cercavam. Aos poucos, o canto tomou conta da casa, e num crescendo, todos acabaram aprendendo e cantando: "Passarim quis pousar, não deu, voou / porque o tiro feriu mas não matou / passarim me conta, então me diz / por que é que eu também não fui feliz / cadê meu amor minha paixão / que me alegrava o coração / que iluminava a escuridão..."

Quando o disco ficou pronto, desta vez foi sua filha Elizabeth quem fez o belo desenho da capa.

Volta, agora com sua Banda, ao templo sagrado da música em Nova York, onde começou sua carreira nos Estados Unidos. Carnegie Hall. Canta com sua voz delicada, dominando perfeitamente suas músicas, diante de um público de 3 mil pessoas. No final do *show*, a platéia ovacionou-o por longo tempo. No dia seguinte, a crítica norte-americana foi unânime em elogiá-lo. O crítico George W. Goodman do *New York Times* falou, entre outras coisas, "do aparecimento e da influência da Bossa Nova na música popular americana".

Voltando ao Rio, teve o dissabor de ser acusado pela imprensa de ter vendido sua música "Águas de março" para a Coca-Cola. Nunca se sentiu tão ofendido. E para a família, exaltado, queixava-se da deturpação usada para acusá-lo:

— Ninguém no mundo pode vender uma música. O autor faz a música e ela é dele para toda a eternidade. É muito diferente de eu ter cedido, por um tempo, minha música para um anúncio da Coca-Cola! Se eu quisesse ganhar dinheiro com anúncio, teria vendido toda a minha obra para as fábricas de cigarros. E olhem que as ofertas foram muito altas. Mas por uma questão de consciência, jamais aceitei fazer anúncio de cigarro.

E acrescentou, tristonho:

— O Brasil não ama seus artistas...

Já mais sereno, quando um repórter telefonou para ele perguntando sandices, retrucou irônico:

— Mas eu pensei que os brasileiros gostassem de tomar Coca-Cola...

E ainda nesse ano de 1985 recebe muitas consagrações. Sua "Sinfonia de Brasília", feita com Vinícius de Moraes, é tocada na praça dos Três Poderes, em Brasília, com seu grande amigo Radamés ao piano e seu outro mestre Alceu Bocchino regendo. Ainda lá, recebe do governo francês o título de Grand Commandeur des Arts et des Lettres, pelas mãos do ministro da Cultura da França, Jaques Lang.

Participa como convidado do Festival de Montreux, na Suíça, e escreve a música "Pato preto", para um documentário norueguês sobre as brincadeiras de crianças de todo o mundo.

Faz a trilha sonora do filme *O tempo e o vento* baseado no romance homônimo de Érico Veríssimo. Ronaldo Bastos faz a letra da música "Um certo capitão Rodrigo". Tom faz outra trilha, dessa vez para o filme *Fonte da Saudade*, de Marco Altberg, roteirizado por Júlia Altberg, baseado no livro de sua irmã, *Trilogia do assombro*.

E volta a se queixar que seu navio está muito grande e muito pesado:

— Trabalho mais do que mereço!

Mas sempre sobrava tempo para um dedo de prosa no bar da Cobal do Leblon, ou para uma ida à Universidade do Chope. Pontualmente, às treze horas, entrava na Plataforma. Esta tinha se tornado sua segunda casa. Gostava de estar ali com seus amigos inseparáveis, os atores José Lewgoy e Antônio Pedro, o escritor João Ubaldo, o cineasta Miguel Faria, o corretor de seguros e grande boêmio Geraldinho Dutra e Alberico Campana. Este italiano, de Ascoli Piceno, dono de várias casas noturnas desde os idos de 60, sempre foi um cúmplice de Tom. Quando ele queria beber escondido, um garçom levava seu chope no banheiro. Na mesa, colocava dois copos em sua frente: um com refrigerante, outro com chope. Em caso de perigo, empurrava o chope para junto do prato de Alberico e ficava apenas com o de refrigerante. Quando alguém perguntava que bebida estava tomando, Tom respondia, levantando o copo para o curioso:

— Experimenta. É Coca-Cola!

Só muito tempo depois, Ana soube dos truques. Mas aí já era comadre de Alberico...

Tom tratava de negócios, dava entrevistas, trocava dólares na Plataforma. E tudo mais que quisesse. Alberico, Ratinho ou Esquerdinha, atendiam seus pedidos. Até dos chatos eles o livravam.

Tom inventou que esse roteiro — Cobal, Universidade do Chope, Plataforma — era o seu "Triângulo das Bermudas".

Foi na casa nova que Tom e Ana decidiram se casar. Às quatro horas da tarde ele telefonou para Marco Altberg:

— O que é que você vai fazer hoje?

— Nada de muito importante.

— É que Ana e eu vamos nos casar às sete horas. Gostaríamos que você e Juju fossem as testemunhas. A juíza vem aqui.

E assim foi. No dia 30 de abril de 1986. Desse jeito simples, como eles quiseram. João Francisco assistiu ao casamento dos pais. Depois, champanha, flores, muita alegria.

Em maio, perde prematuramente seu primo-irmão, Marcello Madeira. Tinha apenas 49 anos. Entristecido, Tom lembra-se muito dele em Poço Fundo, quando vinha caminhando pela estrada até sua casa, tocando flauta doce e inundando o vale com seus sons. Exímio flautista, fazia as próprias flautas em sua casa de Poço Fundo. Marcello, além de químico, foi com sua mulher Heloísa, o fundador do conjunto de música renascentista Kalenda Maia.

E lembra de sua mãe e de sua tia, cabeças completamente brancas, viajando sozinhas para Poço Fundo, revezando-se na direção do carro, acompanhadas por Natasha, uma enorme cadela pastora belga, negra, que latia para cada caminhão que passava.

Lúcia, irmã mais nova de Marcello, tentava consolar a mãe. Yolanda retrucava:

— Depois de perder marido e filho, nada mais me comove nesta vida.

Aceita o convite para se apresentar em três *shows* na Califórnia. Um na Vitivinicultura Paul Masson, outro na Vitivinicultura Robert Mondave, durante o dia, em conchas acústicas. Em Los Gatos, onde estão hospedados, Ana constata que está novamente grávida. Tom fica radiante.

Seguem para Los Angeles, onde se apresentam no Greek Theater. Andando pelas ruas, com o pessoal da Banda, Tom apontava um bueiro:

— Quando comecei minha carreira, eu morava ali. Quando tinha que entregar uma partitura, era só esticar o braço para fora, que eles apanhavam minha música e levavam para gravar.

O ano inteiro de 1986 continuou sendo de muitas atribulações. Tom, como sempre, querendo ser solícito com todos, vivia um período difícil. Sentia-se cansado, trabalhava demais. Choviam convites para se apresentar fora do país. Ele recusava excelentes propostas.

Quem sofria com isso eram os integrantes da Banda, e principalmente sua amiga e empresária Gilda Mattoso. Quando ela apresentava uma proposta de trabalho a Tom, ele não dizia nem que sim, nem que não. Ficavam todos em suspense, esperando sua resposta. Era uma luta.

Quando finalmente concordava, era outra luta para assinar os contratos. Detestava aquela papelada, pedia para Ana ler e dizer se podia assinar ou não. Discutia com ela, por alto, as cláusulas do contrato. Fazia perguntas-chave. Sabia de tudo, mas era uma espécie de superstição sua.

Ainda em 1986, Tom parte finalmente para uma *tournée* no Japão, levando sua Banda Nova. Os *shows*, concorridíssimos, dão a ele uma mostra de como sua música era admirada no Japão. Fica fascinado com aquele país tão diferente, seus mosteiros, suas esculturas, seu povo.

Muitas das viagens pelo Japão eram feitas de trem-bala. Em uma delas, um dos integrantes da Banda viu uma vaca, coisa rara por lá. Gritou:

— Uma vaca!

E a Banda inteira se debruçou na janela, para ver a figura insólita de uma vaca no Japão.

Saudades do Brasil, com certeza.

Trabalha em músicas novas. Seu lindo "Anos dourados" ganha letra de Chico Buarque, um referencial para a juventude dos anos 50. O bolero enleva a todos, e se torna imediatamente outro grande sucesso, sendo utilizado na minissérie homônima de Gilberto Braga, escrita para a TV Globo. Na mesma época recebe a Medalha do Mérito de Brasília.

No final do ano, fica preocupadíssimo com sua mãe. Nilza, caminhando com Yolanda pelas ruas de Ipanema, sofre um enfarte.

1987. Ana e Tom planejavam uma grande festa para o dia 25 de janeiro, quando ele completaria 60 anos.

Poucos dias antes de seu aniversário, Nilza, já totalmente recuperada do enfarte, decide, contra a vontade de Tom e Helena, dispensar a enfermeira que a acompanhava. Ao se levantar do sofá para sentar-se à mesa de almoço com Yolanda, teve uma tonteira, caiu e fraturou o fêmur.

Era domingo, e foi difícil encontrar o médico e amigo da família, Almir Joaquim Pereira. Levaram-na para o hospital. Ela sentia também dores fortes no ombro. Foi constatada, além da fratura do fêmur, uma fissura na omoplata. Aplicaram-lhe uma anestesia raquidiana. Mas durante a operação, queixou-se de muitas dores no ombro. Tiveram que lhe dar anestesia geral.

No mesmo dia, já no quarto, percebia-se que ela se encontrava completamente confusa. Só pôde voltar para casa dois meses depois.

Nunca mais foi a mesma. Tom e Helena dispensaram a ela todos os cuidados, mas sua recuperação foi impossível.

Angustiado com o estado de saúde da mãe, Tom não aceitou qualquer comemoração no seu aniversário.

Nilza tinha nessa ocasião 77 anos. Yolanda, prestes a completar 80 anos, não tinha condições de acompanhá-la. Tom e Helena se encontraram para decidir como cuidar da mãe. Resolveram, juntos, que ela passaria a morar com Helena e Manoel.

Tom contratou fisioterapeutas e enfermeiras para ajudar Helena a cuidar da mãe.

No dia 20 de março de 1987, nasce Maria Luiza Helena Lontra Jobim, "minha última paixão", como Tom dizia. Helena e Simone assistem à cesariana. Era uma menina linda, de feições mimosas. Antes de levar Ana para a maternidade, Tom senta-se ao piano e começa a tocar. Almerinda, babá de três gerações na família, entra no estúdio e diz carinhosamente:

— Pois é Tom, quantas vezes mais você vai passar por isso?

Tom ri, emocionado. Maria Luiza é registrada num cartório de Copacabana. Chamam para testemunhas Helena e Alberico. Tom decide homenagear a irmã, colocando na filha o nome de Maria Luiza Helena.

O batismo religioso foi no Mosteiro de São Bento. Os padrinhos convidados, Danilo Caymmi e Helena.

Vinte dias depois do nascimento de sua caçula, Tom embarca com Jacques Morelenbaum para Nova York, para mixar o disco *Passarim*. Em setembro, lança o disco no Brasil.

Vera Alencar e Jairo Severiano produzem para a CBPO um álbum (livro e disco) para ser distribuído como brinde pelo grupo Odebrecht.

Tom diz que só faria esse disco se as gravações fossem no estúdio de sua casa. Vera e Jairo concordam e, mais do que isso, proporcionam a ele tudo o que deseja para o disco.

Tom e a Banda fazem as gravações. Quando ele ouve o disco, fica felicíssimo com o resultado. Confidencia aos mais chegados que este é um dos seus melhores trabalhos.

Volta a Nova York para participar do Jubileu de Prata da Bossa Nova. Sente-se cada vez mais cansado de tantas viagens. Abalado com as perdas que teve na família e com o estado de saúde da mãe.

Comparece ao *show* de Chico Buarque e Caetano Veloso na televisão. No mesmo programa, apresenta-se Astor Piazzolla, o modernizador do tango.

Antes de se mudar para Nova York faz, com sua mulher, o *Ensaio poético*. Esse livro foi produzido em tempo recorde pelos dois. Ficou pronto em quatro meses, com textos de Tom e fotos de Ana.

Cada vez mais, Tom se aproxima da literatura. Nesse livro, escreve alguns textos em prosa e verso. No longo poema "Chapadão", ele fala de modo peculiar sobre sua casa, sua mulher, a literatura, a música. Fala do jereba, da natureza, dos pássaros, da ecologia, do amor e da amizade, da solidão, da vida e da morte. Escreve, enfim, sobre seus valores essenciais:

Vou fazer a minha casa
No alto do Chapadão
Vou levar o meu piano
Que ficou no Canecão

Vou fazer a minha casa
No alto do Chapadão
Vou levar a don'Aninha
Pra me dar inspiração

Vou fazer a minha casa
No alto de uma quimera
Vou criar um mundo novo
Inventar nova megera

Vou fazer a minha casa
Com largura e comprimento
E peço a Paulo uma sala
Pra botar Aninha dentro

Vou botar minha biruta
No taquaruçu de espinho
Vou fazer cama macia
Pra te amar devagarinho

Seremos dois belezudos
Neste mundo de feiosos
As noites serão tranqüilas
E os dias tão radiosos

Quero minha casa feita
Com régua prumo e esmero
Quero tudo bem traçado
Quero tudo como eu quero

Quero tudo bem medido
De largura e comprimento
Não quero que minha casa
Me traga aborrecimento

Vou fazer a minha casa
Do alto de uma canção
E agradecer a Deus Pai
A sobrante inspiração

Sob a axila do Christo
Neste sovaco christão
Vou fazer a minha casa
No alto do Chapadão

E vou dar festa bonita
Com bebida e com garçon
E ao Lufa que foi amigo
Dou champagne com bombom

Vou fazer a minha casa
No centro do ribeirão
Quero muita água limpa
Pra lavar meu coração

Minha casa não terá
Nem sábado nem domingo

Todo dia é dia santo
Todo dia é dia lindo

Todo dia é sexta-feira
Sexta-feira da paixão
Vou convidar Alberico
Para o peixe com pirão

E dentro da minha casa
Nunca vai juntar poeira
Pelo meio dela passa
Uma enorme cachoeira

Quero água com fartura
Quero todo o riachão
Quero que no meu banheiro
Passe inteiro o ribeirão

Quero a casa em lugar alto
Ventilado e soalheiro
Quero da minha varanda
Contemplar o mundo inteiro

Vou fazer o meu retiro
*Na grota do chororão**
A minha casa será
Uma casa de oração

Vou me esquecer do pecado
Entrar em meditação

* Inhambu-chorão.

E não saio mais de casa
Só saio de rabecão

Vou entrar pra Academia
Vou comer muito feijão
E acordar à meia-noite
Pra vestir o meu fardão

Mas na minha Academia
Sem chazinho e sem garçon
Só entra Mário Quintana
Só entra Carlos Drummond

Que já chega de besteira
Já basta de decoreba
Que a cultura verdadeira
Tá na asa do jereba

Porque tem urubu-rei
E tem urubu-ministro
Dois de cabeça amarela
E um preto que registro

Registro neste debuxo
Os dois condores também
Embora urubus de luxo
Têm direitos no além

Sob a axila christã
Neste sovaco christão
Vou fazer de telha-vã
A casa do Chapadão

Vou dormir meu sono velho
Neste sovaco do Christo
Vou comprar muito sossego
Vou regar o meu hibisco

Vou viver na minha casa
Vou viver com a minha gente
Vou viver vida comprida
Pra não morrer de repente

Vou contemplar grandes pedras
Vazio de compreensão
Vou esquecer o meu nome
No alto do Chapadão

Vou plantar um roseiral
Vou cheirar manjericão
Vou ser de novo menino
Vou comprar o meu caixão

E vou dormir dentro dele
Bem relax tranqüilão
Dormir de banho tomado
Já pronto para a extrema-unção

Vou fazer a minha casa
No alto do cemitério
Vou vestir a beca negra
E exercer o magistério

Vou vestir a roupa lenta
Que leva ao desconhecido

E eis que chego aos sessenta
Como um homem sem partido

Nesta passagem de vento
Nesta eterna viração
Vou fazer a minha casa
Com as pedras do ribeirão

Vou fazer a minha toca
No bico d'urubutinga
No pico da marambaia
Lá na ponta da restinga

Será no rastro das antas
Na trilha da sapateira
Que é pra onça do telhado
Cair dentro da fogueira

Que eu gosto de onça assada
Mas na brasa da lareira
Conversando ao pé do fogo
A conversa rotineira

Das queixadas dos macucos
Conversa pra noite inteira
Da memória das caçadas
Na floresta brasileira

Deste planalto central
Este projeto christão
A ninguém faltará teto
A ninguém faltará pão

Desta prancheta ideal
Na luminosa manhã
Dr. Lúcio faz o risco
Do projeto telha-vã

Nesta oficina serena
Carpintaria christã
Dr. Lúcio mais Oscar
No projeto telha-vã

Neste canteiro de obras
Onde manda mestre Adão
Os milhares de operários
Colocar as telhas vão

Neste desvão principal
Nesta branca e azul manhã
Vou erguer a minha casa
De vermelha telha-vã

Vou fazer a minha casa
No meio da confusão
Que o jereba se alevanta
No olho do furacão

Vou fazer a minha casa
Na asa d'urubu peba
Que casa só é segura
Feita em asa de jereba

Vai ser na vertente seca
Na virada da chapada

Onde o peba se suspende
Na fumaça da queimada

Não quero mais ter galinha
Vendo toda a capoeira
Vou mandar cortar o mato
E vender toda a madeira

Mas quem pôs fogo no mato?
É espontânea a combustão?
Esse fogo vem de longe
Esse fogo é de balão

Inda que mal lhe pergunte
Esse fósforo aí grandão
O compadre me desculpe
É só de acender balão?

Vou botar fogo no mato
Comandar rebelião
Incendiar a floresta
Tacar fogo no sertão

E o urubu de queimada
Vai surgir na ocasião
Pra comer todas as cobras
Sapos ratos pois então!
Caracóis e lagartixas
e todos bichos do chão

Urubu santo lixeiro
Tu és da Comlurb então?

Trabalhando o ano inteiro
Tem décimo terceiro não?

Camiranga meu amigo
Obrigado meu irmão
Que limpa toda sujeira
Desse povo porcalhão

Q'inda por cima te xinga
De feioso e azarão
"Doação ilimitada
*A uma eterna ingratidão"**

E vou viver no deserto
Quero o ar puro do sertão
Não quero ninguém por perto
E nem que passe avião

Não pode ter venda perto
Nem estrada de caminhão
Não quero plantas nem bichos
Nem quero mulher mais não

Quero vestir meu pijama
Smith e Wesson na mão
Quero ler na minha cama
Papo-amarelo no chão

As histórias do corisco
Vividas nesse sertão

---

* Carlos Drummond de Andrade.

Que Sérgio Ricardo e Glauber
Cantavam ao violão

"Eu não sou passarinho
Pra viver lá na prisão
Não me entrego ao tenente
Nem me entrego ao capitão
Eu só me entrego na morte
De parabelum na mão"

Minha casa é por aí
É no mundo monde mondo
Que eu só durmo no sereno
Quem faz casa é marimbondo

Vou cerzir a minha asa
Na casa do Sylvio então
Pra voar que nem jereba
Bem longe do Chapadão

Vou vender o meu pandeiro
Vou levar meu violão
Favor mandar meu piano
De volta pro Canecão

Vou-me embora vou-me embora
Aqui não fico mais não
Adeus minha bela morena
Vou pegar meu avião

Adeus minha roxa morena
Minha índia tupiniquim

O meu amor por você
É eterno até o fim

Não quero partir chorando
Já tá tudo tão ruim
Não chore meu bem não chore
Não me deixes triste assim
Adeus minha moreninha
Não vá se esquecer de mim

Mas não vou ficar solteiro
Você pára de chorar
Que com a sobra do dinheiro
Mando logo te buscar

Avião papa jereba
Passa mal e cai no chão
Avião foge do peba
Peba derruba avião

Por favor seu urubu
Me deixe passar então
Não entre em minha turbina
Não derrube o avião

Eu já tô tão tristezinho
E tantos outros já estão
Não derrame meu uisquinho
Não abata meu jatão

Vou-me embora desta terra
Meu desgosto não escondo

O afeto aqui se encerra
Quem faz casa é marimbondo

Vou-me embora vou-me embora
Você não me leve a mal
Se Deus quiser fevereiro
Venho ver o carnaval

E não quero mais ter casa
Precisa de casa não
Quem tem casa é marimbondo
Minha casa é o avião

Telefonei pro aeroporto
Não tinha avião mais não
Vou fazer minha viagem
Na asa do peba então
(Acho asa de jereba
Mais segura que avião)

Este poema não deixa de ser seu auto-retrato.

Vai para Nova York, levando Ana e seus dois filhos. Moram durante três anos no apartamento que compraram. Do vigésimo segundo andar, a vista é deslumbrante. Tom havia escolhido este ponto, muito em função disso. De seu novo referencial, seu olhar abrangia, de um lado, os majestosos e famosos prédios de Nova York. De outro lado, o Central Park, repleto de árvores, lago, pássaros que ele passou a conhecer, fazendo sempre comparativos com os pássaros brasileiros.

As cores e a queda das folhas, a neve, a exuberância das flores marcavam nitidamente as estações do ano. Dizia, minimizando a imponência do parque, que aquilo era a caixa d'água da cidade. Olhava o vôo dos falcões, dos gaviões, e a fuga apressada dos pombos.

O pôr-do-sol, passando do cor-de-rosa ao vermelho, ao roxo e, logo depois, o escuro profundo da noite. A cidade se iluminava inteira, mosaico de vidro faiscando, e a ponta acesa do Empire State Building. A sala grande, de visita e de jantar, servia também de estúdio para Tom. O piano de cauda Steinway, e ao fundo as duas prateleiras com muitos livros, dicionários, retratos e CDs.

Toda manhã, Ana saía para seu curso de fotografia. Aprendia muito. Era do que ela gostava. Tom se preocupava excessivamente com Lulu. As diferenças de temperatura, o ar quente ou o ar frio ligados. O aparelho de vapor para umidificar o ambiente. Quando queria fumar um charuto, ia sentar-se na escada de serviço do andar, para não prejudicar os filhos com a fumaça.

João voltava cedo do colégio. Durante anos havia sido filho único. Por coincidência, Tom também tivera um casal de filhos no primeiro casamento e a diferença de idade de Paulo e Elizabeth era a mesma entre João e Maria Luiza: sete anos. João Francisco possuía um senso de humor muito parecido com o de seu pai. Mas diferente de Tom, que fora uma criança contemplativa, João era agitado e intenso. Tom gostava de fazer programas com o filho. Levava-o ao cinema, ao jardim zoológico e juntos soltavam pipa no Central Park. Ensinava sobre os pássaros ao filho e fazia João prestar atenção às diferenças das estações do ano, no hemisfério Norte. Mas João queria sempre voltar a morar no Brasil.

Mal tinha chegado a Nova York, ainda em 1988, Tom teve a honra de receber da BMI, sua arrecadadora desde 1959, o título de Grande Artista e Compositor, e, logo em seguida, o Diploma de Honra da Inter American Music Council, para artistas das três Américas.

As notícias do Brasil são auspiciosas. Seu disco *Passarim*, com vendagem excepcional, ganha o Disco de Ouro.

E nasce, no dia 22 de março de 1989, Isabel Canetti Jobim, filha caçula de Paulo e Elianne. Uma linda moreninha de olhos verdes, também afilhada de

Helena. Uma semana antes, Tom celebrara com um *show*, no Carnegie Hall, os 25 anos de "Garota de Ipanema".

Mas em novembro, um trágico acontecimento obriga-o a viajar imediatamente para o Brasil. A morte de sua mãe, que o mergulhou em profundo abatimento. Nilza morreu de pneumonia no dia 17 de novembro de 1989, três meses antes de completar 80 anos.

Tom disse para sua tia e madrinha, Yolanda, em uma das visitas que lhe fez:

— Você agora é a minha mãe.

Um mês depois, no Natal, seu tio e padrinho Marcello, irmão caçula de Nilza e Yolanda, falece aos 78 anos, de enfarte. Seu nome é lembrado até hoje nas rodas da boemia e no SESC e SENAC, onde foi diretor-geral por muitos anos. Sua mulher, Maria Lydia, viveria lúcida até os 91 anos, acompanhada por seus dedicados sobrinhos, Malu e Walmir, com quem ela e Marcello sempre moraram.

Tom sentia-se inseguro em relação a sua obra. Recebia os direitos autorais através de seu procurador e amigo Danilo Rocha. Mas sentia vertigens só de falar de dinheiro, contratos e negócios. Ana se preocupava com isso. Tentava organizar a vida do marido. Possuidora de grande objetividade, queria que Tom dirigisse a sua obra, tomasse consciência de seu grande acervo, e assim se valorizasse. Em 1990, depois de muito batalhar, Ana conseguiu centralizar toda a obra de Tom, criando uma editora de música: a Jobim Music. No início, dividiram um conjunto comercial com uma firma da eventos, Arvoredo, de duas grandes amigas: a escritora Jael Coaracy e Ana Lúcia.

O escritório ficava no edifício do Quartier de Ipanema e das janelas podia-se avistar um pedaço da paisagem da infância de Tom: a praça da Paz onde, menino ainda, cochilava nos bancos sombreados por oitizeiros, nos dias de calor intenso; e a igreja de Nossa Senhora da Paz, com suas torres destacadas contra um céu quase sempre azul.

Tom foi aos poucos se tranqüilizando. Com sua mulher tomando conta da firma, percebeu que podia viver perfeitamente de seus direitos autorais, sem precisar se desgastar em tantos *shows*. A advogada, dra. Sílvia Gandelman, foi chamada para orientar esse complexo universo. Elizabeth, a filha de Tom, também colaborou durante algum tempo, trabalhando na editora.

Devido à rápida expansão da Jobim Music, em pouco tempo necessitaram ocupar intregralmente todo o grupo de salas.

Ainda em 1990, Antonio Carlos Jobim é eleito membro da Academia Nacional de Música Popular Americana. Passa a integrar o Hall of Fame. Seu nome se junta aos maiores: Cole Porter, Gershwin, Irving Berlin e Michel Legrand.

A pedido de Tom e Ana, Helena viaja para Nova York para cuidar de João e Luiza, enquanto se apresentam com a Banda em *shows* na Europa. Em San Remo, divide o palco com Caetano Veloso, cantando juntos, no final, "Chega de saudade". Recebem o prêmio Tenco.

Quando Tom e Ana voltam, Helena ainda fica com eles uma semana. Uma tarde, na varanda pequena do apartamento, eles apreciavam o crepúsculo de Nova York por detrás dos altíssimos edifícios.

— Esse vermelho assombrado que eu sempre achei tão fantástico, a professora de inglês do João disse que é efeito da poluição...

E conta que, nos dias de muito vento, lembra-se de que foi ele quem escolheu o nome da filha: Luiza. Diz que esse nome tem vento nele. *L - u - i - i - z - z - z - a...*

Helena olha o irmão, e essa imagem ficará para sempre gravada em suas retinas: o definido perfil, recortado contra a luminosidade que se esvai. Ele continua a falar, um pouco alheado:

— Acho interessante... Azor teve quatro netos. Eu, você, Marcello e Lúcia. Marcello e eu nos tornamos músicos. Você e Lúcia seguiram a literatura. Ela é uma excelente poeta.

Era verão e anoitecia devagar. O céu agora estava todo roxo e só uma estrela brilhava.

— Quando a gente ama o que faz, encontra meios de realizar. O amor cria uma capacidade. Ao mesmo tempo, eu fico pensando...

O repentino vôo de um pássaro escuro rente à grade da varanda o interrompe. Com um gesto largo e um meio sorriso aponta a ave e cita Guimarães Rosa:

— O sertão está em toda parte.

Nessa semana, várias vezes, ouviu-se o som característico do fax: era Almir Chediak, checando dados para o *Songbook* de Tom que estava produzindo.

A BMI lança no mercado três CDs para festejar seus 50 anos de existência. É honroso para Tom verificar que nesses CDs estão sete músicas suas entre as mais ouvidas no mundo. "Garota de Ipanema" já havia ultrapassado a barreira dos 3 milhões de cópias vendidas.

As honrarias continuavam a ser concedidas a Antonio Carlos Brasileiro de Almeida Jobim.

De volta ao Brasil com a família, inaugura em São Paulo, com Chico Buarque e Milton Nascimento, a Universidade Livre de Música. Tom é nomeado reitor da Universidade e depois presidente do Conselho Diretor.

É chamado a participar de um *show* popular para comemorar os 426 anos de sua cidade. Na praia de Ipanema, na ponta do Arpoador, a praia de sua infância. O palco foi armado sobre a areia. Tom teve de mandar o piano para lá. O repasse do som para os instrumentos coube a Danilo Caymmi.

O público compareceu em massa. Parte dele sentado na areia, outra parte dentro d'água e muita gente ainda em cima das lajes de pedra do Arpoador. Uma lua grande no céu.

Todos iam ao delírio a cada canção tocada. O conjunto de músicas mostrava uma parte bonita da história de nossa cidade.

Quando Tom e a Banda tocaram o "Samba do avião", por coincidência, um avião da ponte aérea, faróis acesos, passou baixo sobre o palco. A emoção tomou conta de todos. Esta música parecia mesmo o hino da cidade do Rio de Janeiro.

Terminado o *show*, Antonio Carlos Jobim, comovido com a vibração do povo, foi ao microfone e declarou:

— Quando eu morrer, enterrem meu coração nas areias desta praia.

No dia 25 de janeiro de 1991, seu aniversário e aniversário da cidade de São Paulo, faz com a Banda Nova um *show* para 28 mil pessoas no ginásio do Ibirapuera. Esse *show* foi produzido por Roberto de Oliveira. Ele e sua mulher, a pintora Pinky Wainer, filha dos jornalistas Samuel Wainer e Danuza Leão, tornaram-se grandes amigos de Tom e Ana. O espetáculo foi maravilhoso. Na saída do ginásio, o carro de Antonio Carlos Jobim foi assediado de tal forma pelos fãs, que a polícia se viu obrigada a intervir para que o maestro pudesse voltar ao hotel. No final da noite, Tom foi homenageado pelos tios de Ana, Suzana e Michel Etlin, numa das mais famosas churrascarias de São Paulo.

Logo depois volta ao Rio e recebe da Universidade Estadual do Rio de Janeiro o diploma de doutor *honoris causa.*

Apresenta-se no Rio *Show* Festival, no Rio Centro, com Dorival Caymmi e família.

É convidado por Sting para tocar no Carnegie Hall, com objetivo de arrecadar fundos para a sua ONG, Fundação da Mata Virgem. Ao lado de Gilberto Gil, Caetano Veloso, Elton John e do próprio Sting. Foram convidados para esse *show* o cacique brasileiro Raoni e o cacique americano Redcrow.

Mas sua rotina de trabalho continuava pesada. Era obrigado a ir aos Estados Unidos com freqüência, como se fosse uma simples ida de sua casa ao escritório da Jobim Music.

Muitas vezes, na Plataforma, queixou-se a Alberico:

— O que desejo agora é ficar quieto no meu canto.

As grandes emoções de Tom variaram muito nesta época de sua vida. A paixão por sua filha Maria Luiza — Lulu, com seus misteriosos olhos verdes, cor de garapa, de açude, cor de chuchu, como Tom preferia chamá-los — era uma das maiores alegrias do seu cotidiano. Tinha também um prazer todo especial em conversar com João Francisco, alertá-lo sobre os perigos desta vida: álcool, cigarro, drogas. Não queria que ele andasse de motocicleta e dizia que quem corria era otário:

— As máquinas são pesadas e o corpo é frágil.

Costumava dizer:

— Eu me vejo muito no João.

Beth... Paulo... Tom sempre foi um pai agarrado aos filhos e orgulhoso deles. E o início da carreira de seu neto Daniel que pela primeira vez subiu ao palco, levando a marca das mãos do avô para as teclas do piano, e a semelhança de suas vozes.

Seu primeiro seguidor, o filho Paulo, também começou cedo a carreira. Tornou-se um profundo conhecedor de música, dono de extraordinária sensibilidade e autor de excelentes composições. Fazia arranjos para os discos do pai. Ao mesmo tempo, trabalhava um novo *Songbook* de Tom, fazendo as partituras corretas para piano e voz. Incentivou seu filho Daniel para a profissão mágica e difícil, derrubando de vez o ditado popular do passado que praguejava: "Deus te dê um filho músico."

Assim era a vida de Tom agora. Grandes sucessos, condecorações, e perdas irreparáveis. Seu dia-a-dia era tranqüilo e disciplinado: acordava muito cedo, saía para comprar o pão, na padaria Século XX em frente à TV Globo.

Tinha animadas conversas com sua sogra Dorita que também gostava de pesquisar a origem das palavras. E resolveu usar o anel de pedra escura que pertencera ao coronel Lontra, pai de Ana, por coincidência colega de turma do primeiro marido de Helena.

Dizia para Dorita, entre sério e brincalhão:

— Estou usando este anel para ver se imponho mais respeito nesta casa...

Depois do café lia as notícias, o sol já entrando brandamente no estúdio. Ia para o piano, fazia escalas, tocava músicas de outros autores, e compunha.

Quando Lulu acordava ia, logo depois do café, para o estúdio. Muitas vezes dançava inventando passos graciosos, acompanhada pelo piano do pai. Ele sorria, deslumbrado:

— É gênia! Essa menina é gênia!

Quando Luiza se cansava, sentava-se a uma mesa perto dele e desenhava.

Meses depois, contaria à sua tia Helena o sonho que tivera:

— Ele aparecia, sabe dindinha, e eu chegava perto dele e perguntava: onde é que você estava papai, que eu senti tanta saudade? E aí dindinha, ele me respondeu assim: "Nas cores, minha filha, eu estava nas cores..." E desapareceu sorrindo.

E João dizia:

— Ele era uma luz na nossa casa.

Às onze horas, Tom partia para o seu Triângulo das Bermudas. O melhor chope do Rio, segundo ele, na Universidade do Chope. A hora tranqüila daquele lugar. Contando histórias, gostava de dizer:

— No tempo em que eu era velho...

Depois, a Cobal. Às vezes comprava rúcula, rabanetes pequenos. Escolhia agrião de folhas miúdas. Dizia que as frutas, os legumes e os peixes menores tinham mais sabor. Lulu, a seu lado, tomava água-de-coco. E Tom bebia outro chope, acompanhado de um tira-gosto.

Aninha se aborreceu quando contaram a ela que Tom comia salaminho. Disse a ele, chocada:

— Mas Tom, eu não sabia que você comia salaminho!...

Ele respondeu, tranqüilo:

— Eu também não sabia...

Às treze horas, a Plataforma. Os amigos, a conversa inteligente e engraçada. As novidades dos bastidores. Ficava sabendo ali tudo o que acontecia na cidade. Às vezes levava para a churrascaria uma "quentinha" de mocotó que comprava no Bar Bracarense e dividia com os companheiros de mesa.

E depois de voltar para casa, o charuto, a massagem nas costas e o sono tirado no sofá da sala.

De tardinha, outra vez o piano. Não gostava mais de sair à noite. Via televisão, lia. As cortinas de bambu do estúdio levantadas, o Cristo Redentor iluminado contra o céu noturno do Rio.

A Brahma mandava agora para ele todo sábado, como cortesia, um barril com cinqüenta litros de chope. Tom pediu que a Brahma reduzisse a gentileza para um barril de dez litros. E comentava com Manoel:

— Agora que bebemos pouco, eles mandam chope de graça. Quando éramos jovens, o que nós bebíamos, se fosse transformado em ações da cervejaria, seríamos os donos dela.

Reclamava cada vez mais das viagens e dos *shows*. Não queria sair de casa. Falava muito de seu cansaço. Mas acabava indo. A pressão era grande, ele cedia.

Em julho de 1991 vai com a Banda para duas apresentações em Recife, no Teatro Guararapes. Aninha, muito animada, quer apresentar o marido a uma parte de sua família que mora lá. Mas Tom não sai do hotel. Passa o dia inteiro em frente à televisão e se recusa a fazer qualquer programa que não fossem os *shows*.

Aninha ficou triste nessa viagem, porque Tom não chegou a conhecer esse ramo de sua família, não passeou de lancha e se recusou a ir à praia com ela e João. Ficava da janela do hotel observando-os a brincar e nadar.

Os *shows* foram, mais uma vez, sucessos totais.

De volta à rotina do Rio, Tom vai almoçar com Ana na Plataforma. Aproxima-se da mesa deles um jornalista pernambucano, radicado no Rio. Pergunta a Tom o que achou do Recife. Aninha fica boquiaberta com a resposta dele:

— Recife é uma maravilha! As praias são lindas. Suas águas tépidas. Os passeios de lancha, deslumbrantes. Minha mulher tem família lá. É o clima ideal para se viver!

Tom é escolhido para ser o homenageado do tema enredo da Escola de Samba de Mangueira, para o carnaval de 1992: "Se todos fossem iguais a você".

Depois de algumas sondagens, a diretoria da Mangueira foi à sua casa oficializar o convite. D. Neuma, D. Zica, José Maria Monteiro, Percy, toda a diretoria da escola, conversaram com Tom. Ele diz aos mangueirenses que considera uma honraria. Diz também que sempre foi fã da escola e conhece seus sambas antigos. A confraternização foi geral. Tocou sucessos antigos da Mangueira e todos cantaram juntos.

Combinou ajudar no que pudesse, inclusive ir aos ensaios da Escola de Samba. Gravaria um disco junto com a bateria da Mangueira e o resultado das vendas reverteria para as finanças da escola.

Dias depois Tom foi levado para assistir ao batismo da nova ala, "Amigos de Tom Jobim", na quadra da Escola de Samba da Estação Primeira. Uma cerimônia bonita. As cinco porta-bandeiras desfilaram fazendo evoluções para Tom ver. Verdadeiras princesas, jovens e lindas, deslizavam pelo chão como se levitassem.

Ele estava muito feliz por ter sido escolhido pela Mangueira. Não falava de outra coisa.

Começaram os preparativos para a escolha das fantasias, que culminaram com um animado ensaio na Plataforma. Distribuíram camisas com as cores verde e rosa, flâmulas e fitas de cabelo para quase todos os convidados.

E num ritmo frenético, a bateria da escola subiu ao palco e contagiou a todos com a execução dos sambas. O samba-enredo tinha sido assim apresentado para a imprensa.

Tom e Chico Buarque compuseram um samba "Piano na Mangueira", relembrando velhos carnavais da escola.

Passada a grande emoção, Tom foi chamado depois, por José Maria, para ir ao barracão da Mangueira, onde estavam sendo construídos os carros alegóricos. Mostrou a ele que cada carro de sua ala levava o nome de uma música sua. E mostrou também o carro principal, onde Tom desfilaria. Tom ficou impressionado com a altura do carro. Perguntou a José Maria como subiria ali. Era alto demais.

— Foi por isso que eu te trouxe aqui. Para te ensinar como é que você sobe nele.

Tom riu, um pouco afobado. Mas ficou firme. O carro era instalado sobre a carroceria de um velho caminhão.

No dia do desfile, o sambódromo lotado, as lágrimas lhe saltaram dos olhos quando começou o desfile. Ele lá no alto e um público de mais de 100 mil pessoas ovacionando-o. Nunca sentira nada igual em sua vida.

Terminado o desfile na praça da Apoteose, os jornalistas, no afã de serem os primeiros a entrevistar Tom, começaram a subir no carro, sem perceber o risco que todos corriam. Tom sentiu que o carro ia virar. Foi obrigado a gritar para que descessem, mas não foi ouvido. Ana, aflita, correu para ajudar o marido. Ficou muito nervosa.

No dia seguinte, quando acordou, viu estampado em letras garrafais nos jornais:

"ANA LONTRA PROTEGE MARIDÃO-ENREDO!"

Helena e Manoel não puderam comparecer ao desfile. Mas acompanharam a festa pela televisão, em Poço Fundo. Todos da Banda Nova desfilando, e Tom de terno branco, ao lado de seu piano, no alto de um carro alegórico, cumprimentava a multidão com seu chapéu.

Helena chorou o tempo todo. Manoel, estranhando tanta emoção, perguntou:

— Você está tão comovida de ver seu irmão desfilando?

Ela disse apenas:

— Não é só isso. Estou sentindo que alguma coisa de ruim vai me acontecer.

Manoel ficou preocupado. Sabia que sua mulher previa acontecimentos. Que era uma sensitiva.

Depois do carnaval, preso aos seus afazeres, ele ficou em Poço Fundo. Helena voltou ao Rio, já pensando em fazer um livro de entrevistas com personalidades da música, do teatro, da literatura, da política, das ciências, da noite, da imprensa, enfim, um livro abrangente, que cobrisse um momento novo que o país vivia, livre da ditadura.

Combinou com o irmão que o entrevistaria no início do livro, e no final, ele a entrevistaria. Tom gostou da idéia. As entrevistas seriam todas feitas na mesa de um bar, na *happy hour*, e o livro se chamaria "A hora violeta".

Já estava tudo acertado com a editora.

Em 25 de março de 1991, nasce, em Nova York, André Jobim Martins, filho de Elizabeth Jobim e Marcos André Martins, o quarto neto de Tom. Beth entrou em trabalho de parto e Marcos telefonou para a médica que acompanhava a gravidez, avisando que estavam indo para o hospital. O menino acabou nascendo no quarto da maternidade, sem dar tempo da mãe ser levada para a sala de parto.

Tom é chamado para fazer o *show* de abertura da EXPO Mundial de Sevilha em maio e, honra maior, uma apresentação no Mosteiro dos Jerónimos, em Portugal. Convidou a irmã para ir junto com eles nessa viagem.

Entre muitas outras propostas, Tom aceitou fazer estes *shows*, e mais o da EXPO RIO 92, reunião ecológica com a presença de todos os chefes de Estado do mundo. Seria em setembro, no Rio de Janeiro, ao lado de seu amigo Sting, Gal Costa, Plácido Domingo e Winton Marsalis.

Aproximava-se a data de 21 de abril, Tiradentes. Helena vai com duas amigas para Poço Fundo, encontrar Manoel. Tom e Ana também vão com as crianças. Quase toda a família fica reunida, nesses quatro dias.

Um feriadão perfeito. A alegria de Tom tocando no piano de seu estúdio, a satisfação de estarem todos juntos, a algazarra das crianças nas brincadeiras, soltas, livres da grande cidade. Os gritos, as risadas súbitas, o banho de cachoeira, os passeios a cavalo. Os peixes pescados no lago, os cheiros, os ventos, o sol e a chuva sentidos de perto, o rio correndo, as plantações ficariam como marca indelével na memória dos jovens, como ficou na memória dos mais velhos.

— Veste o casaco, meu filho, senão você fica resfriado!

E por trás da advertência, a lembrança da voz de Nilza, risonha:

— Quando a mãe manda o filho botar casaco, é ela que está sentindo frio.

A vida sempre fluiu fácil em Poço Fundo. O descanso do corpo e da alma. Nenhum compromisso.

Helena e suas amigas decidem descer na manhã do dia 21, para fugir do engarrafamento da volta dos feriados.

Tom saiu para o Rio pouco depois da irmã. Manoel precisou ficar no sítio.

Algumas horas depois, já em sua casa, Tom teve a notícia do acidente. Quando soube da gravidade do estado de Helena, entrou em desespero. Durante 15 dias ela ficou no CTI, no Hospital das Clínicas de Teresópolis, entre a vida e a morte. Tinha tido muitas fraturas e perdido o baço. O cinto de segurança havia salvado sua vida. O motorista que abalroou o carro da amiga de Helena fugiu.

Quando Tom foi ao encontro do cunhado, Manoel disse:

— Durante semanas, Nena me falava que sentia a morte rondando. Eu não sabia de onde ela poderia vir.

Durante todo tempo em que a vida de Helena correu perigo, os médicos prepararam Tom para o pior. Ele pediu uma corrente de orações. Pediu aos católicos, aos crentes, aos espíritas, pediu a Danilo Caymmi que o candomblé da Bahia salvasse sua irmã. E lá, eles bateram seus tambores.

E Tom, com Aninha, todas as tardes, na hora do ângelus, acendia uma vela e se concentrava em frente ao retrato de sua irmã, sobre o piano. O mesmo retrato que ele levava sempre na carteira, e gostava de mostrar para os amigos. Pedia por sua vida.

A recuperação de Helena foi lenta e penosa. Depois de dois meses de hospital, ela voltou para seu apartamento no Rio e, com muita fisioterapia, conseguiu se levantar da cama.

Tom viajou em maio. Depois do *show* em Sevilha, seguiu para Portugal, onde se apresentou com a Banda no belíssimo Mosteiro dos Jerónimos. Portugal encantou a todos pela recepção calorosa, hospitalidade e carinho.

Fazia parte obrigatória da estada, conceder uma entrevista coletiva à imprensa. Tom achava esses encontros muito tensos. Preferia guardar suas energias para o *show*. Mas havia um convite para jantarem na casa do embaixador do Brasil, Luiz Felipe Lampreia. Ana e Gilda Mattoso não sabiam como falar com Tom sobre o jantar marcado em homenagem a ele. A Banda Nova, também convidada, estava toda presente. Esperavam por eles intelectuais portugueses, personalidades políticas e pessoas do meio diplomático.

Depois da coletiva, entram numa caminhonete luxuosa Tom, Ana, Gilda e o embaixador. O carro segue por lugares bonitos, mas Tom percebe não ser aquele o trajeto para o hotel. Perguntou de repente:

— Aonde é que vocês estão me levando?

Gilda respondeu rápido, sem dar a Tom a possibilidade de resposta:

— Para o jantar, Tom. Não se lembra que combinamos jantar com o embaixador?

E Aninha falou depressa:

— Claro que o Tom se lembra!

E Tom não pôde dizer mais nada.

Mas chegando à residência do embaixador, ele se sentiu à vontade. Tudo tão bonito e de bom gosto. Foram servidos diferentes pratos de bacalhau à moda de várias regiões portuguesas.

Tom e o embaixador ficaram amigos.

Mosteiro dos Jerónimos. Construção manuelina, lugar histórico, de onde saíam todos os barcos do estuário do Tejo para o mar.

A apresentação seria no pátio interno da antiga construção. Dentro da igreja de Santa Maria do Belém, as lápides de Vasco da Gama e Luiz de Camões. A história impregnava o lugar, e seu lado sagrado aumentava a emoção de todos os músicos da Banda.

O *show* foi lindo. Enquanto durou o espetáculo, a Banda foi banhada pelo clarão da lua cheia. O povo português ouvia enlevado cada canção. Sabiam que no palco estava também a continuação de suas raízes.

E a presença séria da inteligência portuguesa. Estavam presentes o presidente de Portugal, Mário Soares, e sua senhora a doutora Maria de Jesus, o reitor da Universidade Nova de Lisboa, professor Manuel Soares Pinto Barbosa e sua esposa Helena Meneses.

Foi muito agradável para Tom essa visita. Via em Lisboa algumas semelhanças com o Rio antigo. As pedras do chão, os pardais voando ou pulando nas ruas.

E a sensação grave de que há quase cinco séculos, de lá daquela terra, partiram as caravelas que descobriram o Brasil.

De volta dessas viagens, Tom recuperava energias e se preocupava com sua saúde. Cada viagem tinha se tornado para ele um desgaste muito grande. Não contava mais com Lourival, seu bruxo, pois ele havia falecido. E não obedecia aos conselhos médicos de caminhar todos os dias. Sentia muitas dores nas pernas.

Em sua casa, depois do jantar, ficava andando pelo jardim, contando os passos em volta da piscina e anotando num caderninho. Era uma tentativa de a cada dia poder andar um pouco mais. Olhava para dentro da sala e via nas paredes os quadros grandes, pintados por Beth. E murmurava:

— São muito bons.

Para poucas pessoas Tom falava de suas dores. Também o incomodava o nervo ciático, mesmo sentado ao piano. E um certo aperto que começava a sentir no peito.

Nenhum de seus amigos sabia de nada. Na frente deles, continuava alegre e simpático. Sempre espirituoso.

Começara a referir-se a ele próprio na 3ª pessoa. Dizia:

— Deixa eu ler o jornal para ver se hoje falaram mal do Tom Jobim.

Ou então:

— O Tom Jobim trabalha demais...

Tornava-se cada vez mais suscetível a qualquer crítica. Apelidara-se, com ironia, de "Tony Tadinho". E quando dava entrevistas, preocupava-se excessivamente se suas declarações seriam distorcidas. Acentuava-se nele o sofrimento em relação à crítica. Sentia-se injustiçado. Repetia:

— Tem gente que não perdoa o sucesso.

A cidade do Rio de Janeiro parou para a Rio–92. As reuniões ecológicas das ONGs foram nos jardins do Aterro do Flamengo. No Riocentro, a reunião dos chefes de Estado. Uma semana de discussões sobre a importância do meio ambiente e o futuro do mundo.

No último dia, no estádio de remo, às margens da lagoa Rodrigo de Freitas, Tom participa do *show*, mais uma vez, na paisagem de sua infância.

A sempre-viva, flor abundante no cerrado brasileiro, conhecida nos Estados Unidos como *evergreen*, foi a inspiração para Tom lançar o manifesto ecológico Forever Green.

No dia 22 de novembro deste ano de 1992, o show da Bossa Nova, no Carnegie Hall, comemora 30 anos. Depois de muitos anos sem subirem ao palco juntos, Tom e João Gilberto apresentam-se em espetáculos no teatro Municipal do Rio de Janeiro e no Palace, em São Paulo.

Este *show*, filmado por Walter Salles Júnior e Boninho, se torna o programa especial de fim de ano da TV Globo: "João e Antonio".

No ano de 1993, grava para a TV Bandeirantes um especial com Milton Nascimento. Mais uma vez um presente para os ouvintes. O piano de Tom e a voz de Milton, que se dedicava agora a um programa de educação musical em sua terra, Minas Gerais.

Tom vai a Brasília para mais um *show*. Reclama de tudo. O espetáculo foi realizado em condições precárias, para seu profundo desagrado.

Na volta, ele e toda a Banda embarcam num avião da ponte-aérea de volta para o Rio de Janeiro. O avião decola e chega a altitude de vôo por piloto automático. Havia um certo mal-estar, pois os passageiros reclamavam do calor. Repentinamente, passa correndo uma aeromoça para a cabine de comando. Todos percebem sua agitação e uma fumaça começa a surgir na cauda do avião. O pânico foi total. Toda a Banda desesperada, chorando ou rezando.

Tom, calmo e impassível, diz para eles:

— Se o avião cair, eu tenho pena de vocês que estão começando a carreira, e são tão jovens. Eu já vivi tudo o que tinha para viver.

O avião, para alívio de todos, pousa sem acidente no aeroporto de Brasília. Desce bem na pista, cercado de ambulâncias e do Corpo de Bombeiros.

No momento seguinte, entram em outro avião para voltar ao Rio.

Tom continuava evitando bebidas pesadas. Tomava vinho agora. E moderadamente. Levava de casa sua garrafa para a Plataforma. E a modificação de seus hábitos modificou também os de seus amigos. Criou-se uma disputa saudável pela descoberta de bons vinhos, nacionais ou estrangeiros.

E sua paixão por Maria Luiza crescia. Eram mimos, bonecas, passeios bonitos. E todas as manhãs se repetia a cerimônia limpa do encontro deles: os progressos da filha, pela música e pela dança, e o rejuvenescimento dele, através dela.

É homenageado no Free *Jazz* Festival no Rio de Janeiro. Suas músicas são tocadas por grandes intérpretes norte-americanos, convidados para o evento. Estavam presentes o seu amigo saxofonista Joe Henderson, e mais Herbie Hancock, Shirley Horn, Ron Carter, Gonzalo Rubalcaba. E também Gal Costa e Oscar Castro Neves, um dos músicos que acompanhou muito de perto sua carreira, tanto aqui, como nos Estados Unidos.

Abre mão de sua candidatura para a Academia Brasileira de Letras para apoiar o escritor Antônio Callado, um dos nossos maiores romancistas. Numa próxima oportunidade, gostaria de pertencer àquela Casa.

E ainda neste mesmo ano, participa das filmagens de *Três Antônios e um Jobim,* alusão a ele, ao escritor Antônio Callado, ao filólogo Antônio Houaiss e ao ensaísta Antônio Cândido, sendo entrevistados pelo jornalista Zuenir Ventura. As filmagens foram realizadas no pátio do museu onde Vera Alencar trabalhava, acompanhadas por ela com muito carinho. Os diálogos ficaram tão bons que foram aproveitados para o lançamento de um livro.

Volta a Lisboa a convite do governo português. Num ritual rico, todos os participantes de togas negras, recebe o título de doutor *honoris causa*, da Universidade Nova de Lisboa.

E viaja sem parar. Seus compromissos são muitos. Queixa-se sempre de um enorme cansaço:

— Meu navio continua grande e pesado...

Em abril de 1994, está no Carnegie Hall se apresentando ao lado de Pat Metheny e Herbie Hancock, comemorando os 50 anos do selo Verve. De noite toma um táxi para voltar ao apartamento. Como de hábito, vai conversando com o motorista durante o percurso. Ele o olha muito, pelo espelho retrovisor. De repente, pergunta:

— *Are you a professor?*

Tom acha graça:

— *No. I'm not a professor.*

E o motorista, sem hesitar:

— *You are a litlle bit dissipated to be a professor. Now I know... You are a musician. A composer!*

E Tom, achando incrível o espírito de observação daquele homem:

— *Yes. I am a composer. You are a good psychologist.*

No Rio, recebe a medalha Pedro Ernesto, ganha o Latin Award da BMI por "Desafinado", uma das músicas mais tocadas no ano anterior.

Ana faz duas viagens pelo litoral brasileiro, fotografando a Mata Atlântica. Ao todo são 2 mil fotos, tiradas desde o Rio Grande do Sul ao Ceará. Dali seriam escolhidas as mais belas para o livro *Visão do paraíso*, que preparava com Tom. Um livro que mostraria a beleza da floresta e denunciaria sua destruição. Tom começou a gravar o texto e dizia horrorizado:

— Restam apenas 8% da Mata Atlântica!

Na epígrafe do livro ele diz: "Toda a minha obra é inspirada na Mata Atlântica."

A convite de João Araújo, começa a gravar o disco *Antonio Brasileiro*. O disco é gravado pela Sonny e pela Som Livre. Tom convida Dorival Caymmi e Sting para gravar com ele. Tinha feito uma música para sua filha. E grava em dueto com ela: "Samba de Maria Luiza".

Recebe um convite para fazer um *show* na cidade sagrada de Jerusalém. A contratante, Lilian Schutz, uma uruguaia radicada há anos em Tel Aviv e fã incondicional da música brasileira e em especial de Antonio Carlos Jobim, há muito tempo vinha tentando levá-lo a Israel.

Muitas vezes Gilda Mattoso foi à casa de Tom e à Plataforma, para convencê-lo.

Ele desconversava:

— Jerusalém, a Terra Santa... muito longe... muito avião...

Enquanto isso, Lilian Shutz mandava várias mensagens por fax, ansiosa pela decisão de Tom. A programação do Festival de Jerusalém precisava ser fechada.

Finalmente, em cima da hora, ele concordou. Assinou o contrato, mas disse para Gilda:

— Mas vocês me levam para cada lugar...

Em maio de 1994 ele embarca com Gilda para Paris, onde descansa três dias. Ana e a Banda seguiriam direto, dias depois, para Jerusalém.

Quando chegaram ao aeroporto de Tel Aviv, os aguardava uma escola de samba formada por jovens brasileiros e israelenses.

Apesar da fadiga, Tom não se irritou. Chegou até a ensaiar uns passinhos de samba antes de tomar o carro que o levaria, pelo meio do deserto, até Jerusalém.

Chegou ao hotel já de noite, mas teve que ficar no carro dando voltas e voltas, pois a área do Sheraton estava isolada. O secretário de Estado norte-americano estava jantando lá. O bom humor de Tom terminou ali.

Horas depois chegou toda a Banda. Quando Tom abriu a porta do quarto para Aninha, tornou a dizer:

— Vocês me trazem para cada lugar!

Na praia de Ipanema, Tom com a porta-estandarte da Estação Primeira de Mangueira

FOTO MANCHETE / ARQ. JOBIM MUSIC

Fernando Duarte, Tom, Radamés Gnattali e Sérgio Sarraceni. 1985

ARQ. JOBIM MUSIC

Chico, Caetano e Tom com o renovador do tango argentino, Astor Piazolla. Programa da TV Globo, "Chico e Caetano". 1986

ARQ. JOBIM MUSIC

Tom e Carlos Lacerda. A ótima entrevista

ARQ. JOBIM MUSIC

Na condecoração do governo Francês, quando recebeu o título de Grand Commandeur des Arts et des Lettres, *entregue pelo Ministro da Cultura Jack Lang*

FOTO MILTON DURAN / ARQ. JOBIM MUSIC

À esquerda:
Lançamento do disco "Matita Perê" no Clube Caiçaras — com Austregésilo de Athayde e os homenageados Carlos Drummond de Andrade e Mário Palmério

ARQ. JOBIM MUSIC

Os dois amigos Tom e Helena

Foto Ana Lontra Jobim /

arq. Jobim Music

A presença do irmão num momento importante da vida de Helena: noite de autógrafos de seu livro Trilogia do assombro

arq. Jobim Music

Com sua filha pintora Elisabeth

ARQ. JOBIM MUSIC

No alto:

A admiração de Elisabeth e Paulo pelo pai

FOTO ANA LONTRA JOBIM / ARQ. JOBIM MUSIC

Na página ao lado:

Pai e filhos: Tom, João Francisco e Paulo

ARQ. REVISTA VEJA

Tom e Ana

FOTO LUÍS GARRIDO /ARQ. JOBIM MUSIC

Ao lado:
Um momento de amor. Tom, Ana, João e Luiza

FOTO LUÍS GARRIDO / ARQ. JOBIM MUSIC

Na página anterior:
A Banda Nova: Simone Caimmy, Paulo Braga, Tom, Ana, Maúcha, Beth, Danilo Caymmi, Paulo Jobim, Paula Morelembaum e Tião Neto

FOTO ANA LONTRA JOBIM / ARQ. JOBIM MUSIC

Marcos e Marcela , filhos de Sonia, netos de Helena

ARQ. HELENA JOBIM

À esquerda:
Helena e sua filha Sonia

ARQ. HELENA JOBIM

À direita:
Manoel Malaguti (marido de Helena), Tom, Luísa e Helena

ARQ. HELENA JOBIM

Ao lado:
Daniel, neto de Tom

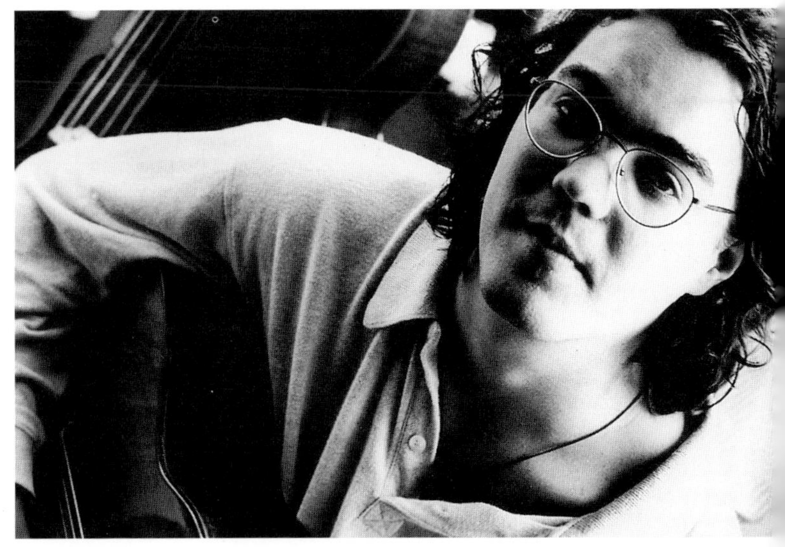

Divertindo-se na Churrascaria Plataforma, com seu grande amigo Alberico Campana

FOTOS ANA LONTRA JOBIM / ARQ. JOBIM MUSIC

Tom com Paulo e Elianne

ARQ. JOBIM MUSIC

Abaixo:
com seus primeiros netos,
Daniel e Dora,
filhos de Paulo e Elianne

FOTO ANA LONTRA JOBIM /
ARQ. JOBIM MUSIC

Com sua filha Luiza, gravando o "Samba de Maria Luiza", em 1994

ARQ. JOBIM MUSIC

Ao lado:
Tom e Ana com o "bruxo" Lourival de Freitas

ARQ. JOBIM MUSIC

João Francisco, "o filho do Homem"

FOTO ANA LONTRA JOBIM / ARQ. JOBIM MUSIC

Nena

Deixo-te um beijo
e êste odor de charuto

mano Tom

A minha fé não cansa.

No dia seguinte, antes do ensaio, Tom participou de uma entrevista coletiva com outros grandes músicos de fama internacional, mas 70% das perguntas dos jornalistas foram dirigidas a ele. Queriam saber sobre a Bossa Nova, a batida diferente etc. Tom, como sempre, era paciente e gentil com todos.

O *show* aconteceu num lugar extraordinário, chamado Piscina do Sultão. Tinha como cenário as antigas muralhas que cercam Jerusalém.

O início do *show* foi ao entardecer. Em meio às oliveiras e àquela paisagem desértica, Tom deu seus primeiros acordes com o sol se pondo, tornando tudo, as areias, as muralhas, a platéia, cor de laranja.

Logo depois do *show*, o prefeito de Jerusalém homenageou o maestro Antonio Carlos Jobim, subindo ao palco para entregar-lhe a chave da cidade.

No dia seguinte, o fotógrafo Sérgio Zallis convidou Tom:

— Hoje vou levar você para almoçar na Plataforma daqui.

Era um restaurante muito bom, com uma vista deslumbrante.

Depois do almoço, viram ao lado do restaurante uma plantação de oliveiras, e Zallis quis fazer uma foto de Tom ali. Em meio a milhares de arbustos, por coincidência ou não, Tom escolheu uma determinada oliveira como local para ser fotografado.

Quando se aproximaram, viram que havia uma pequena placa, onde se lia que aquela árvore havia sido plantada pelo extraordinário pianista Arthur Rubinstein, em homenagem ao povo de Israel.

Tião Neto, amigo de Tom por uma vida inteira, se aproximou do maestro, e disse apenas:

— Não existem coincidências.

Tom volta ao Brasil e continua a trabalhar exaustivamente na gravação de fitas para o livro *Visão do paraíso*. Grava em sua casa ou em Parati, conversando com Sérgio Vahia, caçador experiente e amigo de juventude de Tom. Primo-irmão do padrinho de Ana, e amigo do pai dela. Depois de gravadas, as fitas eram entregues à professora Helena Martins, que as transpunha para o papel.

Cada vez mais, Tom é um homem fascinado pelas palavras, obcecado pelas belezas do Rio de Janeiro e pelo seu país:

A cidade do Rio de Janeiro é bastante dissipante; você vai a um lugar e acaba em outro. Temos essa floresta dentro da cidade, que é a maior mata urbana do mundo, cheia de cachoeira, de água, de flor, de tudo.

Pedro II mandou replantar esta floresta, a Floresta da Tijuca. Mandou buscar espécies nativas, originais, que não existiam mais ali, pois era tudo café; até hoje, andando na floresta, você encontra café. Encontra muitas árvores brasileiras, nativas, mas também muitas árvores exóticas, como a jaca índica. Muitas espécies foram trazidas da Ásia, da África, muito eucalipto australiano.

Foi devido à falta d'água, que d. Pedro mandou replantar a floresta. A água começou a faltar lá no aqueduto da Lapa, nos arcos de onde vinha a água que alimentava o centro do Rio de Janeiro. Vinha das florestas da Tijuca, para onde os nobres iam, escutar macuco.

Às seis horas da tarde, hora do ângelus, a marquesa de Santos subia de carruagem lá pro alto da Tijuca, pra escutar o macuco dar poleiro (empoleirar-se e piar). O macuco não usa o dedo de trás; só os três dedos da frente. Na hora de dar poleiro, escolhe um tronco grosso, mais ou menos horizontal, e ali ele se apóia, usando os três dedos da frente e umas escamas que tem na parte de trás das pernas.

O Chico Buarque me deu um conselho: "Você pára de falar de macuco, porque só sai na imprensa macaco ou maluco, não sai macuco." O macuco é uma galinha-do-mato grande, um tinamídeo.

O Rio de Janeiro é uma cidade feliz por ter uma jóia dessas, que jóia a Floresta da Tijuca! Essas cores, essa bruma linda, esse pastel que dá na árvore, esse bege, pau-linheiro, pau-de-andrade, esse tom é fantástico.

E a Gávea. Gávea é aquele lugar alto no mastro principal do navio; aquela cestinha em que o sujeito sobe para ver a terra, para descobrir o Brasil. Do alto do morro da Gávea, de fato, vê-se tudo, divisa-se o mar. Copacabana, Jardim Botânico, tudo isso é freguesia da Gávea, Ipanema também.

Ipanema é um nome que veio de São Paulo (pode se ver pelos proprietários, são todos paulistas); em tupi-guarani, parece que Ipanema quer dizer água ruim, sem peixe — um rio sem peixe que tem lá em São Paulo. E tem uma outra Ipanema, cidadezinha de Minas. Não que a nossa Ipanema fosse água ruim, nem que não tivesse peixe; pelo contrário, Ipanema tinha muito peixe — mas muita, muita raça de peixe.

E a lagoa Rodrigo de Freitas, que era o dobro do que é hoje, se chamava Sacopenapã, que quer dizer "uma porção de socós". Ipanema está com cem anos. O barão de Ipanema, da nobreza rural paulista, saiu lá de São Paulo e comprou uma fazenda à beira-mar aqui no Rio, que ficou se chamando Ipanema. Inclusive o Barãozinho, bisneto do barão, que tomava uísque com a gente lá no Bar do Veloso, hoje Garota de Ipanema. O Barãozinho ia sempre lá conversar com a gente, no tempo que nós estávamos na linha chinesa do Partido Comunista.

Eu tinha uns 18 anos, na praia de Ipanema, e vi quando puxaram um arrastão de manhã cedo. O arrastão vinha chegando no raso; aquela manhã linda, aquela água transparente, e o arrastão estava cheio de cavalas. Nunca tinha visto aquilo, com aqueles dentes. Parece que inventaram o avião a jato antes de ele existir. Elas saltavam bem em cima querendo sair da rede, e os pescadores pulavam no arrastão. Eu fiquei impressionado com aquilo. Eu era garoto e fiquei pensando naquilo.

Na praia, a gente vai aprendendo uma porção de coisas. Águas pra sul, águas pra leste. Sudoeste, chuvas. Havia um tempo em que a gente apostava e ganhava da meteorologia. Noutro dia eu estava conversando com meu amigo José Pedro de Oliveira Costa e falávamos dos peixes, dos pássaros, de passarinho e de passarão. O pássaro só voa contra o vento e só pousa contra o vento. Quando você vê um pássaro pousado no alto de um pau, o bico dele aponta para o vento, ele é como uma biruta de um campo de pouso, é como um avião que só levanta contra o vento. O peixe, a mesma coisa; nada contra a correnteza. Por exemplo, nas ilhas Cagarras, em Ipanema, água de sul, correndo para leste. O peixe estará sempre próximo ao embate das águas na pedra, mesmo parado, nadando contra a corrente. O mar no lado manso da ilha estará deserto, sem peixes.

Pássaro e peixe, pena e escama, e a luta continua. Quando o peixe nada a favor da corrente, ele nada com velocidade superior à da corrente. Quando o pássaro voa a favor do vento, voa com velocidade superior à do vento, que lhe dá sustentação.

A relação do homem com as aves, com os pássaros, é diferente na terra e no mar: na terra é a ave que teme o homem; ele vai lá, dá um tiro no passarinho. No mar é diferente, a gaivota é amiga do pescador, a gaivota indica, mostra para o pescador onde está o peixe, porque está de cima, ela vê o que você não vê.

Você para ver peixe aqui, você precisa de uma noite sem lua, para ter o que eles chamam de argentia, para conseguir ver a fosforescência. Mas então essa gaivota grande, o carapirá, fragata magnífica, ela vê muito, porque ela fica alta.

Quando, com essa visão vertical que a gente não tem, o joão-grande desce lá do alto, quando o atobá vai e mergulha, o pescador joga a rede e pega peixe. E então dá peixe para as gaivotas. Uma bela parceria. Uma relação amistosa. Diferente da relação do homem com as aves na terra, onde muitas comem as colheitas que o homem planta. Não é como na floresta, onde o homem dá tiro no próximo.

A superfície do mar é uma eterna turbulência; não tem bicho nenhum que viva na superfície do mar, porque aquilo balança. Só o homem é que vai lá pra balançar: aí cai e despenca naquele buraco do mar cavado, e tem que subir a onda, os paredões d'água. O bicho nada debaixo d'água, voa por cima d'água, mas não quer ficar nessa coisa que fica balançando sempre, no mar aberto. Um albatroz, uma gaivota, podem pousar um pouquinho no mar, mas logo se levantam dali, porque ali não é lugar de ficar, lugar de viver; ali é lugar do balancê.

Antonio Carlos Jobim usou todo o conhecimento e toda a identificação que tinha com a natureza em suas músicas.

No Rio, Tom diz a Ana que está urinando com um pouco de sangue. Repete para sua irmã a mesma coisa. Há semanas vinha se queixando do que ele chamava de "um pouco de cistite". Tomava chás.

Imediatamente, Ana o leva para fazer exame de urina. O resultado demora muito a chegar, quase um mês. Nesse meio-tempo, a vida continua, mas percebia-se claramente o aumento de sua tensão.

Tinha se comprometido com Frank Sinatra a acompanhá-lo em uma das faixas de seu disco ainda em outubro, e também com Joe Henderson, a gravar com ele em Nova York.

Seu filho Paulo o leva para gravar na Barra da Tijuca. Tom, piano e voz, e Paulo ao violão. Faz a gravação da introdução de "Fly me to the moon", em cima da fita já gravada e enviada por Sinatra.

No dia seguinte, comenta com Manoel:

— Gravei esta faixa sob as piores condições de minha vida. E fiz tudo de improviso mesmo, pois não consegui passar nada antes de gravar.

Dr. Roberto Hugo, médico de Tom, telefona e diz que precisa falar com ele pessoalmente, no final do dia. Tinha recebido o resultado dos exames. Tom apreensivo, comenta com Ana sua estranheza pelo fato de Roberto Hugo querer dar o resultado dos exames pessoalmente:

— Será que eu tenho alguma coisa?

E Ana, consolando-o:

— Claro que não, Tom...

Tom fez massagem com Célia. Depois foi a vez de Aninha fazer. No meio da massagem, ela dormiu.

Às dez horas da noite, o dr. Roberto Hugo chegou. Subiu rapidamente as escadas da entrada e logo sentou-se com Tom à mesa redonda da sala. Depois de alguns rodeios, explica a Tom a gravidade de seu estado. Câncer na bexiga.

Tom se levanta meio desarvorado, sobe ao quarto e, aos poucos, com barulhos familiares, tenta acordar sua mulher. Ana pergunta o que houve e Tom diz que Roberto Hugo está na casa:

— Você não quer falar com ele?

Ana percebe imediatamente a aflição de Tom, se levanta e diz:

— É claro, Tom.

Descem juntos as escadas e sentam-se com Roberto Hugo. Ele relata a Ana o resultado dos exames. Ela gela dos pés à cabeça e, tentando disfarçar, pergunta:

— Você tem certeza disso? Em que exame isso se comprova?

Roberto Hugo responde que não há dúvida alguma. Os resultados dos exames estão em suas mãos:

— Tenho certeza absoluta, com também tenho certeza absoluta de que o tumor é muito recente. Não me parece que esteja aí há muito tempo.

Tom e Ana se entreolham. Tom dá um semi-sorriso sem graça e diz:

— É, dona Ana...

Ana tenta se defender do susto sendo absolutamente objetiva:

— Vamos amanhã para Nova York.

Tom segura a mão de Ana e sente-a gelada.

— Tadinha...Você ficou nervosa...

— Mas vai dar tudo certo, Tom. Tenho certeza!

No estúdio, telefona para o dr. Júlio Messer e dá uma visão geral do que está acontecendo. Termina dizendo:

— Viajaremos amanhã. Marque para Tom um especialista de sua confiança.

Tom e o dr. Roberto entram no estúdio, e Ana pede que o médico fale com o dr. Júlio Messer. Dr. Roberto conversa por alguns minutos com ele. Quando desliga diz, minimizando, que chegaram à conclusão de que o problema ainda era recente.

Roberto Hugo se despede, lamentando ser ele o portador da notícia.

Tom e Ana ficam sozinhos e ela continua a tomar providências. Telefona para Beth, pede a ela que fique com as crianças e dirija a casa por uns dias. Beth concorda imediatamente e diz que na manhã seguinte estaria lá.

Completamente tomados pelo susto, vão para o *deck* junto ao estúdio, e debruçados sobre o corrimão de proteção, calados, olham para o Cristo iluminado sobre o Corcovado, a paisagem que Tom tanto amava.

— Eu tenho pena de deixar o João e a Luiza. Eles ainda precisam muito de mim...

— Não vai acontecer nada, Tom... Vimos tudo a tempo.

Noite de inferno.

Viajaram quarta-feira, e na sexta já estavam no consultório do médico, para localizar o tumor. E nos dias posteriores, a parafernália dos exames, das andanças por lugares desconhecidos na vida deles. Tom se prepara para a operação.

Um dos seus compromissos profissionais não pôde cumprir. Teve que falar com Joe Henderson e explicar que, por motivos de saúde, não poderia gravar.

Mas continua escrevendo coisas novas e corrigindo textos para o livro *Visão do paraíso.*

Os editores estavam enlouquecidos com a viagem abrupta de Tom e Ana. Passavam dezenas de faxes, e recebiam outros tantos de volta. Ficaram sabendo por alto do problema.

A notícia começou a vazar na imprensa e o telefone de Tom não parava mais de tocar. Para todos os efeitos, ele tinha ido a Nova York fazer um *check-up* de sua saúde.

Sozinhos no apartamento, Tom e Ana tentavam consolar um ao outro. Tão juntos que dormiam de mãos dadas. Muitos amigos os visitavam. Tentavam distraí-los. Maúcha Adnet, que morava agora em Nova York, estava sempre presente. De alto astral, conversava carinhosamente com Tom, massageava-o, procurando passar-lhe força e energia. Paulo Braga também aparecia. Com suas graças, fazia Tom e Ana rirem. Brincava:

— A diferença entre a Bossa Nova e as outras músicas, é que na Bossa Nova o baterista entra no palco todo suado, depois de mil peripécias no trânsito e brigas com a mulher. À medida que vai tocando, seu semblante se aquieta e ele sai do palco enxuto. No *rock* é ao contrário. O baterista entra no palco enxuto e sai transtornado e molhado de suor.

Tom se divertia muito com essa definição e, Paulo Braga, estimulado, continuava:

— Bossa Nova é euforia controlada, é economia de notas, é guerra de guerrilha...

Às vezes Ana ia até China Town e comprava lagostas e camarões fresquíssimos. Preparava jantares gostosos e convidava também Sérgio Canetti, e o baterista Duduka, marido de Maúcha, que tocou na Banda em Sevilha, no Mosteiro dos Jerónimos, e no último disco de Tom, *Antonio Brasileiro.*

Tom aproveitava a reunião para esquecer um pouco seu problema. Sentava-se ao piano e tocava. Nessa noite tocou muitas vezes "Maracangalha", de Dorival Caymmi, com um arranjo diferente, bonito, feito por Mário Adnet. Disse para Maúcha:

— Essa música é em tua homenagem. Diz ao teu irmão que esse arranjo que ele fez alegrou meu coração.

Tom foi se deitar e Paulo Braga continuava com Maúcha, Duduka, Sérgio e Ana, rindo e contando histórias. De repente olhou para o relógio e disse:

— Bossa Nova também é saber a hora de ir embora... Vamos deixa a primeira-dama cuidar do maestro.

Pela manhã, Ana saía para andar no Central Park. Tom não agüentava ficar sozinho e ia até a entrada do parque esperá-la. Enquanto Ana não voltava, ficava conversando com uma figura ilustre de lá: Alberto Arroyos, que foi o precursor da utilização do parque para corridas de *jogging.* Tom se entretinha com ele. Tinha 80 anos, corria todos os dias, era fortíssimo. Plantava bananeiras para Tom ver. E satisfeito, levava Tom até o muro de pedras do parque e mostrava orgulhoso uma placa com seu nome, colocada lá, pela prefeitura de Nova York, em sua homenagem.

Luiza no Rio, muito chorosa, não agüentava mais de saudades dos pais. Pedia insistentemente que a levassem para Nova York. Beth liga para Ana e combinaram levar Luiza. Manoel e Helena ficariam no lugar dela.

Assim que Luiza chegou em Nova York, foi contaminada por catapora. Tom se desesperou:

— Só faltava essa agora! Eu pegar catapora. Não me lembro se tive na minha infância.

Telefonou para tia Yolanda, ela disse que ficasse descansado. Catapora fora a única doença infantil que Tom tivera.

Foram 45 dias de muita angústia. Tom aliviava sua mente e seu espírito conturbados com uma convivência estreita com a filha. Levava-a sempre que podia para passear no Central Park. Visitavam juntos o Metropolitam Museum, próximo de sua casa. Gostava especialmente do espaço dedicado à cultura egípcia. Passava muito tempo ali, olhando tudo.

E todo dia Zeni, um pastor evangélico brasileiro, o visitava. Liam juntos os *Salmos*. Depois Tom parecia esquecer o mundo tocando horas a fio em seu piano. Olhava da varandinha da sala a cidade de Nova York, e sentia saudade da paisagem vista das janelas de seu estúdio no Rio.

Queria voltar logo para o Brasil. Em seus momentos mais otimistas, fazia com Ana planos para o futuro.

Dizia, até, que depois que descansasse um mês em Poço Fundo, entraria de novo na floresta, como fazia em sua juventude, para deixar outra vez que a música o procurasse.

Depois de dez anos de atividades, e mais de 160 apresentações, a Banda Nova silenciou.

O grande cineasta e escritor Arnaldo Jabor escreveu:

— A morte de Tom Jobim não foi apenas a queda de uma árvore, foi a derrubada de uma floresta.

Fotos: Ana Lontra Jobim Arq. Jobim Music

Desfecho

(Ele atravessa a porta dos fundos da casa. Os empregados estão perfilados para a despedida. Nunca haviam feito isso antes. Acho estranho. Meu irmão entra no carro impaciente. Ana está atrasada. Ele sai do carro, aperta a mão de cada empregado, abraça-me com força e me beija de novo. Diz em voz baixa: "Se o Ari Barroso e o Villa-Lobos morreram, eu também posso morrer." Fico estática. Ana chega. Entram no carro. Tom inclina a cabeça para fora da janela e diz para meu marido:

— Cuida dos meus filhos.

Fico olhando o carro descer a rampa devagar. O grande portão verde se abre e se fecha novamente. Ana acena.)

Meu coração tinha se fechado. Eu tinha aprendido a não gritar, a não comer cal e rasgar pano. Nossa mãe tinha nos ensinado bem. Meus olhos ardiam de tão secos.

Era quarta-feira, primeiro de dezembro, quando Tom viajou. Ficou quatro dias em seu apartamento de Nova York, descansando. Paulo estava lá para acompanhar o pai. Toda manhã nos falávamos pelo telefone. Internou-se segunda-feira.

Na véspera da operação estivemos ainda mais perto de João e Luiza. Não me lembro de quase nada do que fiz nesses dias. Só sei que fui à igreja Nossa Senhora da Paz, em Ipanema. Atravessei devagar a praça de nossa infância. Revoaram as pombas que hoje em dia moram ali. Dentro da igreja, senti aquela mesma penumbra fresca, odorizada pelo perfume dos lírios e dos círios. Ajoelhei-me em frente à imagem de São Judas Tadeu. Fechei os olhos e concentrei-me. Pedi pela cura de meu irmão, pedi que não sofresse. Andei pela nave silenciosa, a igreja estava quase deserta: os vitrais, os santos estáticos, a via-crucis. *O grande Cristo pregado em uma enorme cruz de madeira. Detive-me por um instante diante das imagens, em tamanho natural, d'Ele e de Sua mãe.*

E pensei que tinha sido melhor nossa mãe ter partido cinco anos antes, para não participar de tão grande dor.

Na última tarde meu irmão se despediu do estúdio. Parou no meio da sala, olhou coisa por coisa. Os dois pianos, o quadro azul do anjo, pintado por Beth, o desenho de Paulo já emoldurado, feito para a capa do disco Terra Brasilis. *Os livros, os dicionários, o globo terrestre que de noite fica aceso e lança uma luz azulada. Chegou até a porta de vidro que dá para o jardim e olhou a água parada da piscina. Segundos, frações de segundos. Depois, indo até as janelas que dão para o vale da cidade, admirou Ipanema. A lagoa Rodrigo de Freitas, o mar, os morros da meninice.*

O telefone toca na cozinha. Eu atendo. É Tom:

— Você acha que Deus gosta de mim?

— Meu irmão, Deus te adora!

Algum tempo depois, Ana me disse que Tom ficou radiante e passou o dia dizendo para todos os amigos que o visitavam, "minha irmã disse que Deus me adora".

Tive um mau pressentimento quando nos despedimos:

— Tchau, um beijo. Vai dar tudo certo.

Ele me respondeu:

— Tchau... minha irmã.

Nessa pequena pausa e no modo triste como ele falou "minha irmã", com a voz mais baixa e terna, senti um aperto no coração. Naquele momento, suas palavras tão simples me soaram como despedida.

Não acreditei. Tinha certeza de sua volta.

Manhã de terça-feira, 6 de dezembro de 1994. Antonio Carlos Jobim está sendo operado no hospital Mount Sinai. Tumor maligno na bexiga. Carcinoma de terceiro grau. Agressivo, invasivo. Paciente de alto risco. Sistema circulatório comprometido. São sete horas da manhã em Nova York.

João e Luiza ainda dormem. Como se fosse um dia qualquer, a casa segue seu ritmo normal. Nivaldo varre o jardim. Assis já lavou o carro de Ana e agora arrasta a mangueira d'água para junto do carro de meu irmão. Posso vê-los daqui, da pequena varanda do quarto. Logo, já sei, o motorista vai chegar no fusca trazendo Tilde e as compras do mercado. Ando pela casa, pelo jardim. Sento junto da piscina, aquelas águas azuis. Marleide abriu as janelas do estúdio. A laca negra do piano brilha. O marfim amarelado das teclas. A morte não existe.

Tomamos café em silêncio. Os empregados calados. Subimos a escada da mansarda. Ali está tudo em desordem. Tapetes enrolados, móveis amontoados, uma mesa redonda com cadeiras viradas e as estantes que guardam o arquivo de meu irmão. O piano Welmar onde compôs "Garota de Ipanema". A tampa fechada, a madeira fria. Num canto, parado, o relógio antigo que foi de minha mãe.

Ficamos um tempo ali naquele terceiro andar da casa, rodeados pelas ramagens que roçam os vidros pequenos das janelas.

Às duas horas da tarde almoçamos com Maria Luiza, João Francisco e Marcela. Falamos banalidades, coisas leves. Mas por trás de nós, palpáveis, um peso e uma escuridão. Atendemos a muitos telefonemas da família e dos amigos, pedindo notícias.

A noite chegou. Os insetos rodaram mais uma vez em volta das lâmpadas, a paisagem do jardim mostrou-se imprecisa, neblinada, quase onírica. Ana ligou: "A operação correu muito bem. Tom está na sala de recuperação, mas é rotina."

A primeira grande expectativa tinha sido vencida. Eu estava exausta. Ficamos no estúdio assistindo televisão, Marcela lendo. João e Luiza adormeceram no sofá. Às dez horas, Neo subiu para o andar de cima carregando Luiza, e eu atrás dele com João encostado em mim, cabeceando de sono. Marcela tinha os olhos muito abertos e assustados, dourados e diáfanos, iguais aos do avô Azor. Dormimos todos juntos no quarto de meu irmão.

Acordei com as primeiras luzes do dia atravessando as persianas de madeira. Aguardávamos outro telefonema de Ana. E quando o telefone finalmente tocou, era ela, numa voz alegre, dizendo que Tom passara uma noite ótima e já estava no quarto. Tinha até andado um pouco.

Quando contamos a João e Luiza que o pai estava bem, eles começaram a dançar. Dançaram e cantaram, os rostos iluminados. Neo, Marcela e eu nos abraçamos, chorando e rindo. Aninha me diria depois que meu irmão falou para todos os médicos: "Meus filhos estão dançando de alegria."

Oito de dezembro. De manhã bem cedo, Neo foi levar Lulu e sua prima Chloé para serem vacinadas contra meningite. Quando voltaram já havia alguns carros da imprensa estacionados junto ao portão. Lulu, sorrindo encantada, perguntou:

— Tudo isso é só porque eu fui tomar vacina?

Neo sobe as escadas correndo. O telefone toca. Marleide atende. Ele fala do quarto mesmo. Acho estranho que minha cunhada tenha chamado meu ma-

rido em vez de me chamar, como faz sempre. De pé, junto à janela, eu o escuto:

— Muitas vezes acontece isso... sei, sei... estou te ouvindo... isso acontece, aconteceu com meu tio e ele se recuperou... sei, sei... estou te ouvindo Ana, calma, ele volta... e os médicos? onde estão os médicos? E Paulinho?... Me telefona de novo... logo... me telefona logo... estou esperando.

Vira-se para mim:

— Seu irmão teve um desmaio. Uma parada cardíaca.

Começo a tremer. A sentir frio. Um enjôo forte. Um suor gelado brota no meu corpo. Viro o rosto. O jardim não é mais o mesmo jardim. Jamais será. Neo me abraça, diz coisas que me parecem sem nexo, "ele vai se salvar... está dentro do melhor hospital do mundo... o coração dele vai voltar a bater..."

(Cadê Deus? Tenho quatro anos e Tom-Tom tem oito. Estamos sentados no banco do pequeno jardim na frente da casa da rua Constante Ramos. É de tarde, nossa mãe saiu e estou sentindo frio. Meu irmão tira a suéter e enrola em meus ombros. Depois diz: "Ouve só meu coração. Já viu como bate forte?" Encosto a cabeça em seu peito e escuto. "Pam-pam, pam-pam, pam-pam..." O coração de meu irmão bate bonito.)

Simone chega com Daniel. Ela percebe que ainda não sabemos. Faz um sinal disfarçado para o pai, mas eu vejo. Entram no quarto de meu irmão e fecham a porta. Eu vejo. Corro atrás com Daniel e abro a porta. No fundo do quarto, que ficou enorme de repente, do lado da cama, bem do lado onde meu irmão dorme, estão os dois de costas para mim. Tentam telefonar. Elianne aparece com Beth. E me olham.

— Que foi?...

Essa voz que sai de mim eu não conheço. Lá fora o mundo emudeceu, as coisas morreram. Nada se move, não há vento, não existe ar. Neo larga o telefone. Vem em minha direção. Neste momento entendo. Não entendo. Elianne e Marcela me amparam. Neo me segura com força, e Daniel... Meus joelhos se dobram, não há mais energia em meu corpo. Começo a gritar:

— Eu quero meu irmão!... Eu quero meu irmão!...

Meu marido diz:

— Você tem que se controlar. Daqui a pouco a televisão e o rádio vão dar a notícia. Temos que chamar João e Luiza e prepará-los.

Como posso contar a Lulu que seu pai acaba de morrer? João ainda está dormindo e quando for despertado, a vida terá mudado. O mundo explodiu. Como falaram comigo quando meu pai morreu? Como me contaram? Luiza é tão pequena ainda. Ontem reclamou que estava com saudade. E João Francisco? Agora nunca mais. Quem pode agüentar o nunca mais? "Quem fica órfão em tenra infância vai pela vida sem um braço" — foi o escritor Pedro Nava quem disse.

Sentei-a no meu colo, na poltrona pequena do quarto. Loura e frágil em seu vestido de florezinhas, os pés descalços. As crianças não deveriam sofrer. Encosto a cabeça dela em meu peito e acaricio seus cabelos finos e lisos como os do pai. Ela percebe alguma coisa no ar. Olha atenta para mim e pergunta:

— A que horas minha mãe e meu pai vão chegar?

Eu só sabia que ela precisava sentir o calor do meu corpo. Perguntou de novo:

— Papai vai chegar agora?

Enquanto a acaricio, vou falando em voz baixa, doce:

— Mamãe vai chegar amanhã.

— E papai?

— Papai... eu não sei... Ele não está muito bem.

Contra meu corpo, sinto seu pequeno corpo estremecer.

— Ele não vem?

— Talvez não possa vir não... O coração dele está muito fraquinho.

— Ele vai morrer?

— Talvez ele morra sim... Talvez Papai do Céu chame ele agora.

— Mas eu não quero que ele vá morar com Papai do Céu! Eu não quero não...

Choramos juntas, abraçadas. Nossas lágrimas se misturam, o pequeno rosto pálido, de repente frio, permanece encostado ao meu. Depois ergue a cabeça, procura-me no fundo dos olhos. Parece uma adulta. E afirma:

— Eu já sei que meu pai morreu.

— Ele precisava descansar. Estava muito cansado. Mas a mamãe vai chegar logo.

Ela se agarra em meu pescoço e recomeça a chorar, um choro baixinho, sem soluços. Inerte em meus braços.

Neo já falou com João. Ele se abraçou com o tio chorando muito e repetindo:

— O que vai ser de mim agora? O que vai ser de mim?

Ficou soluçando por muito tempo. Neo chorava também. Disse:

— Eu ajudo a criar você. Sua tia também, e seus irmãos mais velhos. Sua mãe vai chegar... a gente vai estar sempre junto.

Mas ele não parava de chorar, sufocado com as próprias lágrimas.

A televisão começa a dar as primeiras notícias. Antonio Carlos Jobim morreu. Nosso maior compositor morreu. Meu irmão morreu. É tão rápida a notícia da morte. Chegam parentes e amigos. A casa fica cheia de gente, a rua intransitável. Câmeras de TV, repórteres, carros enormes.

Aparecem amigos de João. Trancam-se no quarto para chorar com ele. Chegam amiguinhas de Lulu, atônitas. O telefone não pára de tocar. No dia seguinte Aninha me diria que quando meu irmão voltou da anestesia geral, não estava corado como depois da primeira intervenção. Parecia que um trator havia passado por cima dele. Todo inchado, cheio de furos e tubos. Devastado.

Deixaram-no poucas horas na sala de recuperação. Quando voltou a si, olhou em volta, surpreso:

— Então eu não morri...

De noitinha levaram-no para o quarto. Nas primeiras horas pareceu bem, até brincou com o médico: "Doctor, I love you!" *O cancerologista estava alegre como uma criança: "Você está completamente curado."*

Tom chamou Ana perto da cama e disse:

— Sabe qual é a primeira coisa que vou fazer quando sair daqui?

Ela pensou que ele fosse dizer qualquer coisa como ir a um bom restaurante, ou tomar um bom vinho. Mas meu irmão falou sorrindo:

— *Vou à Quinta Avenida, naquela ótica, comprar lentes de contato azuis... Vou chegar ao Brasil magro e de olhos azuis.*

Na noite seguinte foi o caos. Quando teve a primeira crise de falta de ar era mais de meia-noite. Paulo ajudou-o a se levantar da cama, arrastou o tripé dos soros atrás dele, andando pelo quarto. Levantava e abaixava os braços do pai, tentando ajudá-lo a respirar melhor. Tom estava muito nervoso. Sentou-se na cama do filho e Paulo notou que ele respirava mal. Apertou a campainha.

— *Espera um instante, pai.*

Saiu pelo corredor e achou um enfermeiro que o acompanhou ao quarto:

— Mister *Jobim... o senhor tem que respirar.*

— *O que está acontecendo?— perguntou Tom com raiva.*

O enfermeiro deu uma série de explicações que o irritaram:

— *Isso que você está me dizendo, eu já sei! Eu quero que você me diga o que eu não sei. Paulinho, deu tudo errado...*

O enfermeiro mandava Tom soprar um pequeno balão, era difícil para ele. Alertava-o sobre o perigo de uma pneumonia. Quando um dos médicos entrou no quarto, Tom falou sobre esse risco. O médico disse:

— This is a possibility.

— *Vocês me deram anestesia geral, eu não queria. Meu filho e minha mulher também não queriam.*

Depois que o médico e o enfermeiro saíram, Tom pediu ao filho para diminuir o anestésico. Paulinho tentou dobrar o tubo, mas era muito duro. A anestesia peridural, pingando sempre, dificultava as funções vitais. Tom arrancou tudo aquilo. O enfermeiro entrou no quarto e ligou de novo.

A secreção que o afligia e não o deixava respirar bem, era conseqüência da anestesia geral. Tom pedia insistentemente uma nebulização quente, de vapor úmido. Era como tratava os filhos. O enfermeiro disse que não conhecia isso. A secreção no peito piorava. Ficou agitado, buscando o ar. O enfermeiro colocou a máscara de oxigênio frio com um remédio para dormir. Ele se acalmou, adormeceu. Ana tinha ido dormir no apartamento. O quarto estava gelado e ela tossia muito.

Sentado na cama ao lado do pai, Paulo não conseguia dormir. Lembrava-se da conversa que tivera com o médico, antes da operação. O cardiologista havia dito que o caso era seriíssimo, o entupimento das artérias tão generalizado que não resolveria fazer ponte de safena. Mas Paulinho achava que seu pai ainda poderia viver mais alguns anos. Tinha arranjado uma maneira de conviver com esse problema. Mas receava que ele não suportasse uma anestesia geral.

O médico explicou:

— O estresse de uma anestesia peridural pode ser mais perigoso para o coração dele do que a própria anestesia geral.

Paulo ligou para o cardiologista. Disse que o pai estava outra vez respirando com dificuldade. Disse que tinha medo que isso forçasse seu coração. Adormeceu perto dele. Acordou no meio da noite quando chegou a enfermeira preta e gorda que Tom gostava. Abriu os olhos, olhou para ela e repetiu:

— So, I didn't die...

Paulo ficou aliviado e dormiu de novo. Quando acordou, já era madrugada. Havia dois enfermeiros no quarto. Tom tentava sair da cama. Um dos enfermeiros havia levantado a grade e travado.

— Aonde o senhor quer ir, mister *Jobim?*

— Quero ir para a praia! Para junto do mar... respirar a maresia... respirar...

Estava muito angustiado. Tentou de novo se livrar da grade da cama, mas não conseguiu. Paulo também tentou. Queria andar outra vez com o pai pelo quarto, levantando e abaixando seus braços, ajudando-o a respirar como fizera da primeira vez. De pé, atrás dele, batia em suas costas tentando soltar a secreção do peito. Perguntou por que não aspiravam com um tubo. O enfermeiro saiu e voltou rapidamente com o remédio que usara antes.

Sua morte foi rápida. Paulo, ainda de pé atrás do pai, não via seu rosto. Mas viu a expressão afobada do enfermeiro. Durou apenas um segundo. Tom não emitiu um gemido. Deitaram-no, já com os olhos revirados para trás. Tinha desmaiado. Havia sofrido uma parada cardíaca. Entrou no quarto uma equipe médica. Tentaram ressuscitá-lo. Deram socos em seu peito. Cortaram a veia femoral na virilha. Por ali introduziram um tubo até seu coração.

Paulo telefonou de novo para o cardiologista. Telefonou para Ana no apartamento. Foram vinte minutos de parada cardíaca. Ressuscitaram-no. Voltou a respirar por aparelhos.

— Ele está em estado pré-enfarte. Vamos operá-lo. Fazer ponte de safena.

Paulo pensou rápido: "Meu pai já tem a circulação cerebral prejudicada. A pressão sempre cai durante a operação. A cabeça não vai voltar mais." Perguntou ao médico:

— O que vai acontecer com ele depois?

Em vez de responder, o médico perguntou:

— Quanto tempo ele ficou em parada cardíaca?

— Vinte minutos.

O eletro acusava que meu irmão estava à beira do segundo enfarte. Paulo se perguntava: "O que vai sobrar dele?"

O enfarte foi fulminante. Tom nem chegou a voltar para o CTI. Os médicos sugeriram uma autópsia, que foi recusada por Paulo e Ana.

Ana fechou seus olhos. Chorava alto, em soluços descontrolados, repetindo: "Você agora é o meu Deus... você agora é o meu Deus..."

Paulo, ajoelhado ao lado da cama, de mãos postas, chorava e rezava: "Aquele que habita no esconderijo do Altíssimo, à sombra do Onipotente, descansará... Porque aos seus anjos dará ordem a teu respeito, para te guardar em todos os teus caminhos..."

Um dos médicos disse depois, fleumático:

— Ele parecia ser um homem forte, mas era um homem frágil.

O avião trazendo seu corpo chegou ao Brasil no dia seguinte de manhã cedo. Foi decretado luto oficial no país por três dias. No trajeto do aeroporto ao Jardim

Botânico — passando pelas praias do Rio — seu caixão, transportado pelo Corpo de Bombeiros, vinha coberto pela bandeira brasileira.

Por todo o caminho, por essa dolorosa via-crucis, *pessoas acenavam ou choravam ou cantavam. O cortejo chegou às onze horas ao casario antigo do Jardim Botânico, onde seu corpo seria velado. Pedimos um momento para estarmos sozinhos com ele. Lá de fora chegava o rumor de vozes do aglomerado da imprensa e das pessoas na fila que se encompridava pelas alamedas.*

Alguém tirou a tampa do caixão e vi meu irmão pela última vez. Estava vestido de branco, as mãos cruzadas sobre o peito, o rosto sereno, rodeado de flores. Aproximei-me com estranheza e incompreensão. (Foi difícil, Tom? Quantas vezes conversamos sobre a vida e sobre a morte, sobre o medo do desconhecido e a dor. E muitas vezes nos dissemos que a maior bênção seria uma morte rápida.)

Aproximo-me do seu corpo profundamente adormecido. E de lábios cerrados, falo com ele: "Você foi embora muito cedo, querido, não me conformo. Como posso me conformar? Mas você morreu na plenitude, em plena posse de suas faculdades mentais." O sol da nossa música está na potência total de sua luminosidade — foi Caetano Veloso quem disse. Você não suportaria uma vida de dor ou invalidez. "Longa é a dor do pecador, breve é a dor do trovador..." Foi breve a tua dor? Há quanto tempo ela existia em ti? E onde você está agora? É bom? É ruim? Ou não é nada, é só aquele grande sono?

E ao vê-lo assim, imóvel, morto, ocorre-me de repente o eufemismo usado por um amigo, quando se referia a alguém que tivesse morrido: "E desde aquela data, não respondia mais aos nossos chamados."

Então é isso. Nem que eu repita e repita seu nome, nem que eu grite. Curvo-me para beijar seu rosto. Meus lábios estranham sua pele tão fria. É assim a morte? Uma frieza? Uma imobilidade? Fecham o caixão. Quero olhar mais uma vez, só mais uma vez, me despedir. Mas é inútil, é vão. O tempo que se passou entre meu beijo e todas as pessoas que foram entrando quando abriram as portas, ignoro essas horas. Só me ficou um silêncio dentro.

A tarde cai. O ar frio e perfumado do Jardim Botânico invade a sala. Tia Yolanda, já com quase 90 anos, muito lúcida, me beija e se despede, apoiada por Lúcia. Seus olhos garços estão secos, espantados.

Falam em adiar o enterro para o dia seguinte. Ainda há muitas pessoas na fila. Um senhor de idade, de cor, que conseguimos passar para a frente, diz soluçando: "Esse homem é um santo. Sua música alegrou minha vida... Me levem um instante para junto dele, preciso tocá-lo." Era cego.

Preocupados com a multidão lá fora, pensamos de novo na hipótese do adiamento do enterro. Mas Neo sabia que não iríamos agüentar uma noite inteira ali. Luiza já viu o pai, pediu para vê-lo. Foi para casa a conselho de um médico amigo. João Francisco ficou. Seu rosto está banhado em lágrimas.

Não me lembro do cortejo até o cemitério. Só sei que li no alto do portão de ferro: "Revertere ad Locum Tuum." *Então é isso? É para isso que a gente nasce, vive, e se esforça tanto? Vejo-me caminhando por uma alameda comprida, amparada por meu neto Marco, Rafael, irmão de Ana, e Biel, meu primo. Minha filha chegou de Belo Horizonte e está também ao meu lado, com Marcela. Helicópteros deixam cair pétalas de rosas vermelhas, que vão se amontoando sobre o túmulo de meu irmão.*

Vive-se uma vida inteira para esse momento. Chorando agora sem nenhum pudor, até o lugar onde seu corpo vai baixar à terra. O buquê de violetas que alguém me entregou, vou levando apertado contra o peito, tinge de roxo meu coração. Jornalistas e fotógrafos sobem em lugares altos e me confundem tantos flashes *explodindo. Um deles larga a máquina no chão, e soluça. O caixão desce.*

Em Nova York, no prédio onde Antonio Carlos Jobim morou, o elevador sobe e pára no vigésimo segundo andar muitas vezes.

— Já vieram dois homens consertar. O elevador está subindo toda hora para o andar de mister *Jobim. Mas não encontraram nenhum defeito na máquina.*

Eu acredito. Preciso acreditar. Imagino ouvir sua música, sua poesia: "Um boto casado com sereia planeja a viagem pelo ar (...) E a alma perdida quer voltar..."

A alma perdida quer voltar. Sonhei ontem com ele. Me disse:

— Meu navio chegou ao porto.

Até um dia, meu irmão.

No Jardim Botânico, na casa branca de pilotis, o carteiro entrega os telegramas chorando. Na terceira madrugada, o pintor Veronese está sentado no degrau do portão, a cabeça escondida entre os joelhos. O guarda da rua se aproxima e o interroga.

— Não tenha receio... Acordei e não pude mais dormir. É que eu gostava muito dele.

— Tem vindo muita gente aqui. Pessoas que querem olhar a casa dele — tira o boné, coça a cabeça: — Sabe... ele sempre deixava, na guarita, um pão para mim.

Ana manda entregar a Thereza o pequenino chaveiro de ouro, com um alto-relevo de uma sabiá desenhada por Paulinho, que Nilza deu ao filho quando ele ganhou o Festival da Canção. Tom deixou pendurado nele as duas alianças de seu primeiro casamento.

Thereza se emocionou:

— Foi um gesto bonito da Ana.

No piano, ficou uma partitura. A última música que ele tocou, nos dias que precederam sua internação. Meu sobrinho diz que a canção é muito linda: "There will never be another you".

Da janela, Paulo vê um gavião branco. O pássaro sobe em círculos para o alto, no céu azul, para o alto. Acompanha o seu vôo, até tornar-se um ponto lívido.

Invisível aos olhos dos homens.

7
Se todos fôssem
Introdução
F7
G7
Bb6
1° e 3° V.
Cellos

Discografia ACJobim

Por

Paulo Hermanny Jobim

Vera Alencar

Jairo Severiano

Lista de Abreviaturas

AA Antonio Almeida
AB Ari Barroso
ABt A. Botelho
ACJ Antonio Carlos Jobim
ACr Alberto Caeiro (Fernando Pessoa)
ACrr Altamiro Carrilho
ACv Armando Cavalcanti
AF Alcídes Fernandes
AM Antonio Maria
AN Armando Nunes
AO Aloísio de Oliveira
AP A. Popp
AR Alberto Ribeiro
Arm Armandinho
BB Billy Blanco
BBr Bertold Brecht
Bbt Bebeto
BD Bid
BM Bruno Marnet
BP Baden Powell
Brr Bororó
CA C. Armando
CAn Chico Anísio
CAR C.A. Regos
CB Chico Buarque de Hollanda
CC Clécios Caldas
Ccs Cacaso
CL Carlos Lyra
CM Custódio Mesquita
Cnd Candinho
COg Claus Ogerman
CP Cole Porter
CV Caetano Veloso
DaC Danilo Caymmi
DC Dorival Caymmi
DD Dolores Duran
DF Durval Ferreira
EF E. Frasão
EL Edu Lobo
ER Evaldo Rui
ES Enrique Simonetti
ESH E.P. Saldivar Hijo
ESN Eduardo Souto Neto
FC Fernando Cesar
Fr Forrest
GC Geraldo Carneiro
GGs Gil Goldstein
GH Georges Henry
GIG George & Ira Gershwin
GL Gene Lees
GM Genival Melo
GM George Moustaqui
GP Geraldo Pereira
Gr Garoto
HA Hianto de Almeida
HB Haroldo Barbosa
HW H. Woods
IN Ismael Neto
IS Ismael Silva
IV I. Vilarim
JBS Juca B. Stockler
JC Joubert de Carvalho
JH Jessei Hendricks
JM José Menezes
JMA José Maria de Abreu
Jrrc Jararaca
JS Jayme Silva
JV João do Vale
KW Kurtweill
LB Luiz Bonfá
LBr Lô Borges
LD Luiz Dantas
LF Lula Freire
LH Lionel Hampton
LM Lauro Maia
LP Luiz Peixoto
MB Manoel Bandeira
MBr Marcio Borges
Mch Miúcha
MD M. Dixon
ME Maurício Einhorn
MO Milton Oliveira
MP Marino Pinto
MR Mario Rossi
Mrb Mirabeau
Mrç Marçal
NA Nelson Angelo
NG Norman Gimbel
NM Newton Mendonça
NN Nelcy Noronha
NR Noel Rosa
NS Nilo Sergio
NSh Nelson Sheffick
NT Neusa Teixeira
PCP Paulo Cesar Pinheiro
PJ Paulo Jobim
PS Paulo Soledade
Pxn Pixinguinha
RaB Raul Bitencourt
RBo Ronaldo Bôscoli
RG Ray Gilbert
RG Roberto Guimarães
RJ Randall Juliano
RL R. Lucchesi
RM Roberto Menescal
RP Romulo Paes
SB Sonny Burke
ST Sylvia Telles
TM Tito Madi
TN Torquato Neto
Tq Toquinho
UC Urgel de Castro
VL Villa-Lobos
VM Vinícius de Moraes
WA Waldemar de Abreu
Wr Wright
Zmb Zimbres
Ver=Verve
Phi=Philips
Pab=Pablo
Mer=Mercury
MAR=MARSHALL
EPI=EPIC
Ele=Elenco

Intérprete	TÍTULO DO DISCO TÍTULO DO CD Título da música Título da música	Autores Autores	Obs	GRAVADORA Tp CD	 Nº do Disco Nº do CD
1953				**Sinter**	
Mauricy Moura	Incerteza	ACJ-NM		78	217
Ernâni Filho	Faz uma semana	ACJ-JBS		78	236
	Pensando em você	ACJ			
1954				**Continental**	
Nora Ney	Solidão	ACJ-AF		78	16968
Dick Farney	Outra vez	ACJ	ar ACJ	78	16969
Dick Farney+Lúcio Alves	Tereza da praia	ACJ-BB	ar ACJ	78	16994
Vários	SINFONIA DO RIO DE JANEIRO	ar Radamés		LP	1000
D.Farney+Cariocas	Hino ao sol (SRJ)	ACJ-BB			
L.Alves+Cariocas	Coisas do dia (SRJ)	ACJ-BB			
G.Milfont	Matei-me no trabalho (SRJ)	ACJ-BB			
Elizeth Cardoso	Zona Sul (SRJ)	ACJ-BB			
Dick Farney	Arpoador (SRJ)	ACJ-BB			
D.Monteiro+Cariocas	Noites do Rio (SRJ)	ACJ-BB			
Elizeth Cardoso	O mar (SRJ)	ACJ-BB			
Lúcio Alves	Copacabana (SRJ)	ACJ-BB			
Emilinha	A montanha (SRJ)	ACJ-BB			
Nora Ney	O morro (SRJ)	ACJ-BB			
Jorge Goular	Descendo o morro (SRJ)	ACJ-BB			
Dick Farney	Samba de amanhã (SRJ)	ACJ-BB			
1955				**Continental**	
Doris Monteiro	Porque razão	JMA-LP	ar ACJ	78	17092
	Quando tu passas por mim	AM-VM			
Nora Ney	Dois tristonhos	LR	ar ACJ	78	17154

	O morro (SRJ)	ACJ-BB			
Doris Monteiro	Do-Re-Mi	FC	ar ACJ	78	17159
	Se é por falta de adeus	ACJ-DD			
Doris Monteiro	Céu sem luar	RJ-ES	ar ACJ	78	17171
	Eu e o meu coração	IV-AB			
Juanita Cavalcante	Carnavalito	ESH-CAR	ar ACJ	78	17178
	Gentil senhorita	CA-Arm			
Nora Ney	O que vai ser de mim	ACJ		LP	7
				EMI-Odeon	
Orlando Silva	Muié de ôio azul	HA-CAn	ar ACJ	78	13896
	Tenho medo	WA-EF			
Dalva de Oliveira	Eterna saudade	GM-LD	ar ACJ	78	13906
	Não pode ser	MP-MR			
Violeta Cavalcanti	Cartas	IN-AM	ar ACJ	78	13908
	Nossa terra, nosso samba	BM-Zmb			
Hianto de Almeida	Fala beicinho	HA-CAn	cnj ACJ	78	13939
	Mão na mão	HA-CAn			
Dalva de Oliveira	Prece	AR	ar ACJ	78	13988
	Saia do caminho	CM-ER			
1956				**CBS**	
Cauby Peixoto	Foi a noite	ACJ-NM		LP	4143
				Continental	
Edu da Gaita	Domingo sincopado	ACJ	ar ACJ	78	17291
	Moritat	KW-BBr			
Dora Lopes	Samba não é brinquedo	ACJ-LB		78	17311
Luiz Bonfá	A chuva caiu	ACJ-LB	ar ACJ	78	17313
Bill Farr	Sonho desfeito	ACJ-MP	ar ACJ?	78	17330
Elizete Cardoso	Canção da volta	AM-IS	ar ACJ	78	17354
Helena de Lima	Foi a noite	ACJ-NM		LP	38
				Copacabana	
Angela Maria	A chuva caiu	ACJ-LB		78	5540

Intérprete	Título do disco / Título do CD / Título da música	Autores	Obs	Tp / CD	Gravadora Nº do Disco / Nº do CD
					CD RCA-2129955
					EMI-Odeon
Gilda Barros	Vem viver ao meu lado	ACJ-AF	ar ACJ	78	14007
	Lavadeiras de Portugal	AP-RL-JC			
Dalva de Oliveira	Teu castigo	ACJ-NM	ar ACJ	78	14026
	Neste mesmo lugar	CC-ACv			
Sylvia Telles	Foi a noite	ACJ-NM	ar ACJ	78	14077
	Menino	CL			
Raul de Barros	Pé grande	ACJ-PS-ACv	ar ACJ?	78	14101
Osny Silva	Foi a noite	ACJ-NM	ar ACJ	78	14109
Sylvia Telles	Não diga não	TM-GH	ar ACJ	78	14110
	Sim você, pra que	ST-CAn			
Cláudia Morena	Só saudade	ACJ-NM		78	14113
A.C.Jobim	ORFEU DA CONCEIÇÃO		ar ACJ	LP	MODB3056
+Roberto Paiva	Eu e o meu amor	ACJ-VM			
+Roberto Paiva	Lamento no morro	ACJ-VM			
+Roberto Paiva	Mulher sempre mulher	ACJ-VM			
+Roberto Paiva	Se todos fossem iguais a você	ACJ-VM		CD	7952412
+V.de Moraes	Monólogo de Orfeu	ACJ-VM		CD	7952412
+V.de Moraes	Orfeu da Conceição-Overture	ACJ-VM			
1957					**Continental**
Jorge Goulart	Descendo o morro	ACJ-BB		78	17477
Tito Madi	Se todos fossem iguais a você	ACJ-VM		78	17482
Tito Madi	Foi a noite	ACJ-NM		LP	52
					Copacabana
Almir Ribeiro	Foi a noite	ACJ-NM		LP	11023

				EMI-Odeon	
Sylvia Telles	Luar e batucada	ACJ-NM	ar ACJ	78	14168
	Geração da vitamina	HB			
Ernâni Filho	Frase perdida	ACJ-MP		78	14226
	Sucedeu assim	ACJ-MP			
Dalva de Oliveira	Há um Deus	LR	ar ACJ	78	14259
	Serei só tua	RP-NSh			
Roberto Luna	Se todos fossem iguais a você	ACJ-VM		78	14283
Vários	Um nome de mulher	ACJ-VM		LP	MOCB3006
Sylvia Telles	CARÍCIA		ar ACJ	LP	MODB3076
	2 em 1-SYLVIA TELLES			CD	3648275352
	Por causa de você	ACJ-DD			
	Sucedeu assim	ACJ-MP			
	Tu e eu	ACrr-AN			
	Se todos fossem iguais a você	ACJ-VM			
	Canção da volta	IS-AM			
	Chove lá fora	TM			
	Duas contas	Gr			
	Foi a noite	ACJ-NM			
				Polydor	
A.Gnatalli	Se todos fossem iguais a você	ACJ-VM		78	247
				Festa	
Paulo Autran+outros	O PEQUENO PRÍNCIPE		mus ACJ	LP	1005
				Sinter	
Vanja Orico	Eu não existo sem você	ACJ-VM	ar ACJ	78	582
	Sucedeu assim	ACJ-MP			
1958				**CBS**	
Al Brito		Foi a noite	ACJ-NM	LP	137035
				Columbia	
Doris Monteiro	Eu não existo sem você	ACJ-VM		78	11068
Conj.Farroupilha	Por causa de você	ACJ-DD		LP	37027

Luizinho+Conj.	Por causa de você	ACJ-DD		LP	37028
Lana Bittencourt	Se todos fossem iguais a você	ACJ-VM		LP	37029
				Continental	
Helena de Lima	Por causa de você	ACJ-DD		78	17553
Vera Lúcia	Por causa de você	ACJ-DD		78	17574
Bill Farr	Eu não existo sem você	ACJ-VM	ar ACJ?	78	17575
Soni Dutra	É preciso dizer adeus	ACJ-VM		78	201992
R.Gnattalli	Foi a noite	ACJ-NM		LP	3010
Bené Nunes	BENÉ NUNES E SEU PIANO			LP	3042
	Lamento no morro	ACJ-VM			
	Por causa de você	ACJ-DD			
	Se todos fossem iguais a você	ACJ-VM			
				Copacabana	
Dolores Duran	Por causa de você	ACJ-DD		LP	11011
Elizete Cardoso	Se todos fossem iguais a você	ACJ-VM		LP	11013
Almir Ribeiro	Se todos fossem iguais a você	ACJ-VM		LP	11023
Elizete Cardoso	Por causa de você	ACJ-DD		LP	11026
Leny Eversong	Por causa de você	ACJ-DD		LP	11028
Carminha Mascarenhas	Eu não existo sem você	ACJ-VM		LP	11049
Valdir Calmon	Por causa de você	ACJ-DD		LP	11059
Agnaldo Rayol	Estrada do sol	ACJ-DD		LP	11061
	Eu não existo sem você	ACJ-VM			
Marisa	Chega de saudade	ACJ-VM		LP	11063
				EMI-Odeon	
Lúcio Alves+Sílvia Teles	Eu não existo sem você	ACJ-VM		78	14358
				CD	7952412

João Gilberto	Bim bom	JG	ar ACJ	78	14360
	Chega de saudade	ACJ-VM			
Roberto Paiva	Maria da Graça	ACJ-VM		78	14375
João Gilberto	Desafinado	ACJ-NM	ar ACJ	78	14426
	Hô-bá-lá-lá	ACJ-NM			
Roberto Paiva	Chega de saudade	ACJ-VM		45	BWB1030
Roberto Luna	Por causa de você	ACJ-DD		LP	MOCB3028
Steve Bernard	Se todos fossem iguais a você	ACJ-VM		LP	MOCB3029
Isaura Garcia	Foi a noite	ACJ-NM		LP	MOCB3031
Osvaldo Borba	Chega de saudade	ACJ-VM		LP	MOFB3005
Roberto Inglês	Se todos fossem iguais a você	ACJ-VM		LP	MOFB3021
Norberto Baudauf	Por causa de você	ACJ-DD		LP	MOFB3028
	Se todos fossem iguais a você	ACJ-VM			
Sylvia Telles	SYLVIA			LP	MOFB3034
	Aula de matemática	ACJ-MP			
	Cala meu amor	ACJ			
	Caminhos cruzados	ACJ-NM			
	Discussão	ACJ-NM			
	E preciso dizer adeus	ACJ-VM			
	Estrada do sol	ACJ-DD			
	Mágoa	ACJ-MP			
Gaúcho	Por causa de você	ACJ-DD		LP	MOFB3036
	Se todos fossem iguais a você	ACJ-VM			
Walter+Mozart	Por causa de você	ACJ-DD		LP	MOFB3037
Léo Peracchi	Coffee delight	ACJ		LP	MOFB3042
	Latin Manhattan	ACJ			
	Moonlight Daiquiri	ACJ			
					Festa
Elizete Cardoso	CANÇÃO DO AMOR DEMAIS		ar ACJ	LP	6002
	Chega de saudade	ACJ-VM			
	Serenata do adeus	VM			
	As praias desertas	ACJ			

Intérprete	Título do disco / Título do CD / Título da música	Autores	Obs	Gravadora Tp / CD	Nº do Disco / Nº do CD
	Caminho de pedra	ACJ-VM			
	Luciana	ACJ-VM			
	Janelas abertas	ACJ-VM			
	Eu não existo sem você	ACJ-VM			
	Outra vez	ACJ			
	Medo de amar	VM			
	Estrada branca	ACJ-VM			
	Vida bela (Praia branca)	ACJ-VM			
	Modinha	ACJ-VM			
	Canção do amor demais	ACJ-VM			
				Mocambo	
Maria Helena Raposo	Estrada do sol	ACJ-DD		LP	40009
	Se todos fossem iguais a você	ACJ-VM			
				Polydor	
Agostinho dos Santos	Sucedeu assim	ACJ-MP		78	268
Norma Sueli	Se todos fossem iguais a você	ACJ-VM		78	248
Carlos José	Aula de matemática	ACJ-MP		LP	4013
	Eu não existo sem você	ACJ-VM			
	Foi a noite	ACJ-NM			
Agostinho dos Santos	A.C.JOBIM e F.CESAR NA VOZ DE...			LP	4018
	Estrada do sol	ACJ-DD			
	Eu não existo sem você	ACJ-VM		CD	5234582
	Foi a noite	ACJ-NM			
	Por causa de você	ACJ-DD			
	Se todos fossem iguais a você	ACJ-VM		CD	5234582
K-Ximbinho	Sucedeu assim	ACJ-MP		LP	4025

				RCA
Sônia Dutra	Discussão	ACJ-NM	78	801992
Nelsinho	Chega de saudade	ACJ-VM	LP	1007
	Por causa de você	ACJ-DD		
				RGE
Maysa	Eu não existo sem você	ACJ-VM	78	10099
Agostinho dos Santos	Chega de saudade	ACJ-VM	78	10138
Maysa	Caminhos cruzados	ACJ-NM	LP	5013
Maysa	As praias desertas	ACJ	LP	5027
	Discussão	ACJ-NM		
Maysa	Por causa de você	ACJ-DD	LP	5042
	Se todos fossem iguais a você	ACJ-VM		
				Sinter
Paulo Moura	Por causa de você	ACJ-DD	LP	1743
Sexteto Plaza	Eu não existo sem você	ACJ-VM	LP	1756
	Por causa de você	ACJ-DD		
1959				**Arpege**
Valdir Calmon	Eu sei que vou te amar	ACJ-VM	LP	1
Conj.Raffa's	Foi a noite	ACJ-NM	LP	3
				CBS
Sylvio Mazzuca	A felicidade	ACJ-VM	LP	137050
	Eu sei que vou te amar	ACJ-VM		
				Chantecler
José Orlando	Chega de saudade	ACJ-VM	LP	2027
Ana Lucia	Esquecendo você	ACJ	LP	2045
	O que tinha de ser	ACJ-VM		
				Columbia
Britinho	Desafinado	ACJ-NM	LP	37079
Conj.Farroupilha	A felicidade	ACJ-VM	LP	37099
Conj.Farroupilha	Dindi	ACJ-AO	LP	37125

Intérprete	Título do disco / Título do CD / Título da música / Título da música	Autores / Autores	Obs	Tp / CD	Gravadora Nº do Disco / Nº do CD
	Samba de uma nota só	ACJ-NM			
Os Cariocas	Chega de saudade	ACJ-VM		78	11086
Luiz Cláudio	Este seu olhar	ACJ		78	11108
Zezé Gonzaga	A felicidade	ACJ-VM		78	11139
	Eu sei que vou te amar	ACJ-VM			
Sílvio Mazzuca	A felicidade	ACJ-VM		LP	37050
	Eu sei que vou te amar	ACJ-VM			
					Continental
Sev.Araújo+Orq Tabajara	Chega de saudade	ACJ-VM		LP	3071
	Estrada do sol	ACJ-DD			
Dorival	Por causa de você	ACJ-DD		78	17587
Roberto Amaral	Este seu olhar	ACJ		78	17661
Luely Figueiró	A felicidade	ACJ-VM		78	17713
	O nosso amor	ACJ-VM			
Albertinho Fortuna	Eu sei que vou te amar	ACJ-VM		78	17720
Sev.Araújo+Orq Tabajara	A felicidade	ACJ-VM		78	17728
Chiquinho	A felicidade	ACJ-VM		78	17731
Risadinha	Chega de saudade	ACJ-VM		LP	3062
Duda	A felicidade	ACJ-VM		LP	3064
Renato de Oliveira	A felicidade	ACJ-VM		LP	3087
					Copacabana
Agnaldo Rayol	As praias desertas	ACJ		LP	11101
Moacir Silva	A felicidade	ACJ-VM		LP	11117
	Brigas nunca mais	ACJ-VM			
	Este seu olhar	ACJ			
	Eu sei que vou te amar	ACJ-VM			

	O nosso amor	ACJ-VM			
Morgana	Este seu olhar	ACJ		LP	11120
Elizete Cardoso	Aula de matemática	ACJ-MP		LP	11123
Betinho	Eu sei que vou te amar	ACJ-VM		LP	11130
Abel Ferreira	Chega de saudade	ACJ-VM		45	4536
				EMI-Odeon	
Dick Farney			ar ACJ?	78	14435
	Este seu olhar	ACJ		CD	793275
	Se é por falta de adeus	ACJ-DD			
Sylvia Telles				78	14448
	Eu preciso de você	ACJ-AO			
	Eu sei que vou te amar	ACJ-VM		CD	7952412
Ney e sua Orq.	Desafinado	ACJ-NM		78	14464
Osny Silva	Eu sei que vou te amar	ACJ-VM		78	14494
Zezinho	A felicidade	ACJ-VM		78	14514
Miguel Caló	A felicidade	ACJ-VM		78	14545
Dupla Mara e Cota	Eu não existo sem você	ACJ-VM		78	14556
	Eu sei que vou te amar	ACJ-VM			
Ubirajara	A felicidade	ACJ-VM		45	BWB1021
	Eu sei que vou te amar	ACJ-VM			
Dick Farney	Perdido nos teus olhos	ACJ-NM		45	BWB1053
	Solidão	ACJ-AF			
João Gilberto	ORFEU		ar ACJ	C	BWB1092
	O MITO			CD	3707938912
	A felicidade	ACJ-VM			
	Manhã de carnaval	LB-AM			
	O nosso amor	ACJ-VM			
	Frevo	ACJ-VM			
Mário Genário Filho	Brigas nunca mais	ACJ-VM		LP	BWB1097
Léo Peracchi	Estrada do sol	ACJ-DD		LP	MOCB3044
	Por causa de você	ACJ-DD			
Léo Peracchi	Eu não existo sem você	ACJ-VM		LP	MOFB3057

Intérprete	Título do disco / Título do CD / Título da música	Autores	Obs	Gravadora Tp / CD	Nº do Disco / Nº do CD
	Se todos fossem iguais a você	ACJ-VM			
Carlos José	O mar (SRJ)	ACJ-BB		LP	MOFB3059
	Por toda a minha vida	ACJ-VM			
Hector Lagna Fietta	Chega de saudade	ACJ-VM		LP	MOFB3067
	Eu não existo sem você	ACJ-VM			
João Gilberto	CHEGA DE SAUDADE		ar ACJ	LP	MOFB3073
	O MITO			CD	3707938912
	Chega de saudade	ACJ-VM			
	Lobo bobo	CL-RBo			
	Brigas nunca mais	ACJ-VM			
	Hô-bá-lá-lá	JG			
	Saudade fez um samba	CL-RBo			
	Maria Ninguém	CLy			
	Desafinado	ACJ-NM			
	Rosa morena	DC			
	Morena boca de ouro	AB			
	Bim bom	JG			
	Aos pés da cruz	MP-ZG			
	É luxo só	AB-LP			
Zezinho	Chega de saudade	ACJ-VM		LP	MOFB3074
	Estrada do sol	ACJ-DD			
Sexteto Rex	Chega de saudade	ACJ-VM		LP	MOFB3081
Marlene	Brigas nunca mais	ACJ-VM		LP	MOFB3083
				CD	7932752
Sylvia Telles	AMOR DE GENTE MOÇA		ar Gaya	LP	MOFB3084
	2 em 1-SYLVIA TELLES			CD	3648275352

	Dindi	ACJ-AO		
	De você eu gosto	ACJ-AO		
	Discussão	ACJ-NM		
	Sem você	ACJ-VM		
	Fotografia	ACJ		
	Janelas abertas	ACJ-VM		
	Demais	ACJ-AO		
	O que tinha de ser	ACJ-VM		
	A felicidade	ACJ-VM		
	Canta, canta mais	ACJ-VM		
	Só em teus braços	ACJ		
	Esquecendo você	ACJ		
Lúcio Alves			LP	MOFB3088
			CD	3547956782
	Estrada do sol	ACJ-DD		
	Se todos fossem iguais a você	ACJ-VM		
Luiz Arruda Paes	Foi a noite	ACJ-NM	LP	MOFB3089
Walter	Brigas nunca mais	ACJ-VM	LP	MOFB3091
Chepsel	Estrada do sol	ACJ-DD	LP	MOFB3098
Irani	Eu não existo sem você	ACJ-VM	LP	MOFB3100
Valter Wanderley	Este seu olhar	ACJ	LP	MOFB3109
Norma Bengell	OOOOOOH! NORMA		LP	MOFB3112
	Eu preciso de você	ACJ-AO		
	Eu sei que vou te amar	ACJ-VM		
	Sucedeu assim	ACJ-MP		
Luiz Arruda Paes	Eu sei que vou te amar	ACJ-VM	LP	MOFB3121
	Por causa de você	ACJ-DD		
Isaura Garcia	Meditação	ACJ-NM	LP	MOFB3127
Raul de Barros	Eu sei que vou te amar	ACJ-VM	LP	MOFB3133
Bené Nunes	Garoto	ACJ	LP	MOFB3135
Gregório Barrios	Eu sei que vou te amar	ACJ-VM	LP	MOFB3136

Intérprete	Título do disco / Título do CD / Título da música	Autores	Obs	Tp / CD	Nº do Disco / Nº do CD
				Festa	
Lenita Bruno	POR TODA A MINHA VIDA		ar Perachi	LP	6006
	As praias desertas	ACJ			
	Cai a tarde	ACJ			
	Canção do amor demais	ACJ-VM			
	Canta, canta mais	ACJ-VM			
	Estrada branca	ACJ-VM			
	Eu não existo sem você	ACJ-VM			
	Eu sei que vou te amar	ACJ-VM			
	Por toda a minha vida	ACJ-VM			
	Sem você	ACJ-VM			
	Soneto de separação	ACJ-VM			
Vadico	Brigas nunca mais	ACJ-VM		LP	6009
	Chega de saudade	ACJ-VM			
Mozart	A felicidade	ACJ-VM		LP	6010
	Estrada do sol	ACJ-DD			
	Eu sei que vou te amar	ACJ-VM			
Copinha	A felicidade	ACJ-VM		LP	6012
				HIFI-Musidisc	
Turma da Bossa	Chega de saudade	ACJ-VM		LP	2023
Orq.Panamericana	Chega de saudade	ACJ-VM		LP	2027
Pierre Kolman	Brigas nunca mais	ACJ-VM		LP	2028
	Eu sei que vou te amar	ACJ-VM			
Orq.Românticos de Cuba	Eu não existo sem você	ACJ-VM		LP	2032
				Momo	
Marlene	O nosso amor	ACJ-VM		78	42

				Polydor
Alexandre Gnattali	Se todos fossem iguais a você	ACJ-VM	78	247
1959				**Polydor**
Diana Montez	O nosso amor	ACJ-VM	78	324
Lucas	Eu não existo sem você	ACJ-VM	LP	4030
Tito Romero	Por causa de você	ACJ-DD	LP	4032
Dalva de Andrade	EIS DALVA DE ANDRADE		LP	4040
	Brigas nunca mais	ACJ-VM		
	Eu preciso de você	ACJ-AO		
	Eu sei que vou te amar	ACJ-VM		
Orq.Irmãos Araujo	Chega de saudade	ACJ-VM	LP	4044
	Estrada do sol	ACJ-DD		
Carlos Augusto	A felicidade	ACJ-VM	LP	4050
	Canção da eterna despedida	ACJ		
	Sem você	ACJ-VM		
Don Pacheco	Eu sei que vou te amar	ACJ-VM	LP	4051
Jota Cláudio+Pepe Cabral	Brigas nunca mais	ACJ-VM	LP	4054
	Desafinado	ACJ-NM		
Maciel	A felicidade	ACJ-VM	LP	4055
	O nosso amor	ACJ-VM		
Orq.Gerson Flinkas	Brigas nunca mais	ACJ-VM	LP	4058
	Este seu olhar	ACJ		
				Prestige
Sexteto Prestige	Chega de saudade	ACJ-VM	LP	1005
				Rádio
Sexteto Geraldo	Por causa de você	ACJ-DD	LP	67
	Se todos fossem iguais a você	ACJ-VM		
Valdir Calmon	Chega de saudade	ACJ-VM	LP	77
Lucas	Eu sei que vou te amar	ACJ-VM	LP	80
				RCA
Trio Nagô	Chega de saudade	ACJ-VM	LP	1023

Intérprete	Título do disco / Título do CD / Título da música	Autores	Obs	Tp / CD	Nº do Disco / Nº do CD
					GRAVADORA
Fafá Lemos	Chega de saudade	ACJ-VM		LP	1026
Alaíde Costa	Estrada branca	ACJ-VM		LP	1030
				CD	M60029
Vicente Celestino	Se todos fossem iguais a você	ACJ-VM	ar ACJ	LP	1031
Zaccarias	Desafinado	ACJ-NM		LP	1040
Maurílio	Brigas nunca mais	ACJ-VM		LP	1043
	Desafinado	ACJ-NM			
Scarambone	A felicidade	ACJ-VM		LP	1056
	Eu sei que vou te amar	ACJ-VM			
					RGE
Maysa	Por toda a minha vida	ACJ-VM		78	10157
Elza Laranjeira	Eu sei que vou te amar	ACJ-VM		78	10161
	Aula de matemática	ACJ-MP			
Maysa	Outra vez	ACJ		LP	5045
	Pelos caminhos da vida	ACJ-VM			
Cid Gray	Este seu olhar	ACJ		C	5056
Agostinho dos Santos				LP	5057
	A felicidade	ACJ-VM		CD	7932752
	Eu sei que vou te amar	ACJ-VM			
	O morro (SRJ)	ACJ-BB			
Pocho	A felicidade	ACJ-VM		LP	5060
Elza Laranjeira	Eu sei que vou te amar	ACJ-VM		LP	5061
Maysa	A felicidade	ACJ-VM		LP	5068
	Eu sei que vou te amar	ACJ-VM			
					Sinter
Vera Lúcia	Este seu olhar	ACJ		78	637

	O que tinha de ser	ACJ-VM		
José Menezes+Quinteto OK	Brigas nunca mais	ACJ-VM	LP	1787
Sandoval Dias	Por causa de você	ACJ-DD	LP	1752
Sandoval Dias	Chega de saudade	ACJ-VM	LP	1762
Pedroca	Chega de saudade	ACJ-VM	LP	1763
Vera Lúcia	Brigas nunca mais	ACJ-VM	LP	1776
Sexteto Plaza	A felicidade	ACJ-VM	LP	1780
	Brigas nunca mais	ACJ-VM		
Lira de Xopotó	A felicidade	ACJ-VM	LP	1782
	Brigas nunca mais	ACJ-VM		
	Chega de saudade	ACJ-VM		
	Eu não existo sem você	ACJ-VM		
	Eu sei que vou te amar	ACJ-VM		
	Frevo	ACJ-VM		
	O nosso amor	ACJ-VM		
	Se todos fossem iguais a você	ACJ-VM		
Os Vocalistas Modernos	Eu sei que vou te amar	ACJ-VM	LP	1786
José Menezes+Quinteto OK	A felicidade	ACJ-VM	LP	1787
	Este seu olhar	ACJ		
	Eu sei que vou te amar	ACJ-VM		
1960			**Beverly**	
Quarteto Nostalgia	Foi a noite	ACJ-NM	LP	80199
	Por causa de você	ACJ-DD		
			Carnaval	
Herivelto Martins	A felicidade	ACJ-VM	78	80
			Chantecler	
Marcos	Meditação	ACJ-NM	LP	2083
Guerra Peixe	A felicidade	ACJ-VM	LP	2085
			Columbia	
Lana Bittencourt	A felicidade	ACJ-VM	LP	656
Lana Bittencourt	Corcovado	ACJ	LP	37152

Intérprete	Título do Disco / Título do CD / Título da música	Autores	Obs	Tp / CD	Nº do Disco / Nº do CD
	Este seu olhar	ACJ			
	Fotografia	ACJ			
	Olha pro céu	ACJ			
	Outra vez	ACJ			
	Só em teus braços	ACJ			
Breno Sauer	A felicidade	ACJ-VM		LP	56030
				Continental	
Vários	TOM JOBIM E BILLY BLANCO		ar Radamés	LP	3095
T.Moreno+Cariocas	Hino ao sol (SRJ)	ACJ-BB			
T.Moreno+Cariocas	Coisas do dia (SRJ)	ACJ-BB			
Rizadinha	Matei-me no trabalho (SRJ)	ACJ-BB			
Luely Figueiró	Zona Sul (SRJ)	ACJ-BB			
Ted Moreno	Arpoador (SRJ)	ACJ-BB			
N.Martins+Cariocas	Noites do Rio (SRJ)	ACJ-BB			
Luely Figueiró	O mar (SRJ)	ACJ-BB			
Alberto Fortuna	Copacabana (SRJ)	ACJ-BB			
Maysa	A montanha (SRJ)	ACJ-BB			
Maysa	O morro (SRJ)	ACJ-BB			
Jamelão	Descendo o morro (SRJ)	ACJ-BB			
Ted Moreno	Samba de amanhã (SRJ)	ACJ-BB			
Luely Figueiró	Meditação	ACJ-NM		78	17786
Lauro Paiva+Conj.	Este seu olhar	ACJ		LP	3103
Ted Moreno	Lamento no morro	ACJ-VM		LP	3105
R.Gnattalli	Samba de uma nota só	ACJ-NM		LP	3116
				Copacabana	
Claudio Miranda	Meditação	ACJ-NM		78	61722

Ernâni Filho	Só saudade	ACJ-NM		LP	11151
Elizete Cardoso	Meditação	ACJ-NM		LP	11157
Marisa	CANÇÕES E SAUDADE DE DOLORES			LP	11176
	Estrada do sol	ACJ-DD			
	Por causa de você	ACJ-DD			
Valdir Calmon	Dindi	ACJ-AO		LP	11177
Valdir Calmon	Eu sei que vou te amar	ACJ-VM		LP	11190
Vários					
Carminha Mascarenhas	Desafinado	ACJ-NM		LP	11191
Carminha Mascarenhas	Discussão	ACJ-NM			
Carminha Mascarenhas	Meditação	ACJ-NM			
Carminha Mascarenhas	Samba de uma nota só	ACJ-NM			
Ernâni Filho	Foi a noite	ACJ-NM			
Ernâni Filho	Luar e batucada	ACJ-NM			
Marisa	Caminhos cruzados	ACJ-NM		LP	11194
	Esquecendo você	ACJ			
	O amor em paz	ACJ			

				EMI-Odeon	
Dick Farney	Esquecendo você	ACJ		78	14578
Jandyra Gonçalves	Janelas abertas	ACJ-VM		78	14591
Sérgio Ricardo	Esquecendo você	ACJ		78	14694
Maby Daniel	A felicidade	ACJ-VM		45	BWB1112
Conj.Bossa Nova	Meditação	ACJ-NM		45	BWB1152
Steve Bernard	A felicidade	ACJ-VM		LP	MOFB3129
Zezinho	Na hora do adeus	ACJ-VM		LP	MOFB3130
Norberto Baudauf	Brigas nunca mais	ACJ-VM		LP	MOFB3137
	Este seu olhar	ACJ			
	Eu sei que vou te amar	ACJ-VM			
Aloísio de Oliveira	Chega de saudade	ACJ-VM		LP	MOFB3140
Lúcio Alves	Por causa de você	ACJ-DD		LP	MOFB3143
				CD	3547956782
Luiz Bonfá+Norma Suely	Amor sem adeus	ACJ-LB	ar ACJ?	LP	MOFB3144

Intérprete	Título do disco Título do CD Título da música Título da música	Autores Autores	Obs	Gravadora Tp CD	Nº do Disco Nº do CD
Bola Sete	Eu preciso de você	ACJ-AO		LP	MOFB3146
João Gilberto	O AMOR O SORRISO E A FLOR		ar ACJ	LP	MOFB3151
	O MITO			CD	3707938912
	Samba de uma nota só	ACJ-NM			
	Doralice	AAl-DC			
	Só em teus braços	ACJ			
	Trevo de quatro folhas	MD-HW-NS			
	Se é tarde me perdoa	CL-RBo			
	Um abraço no Bonfá	JG			
	Meditação	ACJ-NM			
	O pato	JS-NT			
	Corcovado	ACJ			
	Discussão	ACJ-NM			
	Amor certinho	RG			
	Outra vez	ACJ			
Dick Farney	Amor sem adeus	ACJ-LB		LP	MOFB3153
Luiz Arruda Paes	A felicidade	ACJ-VM		LP	MOFB3159
Chiquinho	Estrada do sol	ACJ-DD		LP	MOFB3170
	Eu sei que vou te amar	ACJ-VM			
	Se todos fossem iguais a você	ACJ-VM			
	Sucedeu assim	ACJ-MP			
R.Gnatalli					
+Aída Gnatalli	Foi a noite	ACJ-NM		LP	MOFB3172
+Luiz Bandeira	A felicidade	ACJ-VM			
Banda do Corpo de Bombeiros				LP	MOFB3176
	Chega de saudade	ACJ-VM			

Intérprete	Música	Autoria	Formato	Número
	Se todos fossem iguais a você	ACJ-VM	CD	3647812562
Mário Reis	CANTA SUAS CRIAÇÕES EM HI-FI		LP	MOFB3177
	Isto eu não faço não	ACJ		
	O grande amor	ACJ-VM		
Isaura Garcia	Corcovado	ACJ	LP	MOFB3183
Walter Wanderley			LP	MOFB3204
	Meditação	ACJ-NM		
	Samba de uma nota só	ACJ-NM	CD	7932752
			HIFI Variety	
Casé	Este seu olhar	ACJ	LP	1003
	Meditação	ACJ-NM		
			Imperial	
Mário Genário Filho	A felicidade	ACJ-VM	LP	30011
	Meditação	ACJ-NM		
Guanabara Boys	Um nome de mulher	ACJ-VM	LP	30023
Ivan Casanova	Chega de saudade	ACJ-VM	LP	30024
Lord Astor	Dindi	ACJ-AO	LP	30025
	Este seu olhar	ACJ		
	Eu sei que vou te amar	ACJ-VM		
			Philips	
Orq.Brasileira de Dança	Este seu olhar	ACJ	LP	P630403L
Vera Lúcia	Discussão	ACJ-NM	LP	P630405L
	Esquecendo você	ACJ		
	Meditação	ACJ-NM		
Sandoval Dias	Meditação	ACJ-NM	LP	P630406L
Sônia Delfino	Meditação	ACJ-NM	LP	P630413L
Lúcio Alves	Dindi	ACJ-AO	LP	P630418L
Sylvia Telles	AMOR EM HI-FI		LP	P630419L
			CD	8488502
	Corcovado	ACJ		
	Dindi	ACJ-AO		

Intérprete	TÍTULO DO DISCO TÍTULO DO CD Título da música Título da música	Autores Autores	Obs	GRAVADORA Tp CD	 Nº do Disco Nº do CD
	Por causa de você	ACJ-DD			
	Samba de uma nota só	ACJ-NM			
	Samba torto	ACJ-AO			
Oscar Castro Neves	BOSSA NOVA MESMO			LP	P630424L
	Meditação	ACJ-NM			
	Só em teus braços	ACJ			
Sandoval Dias	A felicidade	ACJ-VM		LP	P630425L
	Eu preciso de você	ACJ-AO			
	Samba de uma nota só	ACJ-NM			
Vocalistas Modernos	Samba de uma nota só	ACJ-NM		LP	P630428L
	Samba torto	ACJ-AO			
					Plaza
Orq. Rio de Janeiro	A felicidade	ACJ-VM		LP	PZ301
Os Saxambistas Brasileiros	Chega de saudade	ACJ-VM		LP	PZ303
	Desafinado	ACJ-NM			
	Meditação	ACJ-NM			
	Samba de uma nota só	ACJ-NM			
					RCA
Alaíde Costa	ALAÍDE COSTA			LP	1062
				CD	M60029
	Dindi	ACJ-AO			
	Discussão	ACJ-NM			
	Esquecendo você	ACJ			
	Meditação	ACJ-NM			
Nelsinho	O nosso amor	ACJ-VM		LP	1080
Sacha Rubin	A felicidade	ACJ-VM		LP	1085

	Brigas nunca mais	ACJ-VM		
	Eu sei que vou te amar	ACJ-VM		
	O nosso amor	ACJ-VM		
Fafá Lemos	Meditação	ACJ-NM	LP	1091
	Samba de uma nota só	ACJ-NM		
Cauby Peixoto	A felicidade	ACJ-VM	LP	1096
Neusa Maria	Meditação	ACJ-NM	LP	1097
Fat's Elpídio	Meditação	ACJ-NM	LP	1102
	Samba de uma nota só	ACJ-NM		
			RGE	
Orq.e Coro RGE	Frevo	ACJ-VM	78	10269
Miltinho & Conj.D.Ferreira	Se todos fossem iguais a você	ACJ-VM	LP	3080062
Maysa	VOLTEI		LP	5078
	Dindi	ACJ-AO		
	Meditação	ACJ-NM		
Paulinho Nogueira	Brigas nunca mais	ACJ-VM	LP	5088
	Samba de uma nota só	ACJ-NM		
			Som	
Angela Maria	Se todos fossem iguais a você	ACJ-VM	LP	40007
circa de 1960			**CBS**	
Al Brito	Este seu olhar	ACJ	LP	151
Thelma	Chega de saudade	ACJ-VM	LP	249
	Corcovado	ACJ		
	Desafinado	ACJ-NM		
	Garota de Ipanema	ACJ-VM		
	Insensatez	ACJ-VM		
	Meditação	ACJ-NM		
	Outra vez	ACJ		
	Samba de uma nota só	ACJ-NM		
Britinho	Foi a noite	ACJ-NM	LP	288
Os Cariocas	Este seu olhar	ACJ	LP	289
Breno Sauer	Meditação	ACJ-NM	LP	304

Intérprete	Título do Disco / Título do CD / Título da Música / Título da Música	Autores / Autores	Obs	Gravadora Tp / CD	Gravadora Nº do Disco / Nº do CD
Só Orquestra	Sucedeu assim	ACJ-MP		LP	317
Só Orquestra	Eu não existo sem você	ACJ-VM		LP	319
Só Orquestra	Chega de saudade	ACJ-VM		LP	327
Só Orquestra	Este seu olhar	ACJ		LP	328
Só Orquestra	Foi a noite	ACJ-NM		LP	333
Sexteto Prestige	Por causa de você	ACJ-DD		LP	365
C.Rubem	A felicidade	ACJ-VM		LP	368
	Brigas nunca mais	ACJ-VM			
Sexteto Prestige	Meditação	ACJ-NM		LP	372
Paulinho	A felicidade	ACJ-VM		LP	382
	Eu sei que vou te amar	ACJ-VM			
Sexteto Prestige	Amor em paz	ACJ-VM		LP	392
Lafayette	Corcovado	ACJ		LP	526
	Insensatez	ACJ-VM			
	Meditação	ACJ-NM			
	Samba de uma nota só	ACJ-NM			
	Wave	ACJ			
Gileno	Eu não existo sem você	ACJ-VM		LP	571
Breno Sauer	Eu sei que vou te amar	ACJ-VM		LP	649
1961 BRASIL				**Audio-Fidelity**	
Jo Basile	A felicidade	ACJ-VM		LP	5939
				CBS	
Maysa	Cala meu amor	ACJ		LP	104380
Lana Bittencourt	A montanha, o sol, o mar	ACJ-BB		LP	137188
				Columbia	
Sérgio Murilo	Chega de saudade	ACJ-VM		LP	4014

Intérprete	Título	Autores		Formato	Número
A.C.Jobim+V.de Moraes	BRASÍLIA, SINFONIA DA ALVORADA		nar Vinícius	LP	33001
	O planalto deserto	ACJ-VM			
	O homem	ACJ-VM			
	A chegada dos candangos	ACJ-VM			
coro Dante Martines	O trabalho e a construção	ACJ-VM			
coro Dante Martines	Coral	ACJ-VM			
				Copacabana	
Moacir Silva	Corcovado	ACJ		LP	11220
	Outra vez	ACJ			
				EMI-Odeon	
Orlando Silveira	Discussão	ACJ-NM		LP	MOFB3169
	E preciso dizer adeus	ACJ-VM			
	Este seu olhar	ACJ			
João Gilberto	JOÃO GILBERTO			LP	MOFB3202
	O MITO			CD	3707938912
	Samba da minha terra	DC	cnj Wanderley		
	O barquinho	RM-RBo	ar ACJ		
	Bolinha de papel	GP	cnj Wanderley		
	Saudade da Bahia	DC	cnj Wanderley		
	A primeira vez	Bd-Mrç	pn ACJ		
	O amor em paz	ACJ	ar ACJ		
	Você e eu	CL-VM	pn ACJ		
	Trenzinho	LM	cnj Wanderley		
	Coisa mais linda	CL-VM	ar ACJ		
	Presente de natal	NN	cnj Wanderley		
	Insensatez	ACJ-VM	ar ACJ		
	Este seu olhar	ACJ	ar Gilberto		
Chiquinho	Dindi	ACJ-AO		LP	MOFB3210
	Esquecendo você	ACJ			
Sambistas da Guanabara	Samba de uma nota só	ACJ-NM		LP	MOFB3215
Isaura Garcia	Só em teus braços	ACJ		LP	MOFB3224
				CD	7932752

Intérprete	Título do disco Título do CD Título da música Título da música	Autores Autores	Obs	Gravadora Tp CD	Nº do Disco Nº do CD
Astor Silva+Luiz Eça	Eu preciso de você	ACJ-AO		LP	MOFB3232
	Meditação	ACJ-NM			
Elza Soares	Acho que sim	ACJ-BB		LP	MOFB3235
Isaura Garcia	Água de beber	ACJ-VM		LP	MOFB3237
				CD	7952412
Sérgio Ricardo	Foi a noite	ACJ-NM		LP	MOFB3239
Walter Wanderley	Água de beber	ACJ-VM		LP	MOFB3248
Geraldo Miranda	Desafinado	ACJ-NM		LP	MOFB3267
	Samba de uma nota só	ACJ-NM			
				Fontana	
Sylvia Telles	Estrada do sol	ACJ-DD		LP	6470620
				Internacional	
Orq. Continental Jaú	Este seu olhar	ACJ		LP	27022
				Master	
Os Sete Velhinhos	Meditação	ACJ-NM		LP	5
	Samba de uma nota só	ACJ-NM			
				Mocambo	
Zacarias Filho	Brigas nunca mais	ACJ-VM		LP	40057
				Musicolor	
Trio Penumbra	A felicidade	ACJ-VM		LP	9084
	Chega de saudade	ACJ-VM			
	Corcovado	ACJ			
	Desafinado	ACJ-NM			
	Este seu olhar	ACJ			
	Samba de uma nota só	ACJ-NM			

			Philips	
Ribamar	Dindi	ACJ-AO	LP	P630431L
Vinícius de Moraes	Água de beber	ACJ-VM	LP	P630432L
	Lamento no morro	ACJ-VM		
Lúcio Alves	Lamento no morro	ACJ-VM	LP	P630440L
Ana Lucia	Água de beber	ACJ-VM	LP	P630443L
Lira de Xopotó	Samba de uma nota só	ACJ-NM	LP	P630473L
Osvaldo Borba	A felicidade	ACJ-VM	LP	P630477L
	Chega de saudade	ACJ-VM		
	Samba de uma nota só	ACJ-NM		
			RCA	
Alaíde Costa	Sem você	ACJ-VM	LP	1112
			CD	M60029
Nelson Goncalves	Eu sei que vou te amar	ACJ-VM	LP	1114
			CD	74321243922
Leny Andrade	Samba de uma nota só	ACJ-NM	LP	1128
Robledo	Meditação	ACJ-NM	LP	1130
Ases do Ritmo	Chega de saudade	ACJ-VM	LP	1135
Orq.RCA Victor	Brigas nunca mais	ACJ-VM	LP	1140
	Meditação	ACJ-NM		
	Samba de uma nota só	ACJ-NM		
Erlon Chaves	Água de beber	ACJ-VM	LP	1157
	Dindi	ACJ-AO		
			RGE	
Dorinha Freitas	O que tinha de ser	ACJ-VM	78	10284
Elza Laranjeira	Água de beber	ACJ-VM	78	10288
Dick Farney	Este seu olhar	ACJ	LP	5101
1961 EXTERIOR			**Audio-Fidelity**	
Jo Basile	A felicidade	ACJ-VM	LP	5939
			Capitol	
Laurindo de Almeida	Samba de uma nota só	ACJ-NM	LP	1759

Intérprete	Título do Disco / Título do CD / Título da Música	Autores	Obs	Tp / CD	Gravadora: Nº do Disco / Nº do CD
					Epic
Curtis Fuller	Samba de uma nota só	ACJ-NM		LP	LA16020
					Philips
Sylvia Telles	SYLVIA TELLES USA			LP	P630453L
	Estrada do Sol	ACJ-DD			
	Amor sem adeus	ACJ-LB			
					Reprise
Shorty Rogers & His Giants	BOSSA NOVA			LP	R96050
	Chega de saudade	ACJ-VM			
	Samba de uma nota só	ACJ-NM			
1962 BRASIL					**Atlantic**
Herbie Mann+A.C.Jobim	HERBIE MANN & JOÃO GILBERTO			LP	8105
	Insensatez	ACJ-VM			
	O amor em paz	ACJ			
	One note samba	ACJ-NM			
					CBS
Sidney	O nosso amor	ACJ-VM		LP	37223
Sylvio Mazzuca	Chega de saudade	ACJ-VM		LP	137051
Marisa Barros	Sem você	ACJ-VM		LP	137250
					EMI-Odeon
Dalva de Andrade	Sem você	ACJ-VM		C	7BD1026
Gloria Lasso	Desafinado	ACJ-NM		C	7ID4050
Pery Ribeiro	Esquecendo você	ACJ		LP	MOFB3272
Coral de Ouro Preto	Lamento no morro	ACJ-VM		LP	MOFB3273
	Samba de uma nota só	ACJ-NM			

Luiz Loy	Samba de uma nota só	ACJ-NM	LP	MOFB3274
Walter Wanderley	Corcovado	ACJ	LP	MOFB3285
Luiz Bonfá	Lamento no morro	ACJ-VM	LP	MOFB3295
Elza Soares	Só danço samba	ACJ-VM	LP	MOFB3296
Orq.de Ouro	A felicidade	ACJ-VM	LP	MOFB3301
Orq.Violinos de Ouro	Meditação	ACJ-NM	LP	MOFB3302
	O amor em paz	ACJ		
Orq.Violinos de Ouro	A chuva caiu	ACJ-LB	LP	MOFB3305
Carolina Cardoso de Menezes	Discussão	ACJ-NM	LP	MOFB3306
	Este seu olhar	ACJ		
	Meditação	ACJ-NM		
	Só em teus braços	ACJ		
			London	
Edmundo Ros	Desafinado	ACJ-NM	LP	96
	Samba de uma nota só	ACJ-NM		
			Masterplay	
Juarez Araújo	Só danço samba	ACJ-VM	LP	13020
			Musiplay	
Ritimistas da Bossa	Samba de uma nota só	ACJ-NM	LP	1006
			Philips	
Pepito e suas Cha Cha Chapas	Eu sei que vou te amar	ACJ-VM	LP	P630487L
Luiz Reis	Corcovado	ACJ	LP	P630488L
Sergio Mendes	Outra vez	ACJ	LP	P630491L
			CD	A&M-5259952
Francisco José	Eu não existo sem você	ACJ-VM	LP	P632100L
	Eu sei que vou te amar	ACJ-VM		
	Por causa de você	ACJ-DD		
Norberto Baudauf	Só em teus braços	ACJ	LP	P632102L
			Premier	
Agostinho dos Santos	Estrada do sol	ACJ-DD	LP	1016
Helena de Lima	A felicidade	ACJ-VM	LP	1092

INTÉRPRETE	TÍTULO DO DISCO TÍTULO DO CD TÍTULO DA MÚSICA TÍTULO DA MÚSICA	AUTORES AUTORES	OBS	GRAVADORA TP CD	 Nº DO DISCO Nº DO CD
				RCA	
Luiz Arruda Paes	Este seu olhar	ACJ		LP	1173
Orlando Silveira	Corcovado	ACJ		LP	1187
	Velho riacho	ACJ			
Orlando Silva	Canção da eterna despedida	ACJ		LP	1189
Cauby Peixoto	Samba do avião	ACJ		LP	1204
				RGE	
Agostinho dos Santos	Desafinado	ACJ-NM		LP	3030065
Elza Laranjeira	INTERPRETA JOBIM E VINÍCIUS DE MORAES			LP	5188
	Andam dizendo	ACJ-VM			
	Canção em modo menor	ACJ-VM			
	Canta, canta mais	ACJ-VM			
	Corcovado	ACJ			
	Derradeira primavera	ACJ-VM			
	O amor em paz	ACJ			
	Por toda a minha vida	ACJ-VM			
	Samba do avião	ACJ			
	Sem você	ACJ-VM			
	Só danço samba	ACJ-VM			
	Valsa do amor de nós dois	ACJ-VM			
Mr.Samba+Skindôs Rítmicos	Descendo o morro	ACJ-BB		LP	5197
	Foi a noite	ACJ-NM			
	Por causa de você	ACJ-DD			
	Solidão	ACJ-AF			
Manfredo Fest	Outra vez	ACJ		LP	5209

1962 EXTERIOR				
			Columbia	
Andre Kostelanetz	Desafinado	ACJ-NM	LP	8834
			EMI-Odeon	
Franck Pourcel	Desafinado	ACJ-NM	C	7ID4045
			London	
Caterina Valente	Samba de uma nota só	ACJ-NM	LP	95
			Atlantic	
Leo Wright	A felicidade	ACJ-VM	LP	1393
			Audio Fidelity	
Lalo Schifrin	BOSSA NOVA EM NOVA YORK		LP	1981
	Chega de saudade	ACJ-VM		
	Samba de uma nota só	ACJ-NM		
			Capitol	
Laurindo de Almeida	Desafinado	ACJ-NM	LP	1759
C.Adderley+S.Mendes	BOSSA NOVA		LP	2877
	Corcovado	ACJ		
	O amor em paz	ACJ		
			Columbia	
Paul Winter	Chega de saudade	ACJ-VM	LP	1925
	Insensatez	ACJ-VM		
Miles Davis	Corcovado	ACJ	LP	2106
			EMI-Odeon	
June Christy	Samba de uma nota só	ACJ-NM	LP	C78238
			Impulse	
Coleman Hawkins	DESAFINADO		LP	AS28
			CD	MCA-65016
	Desafinado	ACJ-NM		
	One note samba	ACJ-NM		
			Liberty	
Sy Zentner	Desafinado	ACJ-NM	LP	3273

Intérprete	Título do disco / Título do CD / Título da música	Autores	Obs	Tp / CD	Nº do disco / Nº do CD
				Mercury	
Quincy Jones	Chega de saudade	ACJ-VM		LP	MC20751
	Desafinado	ACJ-NM			
	Samba de uma nota só	ACJ-NM			
				Philips	
Dizzy Gillespie	No more blues	ACJ-VM-JH		LP	PHM200048
	Desafinado	ACJ-NM			
				Riverside	
Charlie Byrd	Samba de uma nota só	ACJ-NM		LP	427
Charlie Byrd	Chega de saudade	ACJ-VM		LP	9436
	Desafinado	ACJ-NM			
	Insensatez	ACJ-VM			
	Meditação	ACJ-NM			
	Outra vez	ACJ			
				Roulette	
Lalo Schifrin	Desafinado	ACJ-NM		LP	52079
				Verve	
Stan Getz+Charlie Byrd V68432		JAZZ SAMBA			LP
	Desafinado	ACJ-NM			
	Samba de uma nota só	ACJ-NM			
Cal Tjader	Meditação	ACJ-NM	ar Clare Fisher	LP	V68470
Stan Getz	Chega de saudade	ACJ-VM		LP	V68494
Gary McFarland	Samba de uma nota só	ACJ-NM			

1963 BRASIL				
				Battle
João Meireles	Só danço samba	ACJ-VM	LP	6123
				CBS
Tito Madi	Corcovado	ACJ	LP	4021
Breno Sauer	A felicidade	ACJ-VM	LP	4026
	Água de beber	ACJ-VM		
	Brigas nunca mais	ACJ-VM		
	Discussão	ACJ-NM		
Astor	Corcovado	ACJ	LP	56096
Carlos Poyares	Corcovado	ACJ	LP	104015
Ronaldo	Só danço samba	ACJ-VM	LP	104018
Sylvia Telles+Lúcio Alves	Este seu olhar	ACJ	LP	104326
Gallo	Chega de saudade	ACJ-VM	LP	137064
Marisa Barros	Este seu olhar	ACJ	LP	137292
	Garota de Ipanema	ACJ-VM		
Neco	Corcovado	ACJ	LP	137313
Carlos Cruz	Chega de saudade	ACJ-VM	LP	367
Carlos Poyares	Desafinado	ACJ-NM	LP	982
				Chantecler
Turquinho	Água de beber	ACJ-VM	LP	2212
	Desafinado	ACJ-NM		
	Meditação	ACJ-NM		
	Samba de uma nota só	ACJ-NM		
Paulo Barreiros	Brigas nunca mais	ACJ-VM	LP	2229
	Este seu olhar	ACJ		
Wilson Miranda	Insensatez	ACJ-VM	LP	2238
Geraldo Trio	Garota de Ipanema	ACJ-VM	LP	2246
Biriba Boys	Garota de Ipanema	ACJ-VM	LP	2248
Francisco Morais	Garota de Ipanema	ACJ-VM	LP	2258

Intérprete	Título do disco / Título do CD / Título da música	Autores	Obs	Tp / CD	Nº do Disco / Nº do CD
				Continental	
Zé Maria	Garota de Ipanema	ACJ-VM		LP	12079
	Samba do avião	ACJ			
	Só danço samba	ACJ-VM			
				Copacabana	
Lenita Bruno	Garota de Ipanema	ACJ-VM		C	3377
Altamiro Carrilho	Corcovado	ACJ		C	3378
	Desafinado	ACJ-NM			
	Samba de uma nota só	ACJ-NM			
Moacir Silva	Insensatez	ACJ-VM		LP	11303
Francineth+Moacir Silva	Garota de Ipanema	ACJ-VM		LP	11329
Black Boys	Garota de Ipanema	ACJ-VM		LP	11337
				Elenco	
Baden Powell	A VONTADE			LP	ME11
	Garota de Ipanema	ACJ-VM			
	Samba do avião	ACJ		CD	Mer-8489682
Sylvia Telles	Eu preciso de você	ACJ-AO		LP	ME5
				EMI-Odeon	
Conj.Boa Bossa	Desafinado	ACJ-NM		C	7BD1069
	Garota de Ipanema	ACJ-VM			
	Meditação	ACJ-NM			
	Samba de uma nota só	ACJ-NM			
	Só danço samba	ACJ-VM			
Richard Anthony	Desafinado	ACJ-NM		LP	MOFB3229
Pery Ribeiro	Garota de Ipanema	ACJ-VM		LP	MOFB3314

			CD	EMI-7952412
Paulo Alencar	Foi a noite	ACJ-NM	LP	MOFB3324
Oscar Ferreira	Tereza da praia	ACJ-BB	LP	MOFB3325
Orq.Metais de Ouro	Meditação	ACJ-NM	LP	MOFB3336
Orq.Brasil Moderno	Desafinado	ACJ-NM	LP	MOFB3357
	Garota de Ipanema	ACJ-VM		
	Insensatez	ACJ-VM		
	Samba de uma nota só	ACJ-NM		
	Samba do avião	ACJ		
Walter Wanderley	Garota de Ipanema	ACJ-VM	LP	MOFB3358
	Samba do avião	ACJ		
	Só danço samba	ACJ-VM		
6ª Caravana	Samba de uma nota só	ACJ-NM	LP	MOFB3362
Trio Irakitan	Só danço samba	ACJ-VM	LP	MOFB3368
			CD	7932752
Marcos Valle	SAMBA DEMAIS		LP	MOFB3376
	Ela é carioca	ACJ-VM	CD	7952412
	Vivo sonhando	ACJ	CD	7932752
			Fantasy	
Vince Guaraldi	Outra vez	ACJ	LP	3352
			Farroupilha	
Os Farroupilhas	Insensatez	ACJ-VM	LP	LPFR601
			Imperial	
Carioca	A felicidade	ACJ-VM	LP	30048
	Desafinado	ACJ-NM		
	Samba de uma nota só	ACJ-NM		
			Masterplay	
Julinho	Desafinado	ACJ-NM	LP	13025
			Mocambo	
Claudette Soares	Garota de Ipanema	ACJ-VM	LP	40189
	Samba do avião	ACJ		
	Sem você	ACJ-VM		

Intérprete	Título do disco Título do CD Título da música Título da música	Autores Autores	Obs	Gravadora Tp CD	Nº do Disco Nº do CD
					Musidisc
Trio Surdina	Corcovado	ACJ		LP	32
Breno Sauer	O amor em paz	ACJ		LP	2133
					Musiplay
Ritmistas da Bossa	Desafinado	ACJ-NM		LP	1006
	Só danço samba	ACJ-VM			
Sexteto Guanabara	Chega de saudade	ACJ-VM		LP	S5106
Hélio Mendes	Corcovado	ACJ		LP	S5107
					Philips
Sylvia Telles+Lúcio Alves	Este seu olhar	ACJ		LP	6436302
Sylvia Telles	Eu preciso de você	ACJ-AO		LP	6448094
Tamba Trio	Samba de uma nota só	ACJ-NM		LP	P632129L
Orq.Carlos M.de Souza	Corcovado	ACJ		LP	P632134L
	Desafinado	ACJ-NM			
	Este seu olhar	ACJ			
	Samba de uma nota só	ACJ-NM			
	Só danço samba	ACJ-VM			
Portinho	Corcovado	ACJ		LP	P632138L
	Desafinado	ACJ-NM			
	Meditação	ACJ-NM			
Paulo Roberto	O morro não tem vez	ACJ-VM		LP	P632148L
Os Cariocas	A BOSSA DOS CARIOCAS			LP	P632152L
	Desafinado	ACJ-NM			
	Garota de Ipanema	ACJ-VM		CD	8367672
	O amor em paz	ACJ			
	Samba de uma nota só	ACJ-NM			

	Samba do avião	ACJ	CD	8367672
	Só danço samba	ACJ-VM	CD	8367672
Tamba Trio	AVANÇO		LP	P632154L
	Garota de Ipanema	ACJ-VM		
	Só danço samba	ACJ-VM		
Corisco e seus Sambaloucos	O morro não tem vez	ACJ-VM	LP	P632156L
	O nosso amor	ACJ-VM		
	Só danço samba	ACJ-VM		
Jair Rodrigues	O morro não tem vez	ACJ-VM	LP	P632162L
			Polydor	
Banda dos Fuzileiros Navais	A felicidade	ACJ-VM	LP	4077
	Chega de saudade	ACJ-VM		
	Desafinado	ACJ-NM		
	Dindi	ACJ-AO		
	Janelas abertas	ACJ-VM		
	Samba de uma nota só	ACJ-NM		
Orq.Arco Iris	Chega de saudade	ACJ-VM	LP	4079
João Donato	A BOSSA MUITO MODERNA DE JOÃO DONATO		LP	4107
	O morro não tem vez	ACJ-VM		
	Outra vez	ACJ		
	Só danço samba	ACJ-VM		
			Premier	
Simonetti	Meditação	ACJ-NM	LP	1028
			RCA	
Jorginho	Para não sofrer	ACJ	LP	1237
Sexteto de Jazz Moderno	Desafinado	ACJ-NM	LP	1222
	Samba de uma nota só	ACJ-NM		
Delora Bueno	Corcovado	ACJ	LP	1225
Sílvio Viana	Samba do avião	ACJ	LP	1228
	Só danço samba	ACJ-VM		

Intérprete	Título do Disco Título do CD Título da música Título da música	Autores Autores	Obs	Gravadora Tp CD	Nº do Disco Nº do CD
Vários					
Jorginho	Insensatez	ACJ-VM		LP	1237
Aurino	Samba do avião	ACJ			
Conj.Jazz Bossa Nova	Corcovado	ACJ		LP	1238
	Discussão	ACJ-NM			
	Meditação	ACJ-NM			
Jacó do Bandolim	Chega de saudade	ACJ-VM		LP	1242
Conj.de Boite Ambassador	Meditação	ACJ-NM		LP	1246
José Meneses+V.Transviados	Garota de Ipanema	ACJ-VM		LP	1247
Orq.RCA Victor Brasileira	Eu não existo sem você	ACJ-VM		LP	1254
Espósito	Só danço samba	ACJ-VM		LP	1256
				RGE	
Dick Farney	Meditação	ACJ-NM		C	80181
+Rui Fernando	Tereza da praia	ACJ-BB			
Simonetti	Samba de uma nota só	ACJ-NM		LP	303004
Maysa	Água de beber	ACJ-VM		LP	5036014
Manfredo Fest	Garota de Ipanema	ACJ-VM		LP	5209
Tenório Junior	Inútil paisagem	ACJ-AO		LP	5234
				SBA	
Cid Gray	Chega de saudade	ACJ-VM		LP	1
				Warner Bros	
Lindolfo Gaya	Eu preciso de você	ACJ-AO		LP	301404056
	Samba torto	ACJ-AO			
1963 EXTERIOR				**Atlantic**	
Herbie Mann	Garota de Ipanema	ACJ-VM		LP	1413

Intérprete	Título	Autores	Formato	Número
			Audio Fidelity	
Oscar Castro Neves	BIG BAND BOSSA NOVA		LP	1983
	Aula de matemática	ACJ-MP		
	Chega de saudade	ACJ-VM		
	Desafinado	ACJ-NM		
	Outra vez	ACJ		
	Samba de uma nota só	ACJ-NM		
Bossa Três	Só saudade	ACJ-NM	LP	1988
Vários	CARNEGIE HALL BOSSA NOVA		LP	2101
Agostinho dos Santos	A felicidade	ACJ-VM		
J.Gilberto+M.Banana	Outra vez	ACJ		
Sergio Mendes	Samba de uma nota só	ACJ-NM		
			Capitol	
Ray Anthony	Meditação	ACJ-NM	LP	61917
Peggy Lee	Samba de uma nota só	ACJ-NM	LP	1857
Laurindo de Almeida	Meditação	ACJ-NM	LP	1872
			Columbia	
Charlie Byrd	As praias desertas	ACJ	LP	9137
	Canção do amor demais	ACJ-VM		
	Corcovado	ACJ		
	Dindi	ACJ-AO		
	Este seu olhar	ACJ		
	Garota de Ipanema	ACJ-VM		
	Samba do avião	ACJ		
	Samba torto	ACJ-AO		
	Se todos fossem iguais a você	ACJ-VM		
	Só danço samba	ACJ-VM		
			Discovery	
Jack Wilson	Corcovado	ACJ	LP	DS872
			Epic	
Buddy Grecco	Desafinado	ACJ-NM	LP	LN24057

Intérprete	Título do disco / Título do CD / Título da música	Autores	Obs	Tp / CD	Nº do disco / Nº do CD
				Jazz Groove	
Erroll Garner	Samba de uma nota só	ACJ-NM		LP	8
				Liberty	
Julie London	Desafinado	ACJ-NM		78	3300
				Nilser	
Bossa Nova Modern Quartet	Corcovado	ACJ		LP	1010
				Philips	
Dizzy Gillespie	NEW WAVE			LP	PHM200070
	No more blues	ACJ-VM			
	One note samba	ACJ-NM			
				RCA	
Lambert+Hendricks+Bavan	Desafinado	ACJ-NM		LP	2635
	Samba de uma nota só	ACJ-NM			
				Reprise	
Barney Kessel	Samba de uma nota só	ACJ-NM		LP	6073
Jon Hendricks	Chega de saudade	ACJ-VM		LP	96089
	O amor em paz	ACJ			
				Riverside	
Charlie Byrd	A felicidade	ACJ-VM		LP	481
				Roulette	
Willie Bobo	A felicidade	ACJ-VM		LP	52097
				Verve	
Bobby Brookmeyer	A felicidade	ACJ-VM		LP	V68498
Stan Getz+Luis Bonfá	JAZZ SAMBA ENCORE			LP	V68523
				CD	823613

	How insensitive	ACJ-VM-NG			
	O morro não tem vez	ACJ-VM			
	Só danço samba	ACJ-VM			
A.C.Jobim	THE COMPOSER OF DESAFINADO PLAYS		ar C.Ogerman	LP	V68547
	Garota de Ipanema	ACJ-VM		CD	Mer-8489652
	O morro (O amor em paz)	ACJ		CD	Mer-5269502
	Água de beber	ACJ-VM		CD	Mer-8489652
	Vivo sonhando	ACJ		CD	Mer-8489652
	Favela	ACJ-VM		CD	Mer-8489652
	Insensatez	ACJ-VM		CD	Mer-8489652
	Corcovado	ACJ		CD	Mer-8489652
	Samba de uma nota só	ACJ-NM		CD	Mer-8489652
	Meditação	ACJ-NM		CD	Mer-8489652
	Só danço samba	ACJ-VM		CD	Mer-8489652
	Chega de saudade	ACJ-VM		CD	Mer-8489652
	Desafinado	ACJ-NM		CD	Mer-8489652
1964 BRASIL				**Audio Fidelity**	
Sambalanço Trio	O morro não tem vez	ACJ-VM		LP	2010
				CBS	
Sérgio Murilo	Desafinado	ACJ-NM		LP	4014
Astor	Desafinado	ACJ-NM		LP	37210
Astor	Garota de Ipanema	ACJ-VM		LP	37310
	Meditação	ACJ-NM			
	Só danço samba	ACJ-VM			
Os Ipanemas	Garota de Ipanema	ACJ-VM		LP	37332
Alexandre Gnattali	Só danço samba	ACJ-VM		LP	37346
Astor	Samba do avião	ACJ		LP	37348
Trio Los Panchos	No existire sin ti	ACJ-VM		LP	37365
Sylvio Mazzuca	Garota de Ipanema	ACJ-VM		LP	37367
	Samba do avião	ACJ			
Sylvia Telles+Lúcio Alves	Só em teus braços	ACJ		LP	104326
Elis e Maysa	Cala meu amor	ACJ		LP	111211

Intérprete	Título do disco / Título do CD / Título da música	Autores	Obs	Tp / CD	Nº do Disco / Nº do CD
				GRAVADORA	
INTÉRPRETE	TÍTULO DO DISCO		OBS	TP	Nº DO DISCO
	TÍTULO DO CD			CD	Nº DO CD
	TÍTULO DA MÚSICA	AUTORES			
	TÍTULO DA MÚSICA	AUTORES			
Astor	Chega de saudade	ACJ-VM		LP	244
	Samba de uma nota só	ACJ-NM			
				Chantecler	
Os Modernistas	Só danço samba	ACJ-VM		LP	2271
Renato Perez	Insensatez	ACJ-VM		LP	2272
Wilson Miranda	Inútil paisagem	ACJ-AO		LP	2299
	Só tinha de ser com você	ACJ-AO			
				Elenco	
Roberto Menescal	A BOSSA NOVA DE ROBERTO MENESCAL			LP	ME3
	Desafinado	ACJ-NM			
	Garota de Ipanema	ACJ-VM			
	Samba torto	ACJ-AO			
	Só danço samba	ACJ-VM			
				Elenco	
Lennie Dale	Corcovado	ACJ		LP	SE1001
				EMI-Odeon	
Orq. e Coro Odeon	Eu sei que vou te amar	ACJ-VM		LP	MOFB3380
Trio Irakitan	Estrada do sol	ACJ-DD		LP	MOFB3387
	Garota de Ipanema	ACJ-VM			
Wilson Simonal	A NOVA DIMENSÃO DO SAMBA			LP	MOFB3396
	Ela é carioca	ACJ-VM			
	Garota de Ipanema	ACJ-VM			
	Inútil paisagem	ACJ-AO			
	Samba do avião	ACJ			
	Só saudade	ACJ-NM			
Lírio Panicali	Desafinado	ACJ-NM		LP	MOFB3408

Intérprete	Música	Autoria	Formato	Gravadora / Número
	Garota de Ipanema	ACJ-VM		
Dalva de Andrade	Sucedeu assim	ACJ-MP	LP	MOFB3450
Eumir Deodato			LP	SMOFB3394
	Ela é carioca	ACJ-VM		
	Só tinha de ser com você	ACJ-AO	CD	7932752
				Fantasy
Vince Guaraldi	Corcovado	ACJ	LP	3360
				Farroupilha
Pedrinho Mattar	Desafinado	ACJ-NM	LP	600
				Fermata
Hector Costita	Ela é carioca	ACJ-VM	LP	97
	Insensatez	ACJ-VM		
	Vivo sonhando	ACJ		
Pedrinho Mattar	Eu preciso de você	ACJ-AO	LP	603
				Fontana
Os Cariocas	Inútil paisagem	ACJ-AO	LP	6470623
				Forma
Luiz Carlos Vinhas	Inútil paisagem	ACJ-AO	LP	1002
Eumir Deodato	INÚTIL PAISAGEM		LP	FM1
	FORA DE SÉRIE		CD	Phi-8482702
	Corcovado	ACJ		
	Ela é carioca	ACJ-VM		
	Garota de Ipanema	ACJ-VM		
	Insensatez	ACJ-VM		
	Inútil paisagem	ACJ-AO		
	Meditação	ACJ-NM		
	O amor em paz	ACJ		
	O morro não tem vez	ACJ-VM		
	Samba de uma nota só	ACJ-NM		
	Samba do avião	ACJ		
	Só tinha de ser com você	ACJ-AO		
	Vivo sonhando	ACJ		

Intérprete	Título do disco Título do CD Título da música Título da música	Autores Autores	Obs	Gravadora Tp CD	 Nº do Disco Nº do CD
				Imperial	
Roberto Menescal	BOSSA NOVA			LP	30060
	Corcovado	ACJ			
	Garota de Ipanema	ACJ-VM			
	Só danço samba	ACJ-VM			
				Masterplay	
Juarez Araújo	Samba de uma nota só	ACJ-NM		LP	1319
				Parlophone	
Os Bossinhas	Desafinado	ACJ-NM		C	1
				Philips	
Os Cariocas	Insensatez	ACJ-VM		LP	8367671
Moacir Peixoto	Garota de Ipanema	ACJ-VM		LP	P632175L
Os Cariocas	MAIS BOSSA COM OS CARIOCAS			LP	P632177L
	O MELHOR DOS CARIOCAS			CD	8367672
	Ela é carioca	ACJ-VM			
	Vivo sonhando	ACJ			
Sergio Mendes	SÉRGIO MENDES & BOSSA RIO		ar ACJ	LP	P632701L
				CD	A&M-5259952
	Corcovado	ACJ			
	Desafinado	ACJ-NM			
	Ela é carioca	ACJ-VM			
	Garota de Ipanema	ACJ-VM			
	O amor em paz	ACJ			
Os Cariocas	Só tinha de ser com você	ACJ-AO		LP	P632710L
				CD	8367672
Dom Um	Vivo sonhando	ACJ		LP	P6327132

Rosana Toledo	MOMENTO NOVO		LP	P632715L
	Inútil paisagem	ACJ-AO		
	Só tinha de ser com você	ACJ-AO		
Tamba Trio	O amor em paz	ACJ	LP	P632716L
Walter Wanderley	Eu sei que vou te amar	ACJ-VM	LP	P632721L
+Portinho	Por causa de você	ACJ-DD		
				Polydor
Geraldo Vespar	O amor em paz	ACJ	LP	4084
Stellinha Egg	Só danço samba	ACJ-VM	LP	4091
				RCA
Wilson Simonal	Samba do avião	ACJ	LP	1036
Trio 3D	Garota de Ipanema	ACJ-VM	LP	1287
	O amor em paz	ACJ		
	Samba de uma nota só	ACJ-NM		
Os Poligonais	O amor em paz	ACJ	LP	1293
Raulzinho	A VONTADE MESMO		LP	1307
	Inútil paisagem	ACJ-AO		
	Samba do avião	ACJ		
				RGE
Vanda Sá	WANDA VAGAMENTE		LP	5248
	Inútil paisagem	ACJ-AO		
	Vivo sonhando	ACJ		
Zimbo Trio	ZIMBO TRIO		LP	5253
	Garota de Ipanema	ACJ-VM		
	Inútil paisagem	ACJ-AO		
	Vivo sonhando	ACJ		
Vanda Sá	Desafinado	ACJ-NM	LP	5254
Paulinho Nogueira	Só tinha de ser com você	ACJ-AO	LP	5274
Toquinho	Só tinha de ser com você	ACJ-AO	LP	5280
				Som
Angela Maria	Por causa de você	ACJ-DD	LP	40007

INTÉRPRETE	TÍTULO DO DISCO TÍTULO DO CD TÍTULO DA MÚSICA TÍTULO DA MÚSICA	AUTORES AUTORES	OBS	GRAVADORA TP / CD	Nº DO DISCO Nº DO CD
				Som Maior	
Alaíde Costa	Insensatez	ACJ-VM		LP	1512
André Penazzi	O morro não tem vez	ACJ-VM		LP	3032004
1964 EXTERIOR				**Aero Space**	
Ray Anthony.	Garota de Ipanema	ACJ-VM		LP	1007
				Atlantic	
L.Almeida+Modern Jazz Quartet	Samba de uma nota só	ACJ-NM		LP	1429
				Capitol	
Nat King Cole	Garota de Ipanema	ACJ-VM		LP	2195
Laurindo de Almeida	Garota de Ipanema	ACJ-VM		LP	2197
Peggy Lee	Garota de Ipanema	ACJ-VM		LP	7C11034
				Columbia	
Charlie Byrd	Engano	ACJ-LB		LP	9137
	O amor em paz	ACJ			
				Elenco	
Baden Powell+Jimmy Pratt	Samba de uma nota só	ACJ-NM		LP	ME4
				CD	Mer-5280452
Sergio Mendes+A.Farmer	BOSSA NOVA YORK			LP	MEV2
+A.C.Jobim	Garota de Ipanema	ACJ-VM			
	Inútil paisagem	ACJ-AO		CD	Mer-5269532
	O morro não tem vez	ACJ-VM			
	Só danço samba	ACJ-VM			
	Só tinha de ser com você	ACJ-AO		CD	Mer-5269532
+P.Woods+A.C.Jobim	Vivo sonhando	ACJ		CD	Mer-5269532

				EMI-Odeon	
Peggy Lee	Insensatez	ACJ-VM		C	7C11034
				Impulse	
Milt Jackson	Só danço samba	ACJ-VM		LP	A70
				Mercury	
Sara Vaughan	Garota de Ipanema	ACJ-VM		LP	SR60941
				Nilser	
The Bossa Nova Modern Quartet	Garota de Ipanema	ACJ-VM		LP	1010
				OWS	
Herbie Mann	Garota de Ipanema	ACJ-VM		LP	6167
				RCA	
Chet Atkins	Samba de uma nota só	ACJ-NM		LP	3316
				Verve	
Stan Getz+Astrud Gilberto	Corcovado	ACJ		LP	207
Stan Getz+Astrud Gilberto	Samba de uma nota só	ACJ-NM		LP	2304173
J.Gilberto+Stan Getz+A.C.Jobim	GETZ/GILBERTO			LP	V68545
				CD	810048
+A.Gilberto	Garota de Ipanema	ACJ-VM			
	Doralice	DC-AA			
	Pra machucar meu coração	AB			
	Desafinado	ACJ-NM			
+A.Gilberto	Corcovado	ACJ			
	Só danço samba	ACJ-VM			
	O grande amor	ACJ-VM			
	Vivo sonhando	ACJ			
				Warner Bros	
A.C.Jobim	THE WONDERFUL WORLD				
	OF A.C.JOBIM		ar N.Riddle	LP	WS1611
	A. C. JOBIM			CD	Mer-5269502
	Ela é carioca	ACJ-VM			
	Água de beber	ACJ-VM			

Intérprete	TÍTULO DO DISCO TÍTULO DO CD Título da música Título da música	Autores Autores	Obs	GRAVADORA Tp CD	 Nº do Disco Nº do CD
	Surfboard	ACJ			
	Inútil paisagem	ACJ-AO			
	Só tinha de ser com você	ACJ-AO			
	A felicidade	ACJ-VM			
	Bonita	ACJ-GL-RG			
	Favela	ACJ-VM			
	Valsa do Porto das Caixas	ACJ			
	Samba do avião	ACJ			
	Por toda a minha vida	ACJ-VM			
	Dindi	ACJ-AO			
				World Pacifc	
Clare Fischer	PLAYS A.C.JOBIM & CLARE FISCHER			LP	WP1830
	Corcovado	ACJ			
	Só danço samba	ACJ-VM			
	Desafinado	ACJ-NM			
	Garota de Ipanema	ACJ-VM			
	Insensatez	ACJ-VM			
	O amor em paz	ACJ			
	Samba de uma nota só	ACJ-NM			
1965 BRASIL				**CBS**	
Mozart	Samba do avião	ACJ		LP	4068
				Continental	
Som 4	Inútil paisagem	ACJ-AO		LP	12194
				Elenco	
Roberto Menescal	Só tinha de ser com você	ACJ-AO		LP	ME14

			CD	Ele-5120582
Dick Farney	DICK FARNEY		LP	ME15
	A VOZ DE DICK FARNEY		CD	Phi-8482682
	Fotografia	ACJ		
	Inútil paisagem	ACJ-AO		
	Vivo sonhando	ACJ		
Rosinha de Valença	Ela é carioca	ACJ-VM	LP	ME16
A.C.Jobim+Caymmis	CAYMMI VISITA TOM		LP	ME17
			CD	Ele-848966
Dorival Caymmi	Das rosas	DC		
	Só tinha de ser com você	ACJ-AO		
Nana+Dorival	Inútil paisagem	ACJ-AO		
	Vai de vez	RM-LF		
Stela Caymmi	Canção da noiva	DC		
D.Caymmi+A.C.Jobim	Saudade da Bahia	DC		
Nana	Tristeza de nós dois	DF-Bbt-ME		
	Berimbau	BP-VM		
Nana	Sem você	ACJ-VM		
Sylvia Telles	BOSSA, BALANÇO, BALADA		LP	ME18
	Amor em paz	ACJ-VM		
	Samba do avião	ACJ	CD	Mer-5120542
Lindolfo Gaya	Garota de Ipanema	ACJ-VM	LP	ME20
Lennie Dale	O morro não tem vez	ACJ-VM	LP	ME21
			EMI-Odeon	
Pery Ribeiro	Demais	ACJ-AO	LP	MOFB3418
Wilson Simonal	O morro não tem vez	ACJ-VM	LP	MOFB3419
	Só tinha de ser com você	ACJ-AO		
Elza Soares	Dindi	ACJ-AO	LP	MOFB3420
Mário Genário Filho	Garota de Ipanema	ACJ-VM	LP	MOFB3425
	Meditação	ACJ-NM		
	Samba do avião	ACJ		
Leny Andrade	O morro não tem vez	ACJ-VM	LP	MOFB3428

Intérprete	TÍTULO DO DISCO TÍTULO DO CD Título da música Título da música	Autores Autores	Obs	Gravadora Tp CD	Nº do Disco Nº do CD
Milton Banana Trio	Só tinha de ser com você	ACJ-AO		LP	MOFB3431
Geraldo Vespar	Dindi	ACJ-AO		LP	MOFB3433
Sílvio César	Só tinha de ser com você	ACJ-AO		LP	MOFB3437
Pery Ribeiro+Leny Andrade	GEMINY V			LP	MOFB3445
	A felicidade	ACJ-VM			
	Coisas do dia	ACJ-BB			
	Garota de Ipanema	ACJ-VM			
	O amor em paz	ACJ			
	Só saudade	ACJ-NM			
	Só tinha de ser com você	ACJ-AO			
	Vivo sonhando	ACJ			
Altemar Dutra	Eu sei que vou te amar	ACJ-VM		LP	MOFB3446
Wilson Simonal	Se todos fossem iguais a você	ACJ-VM		LP	MOFB3447
Milton Banana Trio	MILTON BANANA TRIO			LP	SMOFB3417
	Ela é carioca	ACJ-VM			
	Garota de Ipanema	ACJ-VM		CD	7952412
	Inútil paisagem	ACJ-AO			
	Samba do avião	ACJ			
				Farroupilha	
Pedrinho Mattar	Inútil paisagem	ACJ-AO		LP	405
				Fontana	
Jair Rodrigues	O morro não tem vez	ACJ-VM		LP	69065
				Forma	
Quarteto em Cy	Caminho de pedra	ACJ-VM		LP	1004
				CD	528491
Bossa Três	Vivo sonhando	ACJ		LP	1006

Ana Margarida			LP	1009
	Dindi	ACJ-AO		
	O que tinha de ser	ACJ-VM	CD	528491
Dulce Nunes			LP	FM13
	Canção em modo menor	ACJ-VM	CD	528491
	Derradeira primavera	ACJ-VM	CD	528491
	Estrada branca	ACJ-VM		
	Soneto de separação	ACJ-VM		
			Imperial	
Balanço Trio	Vivo sonhando	ACJ	LP	30076
			London	
The Ipanema Orchestra	Corcovado	ACJ	LP	1001
	Desafinado	ACJ-NM		
	Garota de Ipanema	ACJ-VM		
	Insensatez	ACJ-VM		
	Meditação	ACJ-NM		
	Samba de uma nota só	ACJ-NM		
	Vivo sonhando	ACJ		
Tempo Trio	O morro não tem vez	ACJ-VM	LP	1007
			Mocambo	
Mina	Dindi	ACJ-AO	LP	40281
			Parlophone	
Os Bossinhas	Garota de Ipanema	ACJ-VM	C	2
			Philips	
Sylvia Telles	Insensatez	ACJ-VM	LP	6328288
			CD	Mer-5120542
Tamba Trio	Só tinha de ser com você	ACJ-AO	LP	440680PT
Rio 65 Trio	Desafinado	ACJ-NM	LP	P632749L
Elis Regina+Jair Rodrigues	2 NA BOSSA		LP	P632765L
			CD	8112192
	A felicidade	ACJ-VM		

Intérprete	Título do Disco / Título do CD / Título da música	Autores	Obs	Gravadora Tp / CD	Nº do Disco / Nº do CD
	O morro não tem vez	ACJ-VM			
Tamba Trio	O morro não tem vez	ACJ-VM		LP	P632769L
					Polydor
Leny Andrade	A ARTE MAIOR DE...			LP	4097
	Samba do avião	ACJ			
	Vivo sonhando	ACJ			
Tita	Inútil paisagem	ACJ-AO		LP	4098
	Só tinha de ser com você	ACJ-AO			
Darcy Villa Verde	A felicidade	ACJ-VM		C	500021
Luiz Claudio	Ela é carioca	ACJ-VM		C	500028
					RCA
Cauby Peixoto	Garota de Ipanema	ACJ-VM		LP	1309
Mirzo Barroso	O amor em paz	ACJ		LP	1313
Trio 3D	TRIO 3D CONVIDA			LP	1332
	Água de beber	ACJ-VM			
	Só tinha de ser com você	ACJ-AO			
L.Bittencourt+H.Almeida	SINFONIA DO RIO DE JANEIRO			LP	1334
	Hino ao sol (SRJ)	ACJ-BB			
	Coisas do dia (SRJ)	ACJ-BB			
	Matei-me no trabalho (SRJ)	ACJ-BB			
	Zona Sul (SRJ)	ACJ-BB			
	Arpoador (SRJ)	ACJ-BB			
	Noites do Rio (SRJ)	ACJ-BB			
	O mar (SRJ)	ACJ-BB			
	Copacabana (SRJ)	ACJ-BB			
	A montanha (SRJ)	ACJ-BB			

	O morro (SRJ)	ACJ-BB		
	Descendo o morro (SRJ)	ACJ-BB		
	Samba de amanhã (SRJ)	ACJ-BB		
José Meneses+V.Transviados	Só tinha de ser com você	ACJ-AO	LP	1343
Embalo Trio	Garota de Ipanema	ACJ-VM	LP	1352
	Samba do avião	ACJ		
	Só danço samba	ACJ-VM		
	Só tinha de ser com você	ACJ-AO		
			RGE	
Paulinho Nogueira	Inútil paisagem	ACJ-AO	LP	5274
			SBA	
Cid Gray	Samba de uma nota só	ACJ-NM	LP	1
Don Junior	Samba de uma nota só	ACJ-NM	LP	21
			Som Maior	
Sambossa 5	Corcovado	ACJ	LP	1511
Som Três	O morro não tem vez	ACJ-VM	LP	1518
			STEG	
Peruzzi	Corcovado	ACJ	LP	ST01
	Garota de Ipanema	ACJ-VM		
1965 EXTERIOR			**Atlantic**	
Herbie Mann	Desafinado	ACJ-NM	LP	1384
	Meditação	ACJ-NM		
			Capitol	
Nancy Wilson	Corcovado	ACJ	LP	2155
George Shearing	Samba de uma nota só	ACJ-NM	LP	1873
Vanda Sá	BRASIL'65		LP	2294
	Ela é carioca	ACJ-VM		
	O morro não tem vez	ACJ-VM		
	Samba de uma nota só	ACJ-NM		

Intérprete	Título do disco / Título do CD / Título da música	Autores	Obs	Tp / CD	Gravadora: Nº do Disco / Nº do CD
					Columbia
Herb Ellis+Charlie Byrd	Se todos fossem iguais a você	ACJ-VM		LP	2330
	Só danço samba	ACJ-VM			
Charlie Byrd	A felicidade	ACJ-VM		LP	9492
	Água de beber	ACJ-VM			
	Insensatez	ACJ-VM			
	Samba de uma nota só	ACJ-NM			
					Dot
Billy Vaughn	Garota de Ipanema	ACJ-VM		LP	XRLP6146
					Elenco
Astrud Gilberto+A.C.Jobim	THE ASTRUD GILBERTO ALBUM			LP	MEV4
				CD	Mer-5269512
	Água de beber	ACJ-VM			
	Dindi	ACJ-AO			
	É preciso dizer adeus	ACJ-VM			
	Fotografia	ACJ			
	Insensatez	ACJ-VM			
	Meditação	ACJ-NM			
	O amor em paz	ACJ			
	O morro não tem vez	ACJ-VM			
	Só tinha de ser com você	ACJ-AO			
	Vivo sonhando	ACJ			
Bud Shank+Rosinha+Donato	BUD SHANK DONATO ROSINHA DE VALENÇA			LP	MEV8
	Foi a noite	ACJ-NM			

	O amor em paz	ACJ			
	Samba do avião	ACJ			
				Mainstream	
Morgana King	Corcovado	ACJ		LP	9058
				MGM	
Marty Manning	Desafinado	ACJ-NM		LP	30016
				Musidisc	
The Ray Charles Singers	Garota de Ipanema	ACJ-VM		LP	2116
				Philips	
Cannonball Adderley	BOSSA NOVA			LP	SLP9154
	Corcovado	ACJ			
	O amor em paz	ACJ			
				RCA	
J.J.Johnson	Água de beber	ACJ-VM		LP	3458
	Insensatez	ACJ-VM			
João Donato	THE NEW SOUND OF BRAZIL			LP	3473
	Esperança perdida	ACJ-BB			
	Insensatez	ACJ-VM			
				Warner Bros	
A.C.Jobim	ANTONIO CARLOS JOBIM		ar C.Ogerman	C	WDC55002
	Esperança perdida	ACJ-BB			
	Fotografia	ACJ		CD	Mer-5280722
	Por causa de você	ACJ-DD			
	Desafinado	ACJ-NM			
A.C.Jobim	A CERTAIN MR. JOBIM		ar C.Ogerman	LP	WS1699
				CD	DSCD-848
	Bonita	ACJ-GL-RG			
	Se todos fossem iguais a você	ACJ-VM			
	Off key	ACJ-NM-GL			
	Photograph	ACJ-RG			
	Surfboard	ACJ			

Intérprete	Título do disco / Título do CD / Título da música	Autores	Obs	Tp / CD	Gravadora / Nº do disco / Nº do CD
	Outra vez	ACJ			
	I was just one more for you	ACJ-BB-RG			
	Estrada do sol	ACJ-DD			
	Don't ever go away	ACJ-DD-RG			
	Zingaro	ACJ			
1966 BRASIL					**Barclay**
Baden Powell	Garota de Ipanema	ACJ-VM		LP	80235
				CD	Phi-5261942
					Continental
Erlon Chaves	Inútil paisagem	ACJ-AO		LP	12188
					Copacabana
Elizete Cardoso	Demais	ACJ-AO		LP	11509
					Elenco
Lindolfo Gaya	Samba do avião	ACJ		LP	ME20
Sylvia Telles+Tamba Trio	REENCONTRO			LP	ME31
	Canta, canta mais	ACJ-VM			
	Dindi	ACJ-AO			
	O morro não tem vez	ACJ-VM			
	Só tinha de ser com você	ACJ-AO			
Quarteto em Cy	CY			LP	ME33
	Inútil paisagem	ACJ-AO		CD	Mer-5289322
	Samba torto	ACJ-AO			
Roberto Menescal	SURFBOARD			LP	MEV9
	Bonita	ACJ-GL-RG			
	Surfboard	ACJ			

			EMI-Odeon	
Tito Madi	A felicidade	ACJ-VM	LP	MOFB3444
			Forma	
Rosinha de Valença	Água de beber	ACJ-VM	LP	103
Quarteto em Cy+Tamba Trio	Água de beber	ACJ-VM	LP	FM10
			CD	528491
			London	
Neco	A felicidade	ACJ-VM	LP	1006
	Água de beber	ACJ-VM		
	Insensatez	ACJ-VM		
	Meditação	ACJ-NM		
Sacha	Inútil paisagem	ACJ-AO	LP	1011
	Samba do avião	ACJ		
Los Machucambos	Garota de Ipanema	ACJ-VM	LP	7115
			Philips	
Claudette Soares+Taiguara	Estrada do sol	ACJ-DD	LP	P632913L
			RCA	
Orq. Namorados do Caribe	Inútil paisagem	ACJ-AO	LP	1306
Maysa	Demais	ACJ-AO	LP	1363
			CD	M60021
Conj. Jovem Brasa	Água de beber	ACJ-VM	LP	1365
	Só danço samba	ACJ-VM		
Sambossa 5	O morro não tem vez	ACJ-VM	LP	1382
			RGE	
Zimbo Trio	Água de beber	ACJ-VM	LP	5277
			Saba	
Sylvia Telles+Rosinha de Valença	Dindi	ACJ-AO	LP	15102
			SBA	
Don Junior	Samba do avião	ACJ	LP	21
	Só danço samba	ACJ-VM		

Intérprete	Título do disco / Título do CD / Título da música	Autores	Obs	Gravadora Tp / CD	Nº do disco / Nº do CD
				Warner Bros	
Lindolfo Gaya	Samba torto	ACJ-AO		LP	301404056
1966 EXTERIOR				**Atlantic**	
Herbie Mann	Ela é carioca	ACJ-VM		LP	1401
				Capitol	
George Shearing	GEORGE SHEARING BOSSA NOVA			LP	1873
	Desafinado	ACJ-NM			
	One note samba	ACJ-NM			
Vanda Sá	SOFTLY			LP	2325
	Água de beber	ACJ-VM			
	Quiet nights	ACJ-GL			
	Once I loved	ACJ-VM-RG			
	Só danço samba	ACJ-VM			
	Dreamer	ACJ-GL			
				CBS	
Andy Williams	How insensitive	ACJ-VM-NG		LP	137462
	Meditation	ACJ-NM-NG			
				Columbia	
Tony Bennett	Insensatez	ACJ-VM		LP	9814
				CD	700671
				Contemporary	
Hampton Hawes Trio	Garota de Ipanema	ACJ-VM		LP	7616
				EMI-Odeon	
Johnny Mathis	Corcovado	ACJ		LP	MOFB349

Artist	Song	Composers	Format	Label / Number
				Epic
Paul Horn	Meditação	ACJ-NM	LP	PE26466
				Impulse
Louis Bellson	Chega de saudade	ACJ-VM		LP A9107
				London
Stanley Black	Garota de Ipanema	ACJ-VM	LP	101
				Pablo
Ella Fitzgerald	Só danço samba	ACJ-VM	LP	2308242
				RCA
Stan Getz	The girl from Ipanema	ACJ-VM-NG	LP	2925
			CD	CD20176
Perry Como	Corcovado	ACJ	LP	3552
	Dindi	ACJ-AO		
	Insensatez	ACJ-VM		
	Meditação	ACJ-NM		
	O amor em paz	ACJ		
Gary Burton	Garota de Ipanema	ACJ-VM	LP	3642
Vic Damone	STAY WITH ME		LP	3671
	The girl from Ipanema	ACJ-VM-NG		
	How insensitive	ACJ-VM-NG		
	Meditation	ACJ-NM-NG		
	Once I loved	ACJ-RG		
	Quiet nigths	ACJ-GL		
	Someone to light up my life	ACJ-VM-GL		
				Verve
Wes Montgomery	How insensitive	ACJ-VM-NG	LP	2111
Walter Wanderley	RAIN FOREST		LP	2352189
	Garota de Ipanema	ACJ-VM		
	O grande amor	ACJ-VM		
	Samba do avião	ACJ		
Roy Kral+Jackie Cain	Corcovado	ACJ	LP	MGV8688

INTÉRPRETE	TÍTULO DO DISCO TÍTULO DO CD TÍTULO DA MÚSICA TÍTULO DA MÚSICA	AUTORES AUTORES	OBS	GRAVADORA TP CD	 Nº DO DISCO Nº DO CD
Oscar Peterson Trio	Quiet nights	ACJ-GL		LP	V68606
				Elenco	
1967 BRASIL				LP	ME25
Dick Farney	Insensatez	ACJ-VM		CD	Phi-8482682
				LP	ME25
Nana Caymmi	Derradeira primavera	ACJ-VM		CD	Mer-5269522
Baden Powell	Samba de uma nota só	ACJ-NM		LP	ME30
MPB4	O grande amor	ACJ-VM		LP	ME43
				EMI-Odeon	
Hebe Camargo	Frevo	ACJ-VM		LP	7B225
Wilson Simonal+Som Três	O morro não tem vez	ACJ-VM		LP	MOAB6000
Wilson Simonal	Discussão	ACJ-VM		LP	MOFB3508
	E preciso dizer adeus	ACJ-VM			
				Fontana	
Vários	GAROTA DE IPANEMA		ar E.Deodato	LP	6485109
Orq. de Estúdio	A queda	ACJ			
Tamba Trio	Ela é carioca	ACJ-VM			
Orq. de Estúdio	Garota de Ipanema	ACJ-VM			
Nara Leão	Lamento no morro	ACJ-VM			
Orq. de Estúdio	Surfboard	ACJ			
				London	
Neco	O morro não tem vez	ACJ-VM		LP	1019
	Samba do avião	ACJ			
	Só tinha de ser com você	ACJ-AO			
Meireles	Desafinado	ACJ-NM		LP	1029

	Garota de Ipanema	ACJ-VM			
					Musidisc
Nanai	Corcovado	ACJ		LP	2130
	Garota de Ipanema	ACJ-VM			
					Philips
Os Gatos	Água de beber	ACJ-VM		LP	6436302
Nara Leão	Derradeira primavera	ACJ-VM		LP	8143391
Elis Regina+Jair Rodrigues	Eu sei que vou te amar	ACJ-VM		LP	R765020L
				CD	5226632
					Premier
Paulinho Nogueira	Corcovado	ACJ		LP	1027
	Garota de Ipanema	ACJ-VM			
					RCA
Mário Castro Neves	Corcovado	ACJ		LP	1390
Sambistas do Asfalto	A felicidade	ACJ-VM		LP	1427
					RGE
Zimbo Trio	O amor em paz	ACJ		LP	5312
	Só tinha de ser com você	ACJ-AO			
					SBA
Cid Gray	Meditação	ACJ-NM		LP	1
Coral Romântico	A felicidade	ACJ-VM		LP	3
	Eu não existo sem você	ACJ-VM			
Agostinho dos Santos	Dindi	ACJ-AO		LP	5
1967 EXTERIOR					**A & M**
A.C.Jobim	WAVE		ar C.Ogerman	LP	3002
				CD	3930022
	Wave	ACJ			
	Red blouse	ACJ			
	Olha pro céu (Look to the sky)	ACJ			
	Batidinha	ACJ			
	Triste	ACJ			

INTÉRPRETE	TÍTULO DO DISCO TÍTULO DO CD TÍTULO DA MÚSICA TÍTULO DA MÚSICA	AUTORES AUTORES	OBS	GRAVADORA TP CD	Nº DO DISCO Nº DO CD
	Mojave	ACJ			
	Diálogo	ACJ			
	Lamento	ACJ-VM			
	Antigua	ACJ			
	Capitão Bacardi	ACJ			
				Berandol	
Michael Kleniec	Samba de uma nota só	ACJ-NM		LP	9097
				Fermata	
Sergio Mendes	Samba de uma nota só	ACJ-NM		LP	154
				Joker	
Louis Armstrong	Garota de Ipanema	ACJ-VM		LP	380612
				London	
Engelbert Humperdinck	Corcovado	ACJ		LP	7126
				Mercury	
Oscar Peterson	Insensatez	ACJ-VM		LP	1029
	Meditação	ACJ-NM			
				Milestone	
Joe Henderson	O amor em paz	ACJ		LP	MSP9008
				MPS	
Baden Powell	Garota de Ipanema	ACJ-VM		LP	12365
	Prestige				
Eddie Daniels	A felicidade	ACJ-VM		LP	7506
Pat Martino	Once I loved	ACJ-VM-RG		LP	7513
				RCA	
The Brass Ring	Garota de Ipanema	ACJ-VM		LP	5011

					Reprise
Frank Sinatra +A.C.Jobim	FRANCIS A. SINATRA & ANTONIO C. JOBIM		ar C.Ogerman	LP	FS1021
				CD	759927041-2
	The girl from Ipanema	ACJ-VM-NG			
	Dindi	ACJ-AO-RG			
	Change Partners	Irving Berlin			
	Quiet nights	ACJ-GL			
	Meditation	ACJ-NM-NG			
	If you ever come to me	ACJ-RG			
	How insensitive	ACJ-VM-NG			
	I concentrate on you	CP			
	Baubles, bangles and beads	Wr-Fr			
	Once I loved	ACJ-VM-RG			
					Scepter
Count Basie	Samba de uma nota só	ACJ-NM		LP	18028
					United Artists
Herbie Mann	Samba de uma nota só	ACJ-NM		LP	15009
					Vault
Jack Wilson+ "Tony Brazil"	BRAZILLIAN MANCINI			LP	1001
	Blue Satin	HM			
	Breakfast at Tiffany's	HM			
	Days of wine and roses	HM			
	Dear Heart	HM			
	Lujon	HM			
	Mr. Lucky	HM			
	Night flower	HM			
	Sally's tomato	HM			
	Softly	HM			
					Verve
Stan Getz	O grande amor	ACJ-VM	ao vivo	LP	2304044

INTÉRPRETE	TÍTULO DO DISCO TÍTULO DO CD TÍTULO DA MÚSICA TÍTULO DA MÚSICA	AUTORES AUTORES	OBS	GRAVADORA TP CD	 Nº DO DISCO Nº DO CD
Oscar Peterson Trio	The girl from Ipanema	ACJ-VM-NG		LP	V68606
1968 BRASIL				**A & M**	
Tamba 4	O morro não tem vez	ACJ-VM		LP	2021
				CBS	
Cynara+Cybele	Luciana	ACJ-VM		LP	33566
Cynara+Cybele	Cala meu amor	ACJ		LP	37548
The G-9 Group	Este seu olhar	ACJ		LP	137579
	Retrato em branco e preto	ACJ-CB			
				Codil	
A.C.Jobim+Quarteto 004	Retrato em branco e preto	ACJ-CB	ar ACJ	LP	13011
	Wave	ACJ			
Maria José	Sabiá	ACJ-CB		LP	13017
				EMI-Odeon	
Elza Soares	Garota de Ipanema	ACJ-VM		LP	MOFB3521
Lírio Panicali	A felicidade	ACJ-VM		LP	MOFB3522
	Dindi	ACJ-AO			
	Garota de Ipanema	ACJ-VM			
	Insensatez	ACJ-VM			
	Meditação	ACJ-NM			
Luiz Claudio	Retrato em branco e preto	ACJ-CB		LP	MOFB3537
Maria Bethania				LP	MOFB3545
				CD	7953382
	O que tinha de ser	ACJ-VM			
	Se todos fossem iguais a você	ACJ-VM			
Caçulinha	Wave	ACJ		LP	MOFB3553

Clara Nunes			LP	MOFB3557
	Sabiá	ACJ-CB	CD	7932782
	Sucedeu assim	ACJ-MP		
Milton Banana Trio	Retrato em branco e preto	ACJ-CB	LP	MOFB3558
			Fontana	
Quarteto em Cy	A ARTE DE QUARTETO EM CY		LP	6470587
	Frevo	ACJ-VM		
	Retrato em branco e preto	ACJ-CB		
			Imperial	
Carlito	Insensatez	ACJ-VM	LP	30099
			London	
Neco	Retrato em branco e preto	ACJ-CB	LP	1039
	Sabiá	ACJ-CB		
Luiz Loy	Wave	ACJ	LP	1042
			Mercury	
MPB4	Sabiá	ACJ-CB	CD	5289342
			MIS	
Elizete Cardoso	Derradeira primavera	ACJ-VM	LP	4
	Estrada branca	ACJ-VM		
Jacó do Bandolim+Zimbo Trio	Chega de saudade	ACJ-VM	LP	5
Hepteto de Paulo Moura	Wave	ACJ	LP	6
			Parlophone	
Carlos Monteiro de Souza	Samba do avião	ACJ	LP	13006
Wilson das Neves	Wave	ACJ	LP	13008
Geraldo Vespar	Corcovado	ACJ	LP	13018
			Philips	
Tamba Trio	Água de beber	ACJ-VM	LP	842854PY
	Corcovado	ACJ		
	Desafinado	ACJ-NM		
Márcia	Aula de matemática	ACJ-MP	LP	R765035L
	De você eu gosto	ACJ-AO		

Intérprete	Título do Disco / Título do CD / Título da música	Autores	Obs	Gravadora: Tp / CD	Nº do Disco / Nº do CD
	E preciso dizer adeus	ACJ-VM			
Elis Regina	ELIS ESPECIAL			LP	R765056L
				CD	8112202
	Fotografia	ACJ			
	Outra vez	ACJ			
	Wave	ACJ			
				Premier	
Paulinho Nogueira	Desafinado	ACJ-NM		LP	1027
				RCA	
Nelson Gonçalves	Corcovado	ACJ		LP	1210002
Três do Rio	Eu não existo sem você	ACJ-VM		LP	1462
				RGE	
Chico Buarque	Retrato em branco e preto	ACJ-CB		LP	3030005
Agostinho dos Santos	O amor em paz	ACJ		LP	3030065
Dick Farney	Este seu olhar	ACJ		LP	5329
				Rosemblit	
Claudete Soares	Vivo sonhando	ACJ		LP	5043
1968 EXTERIOR				**A & M**	
Sergio Mendes	SÉRGIO MENDES & BRASIL 66			LP	2002
	Só danço samba	ACJ-VM		CD	5263022
	Triste	ACJ			
	Wave	ACJ		CD	5259972
Herb Alpert+Sergio Mendes	Água de beber	ACJ-VM		LP	2003
	Samba de uma nota só	ACJ-NM			
Herb Alpert	Garota de Ipanema	ACJ-VM		LP	2004

Claudine Longet	Insensatez	ACJ-VM	LP	2008
Claudine Longet	Dindi	ACJ-AO	LP	2023
				Capitol
Nancy Wilson	Garota de Ipanema	ACJ-VM	LP	2155
The Lettermen	Corcovado	ACJ	LP	2758
Nancy Wilson	Insensatez	ACJ-VM	LP	2909
	Wave	ACJ		
				CRS
Walter Wanderley	Insensatez	ACJ-VM	LP	2137
				EMI-Odeon
The Royal Grand Orchestra	Garota de Ipanema	ACJ-VM	LP	MOFB385
				Fermata
Sergio Mendes	Água de beber	ACJ-VM	LP	159
				Jasmine
Ahmad Jamal	Insensatez	ACJ-VM	LP	15
				London
Stanley Black	Corcovado	ACJ	LP	101
				MCA
Freddy Martin	Meditação	ACJ-NM	LP	2408
Lenny Dee	Meditação	ACJ-NM	LP	DL74818
				MGM
Lalo Schifrin	Insensatez	ACJ-VM	LP	61917
				MPS
Erroll Garner	Garota de Ipanema	ACJ-VM	LP	21297144
				Philips
Wes Montgomery	O amor em paz	ACJ	LP	6448092
				RCA
Arthur Fiedler+Boston Pops	Desafinado	ACJ-NM	LP	2988
				Reprise
Morgana King	O amor em paz	ACJ	LP	RS6257

Intérprete	Título do disco Título do CD Título da música Título da música	Autores Autores	Obs	Gravadora Tp CD	 Nº do Disco Nº do CD
1969 BRASIL				**CBS**	
Cynara+Cybele	Sabiá	ACJ-CB		LP	137580
				Continental	
Isaura Garcia	Estrada do sol	ACJ-DD		LP	12427
	Por causa de você	ACJ-DD			
				EMI-Odeon	
Doris Monteiro	Wave	ACJ		LP	MOFB3575
Maria Bethania	O nosso amor	ACJ-VM		LP	MOFB3577
Roberto Audi	Eu não existo sem você	ACJ-VM		LP	MOFB3580
	Se todos fossem iguais a você	ACJ-VM			
Caçulinha	Dindi	ACJ-AO		LP	MOFB3600
Elza Soares+Miltinho	Por causa de você	ACJ-DD		LP	MOFB3604
Taiguara	Esquecendo você	ACJ		LP	MOFB3614
				Festival	
Jean Sablon	A felicidade	ACJ-VM		LP	100330
				Imperial	
Balanço Trio	Wave	ACJ		LP	30158
				London	
Nelsinho	Wave	ACJ		C	22001
Lindolfo Gaya	Insensatez	ACJ-VM		LP	1051
				Parlophone	
Geraldo Vespar	Chega de saudade	ACJ-VM		LP	13018
	Dindi	ACJ-AO			
	Lamento no morro	ACJ-VM			
	Wave	ACJ			

					Philips
Elis Regina	ELIS IN LONDON			LP	6349042
	Insensatez	ACJ-VM			
	Wave	ACJ			
Mina	Insensatez	ACJ-VM		LP	82086PL
					RCA
Os Showpignons	Corcovado	ACJ		LP	1477
	Wave	ACJ			
José Ricardo	Brigas nunca mais	ACJ-VM		LP	1479
Marília Barbosa	Este seu olhar	ACJ			
	Se todos fossem iguais a você	ACJ-VM			
Marília Barbosa	Só em teus braços	ACJ			
Vitor Hugo	Só tinha de ser com você	ACJ-AO			
					RGE
Vinícius de Moraes	Mulher sempre mulher	ACJ-VM		LP	5345
1969 EXTERIOR					**A & M**
Chris Montez	Corcovado	ACJ		LP	2029
Walter Wanderley	Surfboard	ACJ		LP	2040
					Affinity
Ruby Braff+Red Norvo	Garota de Ipanema	ACJ-VM		LP	45
					CRS
Walter Wanderley	Meditação	ACJ-NM		LP	2137
					Prestige
Dexter Gordon	Meditação	ACJ-NM		LP	7680
					RCA
Henry Mancini	Meditação	ACJ-NM		LP	4140
					Reprise
Frank Sinatra	SINATRA-JOBIM SESSIONS		ar E.Deodato	LP	34025
	PORTRAIT OF SINATRA			LP	K64039
+A.C.Jobim	Bonita	ACJ-GL-RG			

INTÉRPRETE	TÍTULO DO DISCO TÍTULO DO CD TÍTULO DA MÚSICA TÍTULO DA MÚSICA	AUTORES AUTORES	OBS	GRAVADORA TP CD	 Nº DO DISCO Nº DO CD
+A.C.Jobim	Sabiá	ACJ-CB			
Morgana King	Dindi	ACJ-AO		LP	RS6192
	Inútil paisagem	ACJ-AO			
				World Pacific	
Craig Hundley	Insensatez	ACJ-VM		LP	WPS21880
1970 BRASIL				**Barclay**	
Sivuca	Desafinado	ACJ-NM		LP	920105
	Samba de uma nota só	ACJ-NM			
				Capitol	
Caldera	Triste	ACJ		LP	8698/99
				CBS	
Os Coroas	A felicidade	ACJ-VM		LP	1014
Bill Bell	Samba de uma nota só	ACJ-NM		LP	1023
				Codil	
Roberto Nunes	A felicidade	ACJ-VM		LP	13022
	Dindi	ACJ-AO			
	Eu sei que vou te amar	ACJ-VM			
	Garota de Ipanema	ACJ-VM			
	Meditação	ACJ-NM			
	Por causa de você	ACJ-DD			
	Sabiá	ACJ-CB			
	Samba de uma nota só	ACJ-NM			
	Samba do avião	ACJ			
	Triste	ACJ			
	Wave	ACJ			

				Elenco	
Márcia	Dindi	ACJ-AO		LP	ME60
	Eu não existo sem você	ACJ-VM			
	Sem você	ACJ-VM			
Luiz Eça	Wave	ACJ		LP	SE1005
				CD	Mer-5269602
				EMI-Odeon	
Milton Nascimento	A felicidade	ACJ-VM		LP	MOAB6004
				CD	7952412
Luiz Carlos Vinhas	Fotografia	ACJ		LP	MOFB3630
	Surfboard	ACJ			
	Wave	ACJ			
Doris Monteiro+Miltinho	A felicidade	ACJ-VM		LP	MOFB3649
	Chega de saudade	ACJ-VM			
	Demais	ACJ-AO			
	Esquecendo você	ACJ			
	Este seu olhar	ACJ			
	Foi a noite	ACJ-NM			
				Fontana	
MPB4				LP	6470584
	MINHA HISTÓRIA			CD	Phi-5186662
	A felicidade	ACJ-VM			
	Retrato em branco e preto	ACJ-CB			
Elis+Miele	Se todos fossem iguais a você	ACJ-VM		LP	6488144
				London	
Agostinho dos Santos	A felicidade	ACJ-VM		LP	1062
Los Machucambos	Corcovado	ACJ		LP	7192
	Insensatez	ACJ-VM			
				Masterplay	
Julinho		Corcovado	ACJ		LP 13025

Intérprete	Título do disco / Título do CD / Título da música	Autores	Obs	Tp / CD	Nº do Disco / Nº do CD
					Philips
Quarteto em Cy	Por causa de você	ACJ-DD		LP	6349133
Chico Buarque	Pois é	ACJ-CB		LP	R765106L
				CD	5229572
Elis Regina	Frevo	ACJ-VM		LP	R765112L
				CD	5229532
Maysa				LP	R765116L
	FORA DE SÉRIE			CD	8482722
	As praias desertas	ACJ			
	Bonita	ACJ-GL-RG			
					Polydor
Nara Leão	NARA			LP	44050
	Demais	ACJ-AO			
	Este seu olhar	ACJ			
	Insensatez	ACJ-VM			
	Meditação	ACJ-NM		CD	Mer-5283502
	O amor em paz	ACJ			
	Outra vez	ACJ			
	Por toda a minha vida	ACJ-VM			
	Sabiá	ACJ-CB			
Nara Leão	DEZ ANOS DEPOIS			LP	44059
	Bonita	ACJ-GL-RG			
	Chega de saudade	ACJ-VM			
	Corcovado	ACJ			
	Desafinado	ACJ-NM		CD	Mer-5283502
	Estrada do sol	ACJ-DD			

	Fotografia	ACJ	CD	Mer-5283512
	Garota de Ipanema	ACJ-VM		
	O grande amor	ACJ-VM		
	Pois é	ACJ-CB		
	Retrato em branco e preto	ACJ-CB		
	Samba de uma nota só	ACJ-NM		
			Quartin	
Victor Assis Brasil	TOCA ANTONIO CARLOS JOBIM		LP	2
	Bonita	ACJ-GL-RG		
	Dindi	ACJ-AO		
	Só tinha de ser com você	ACJ-AO		
	Wave	ACJ		
			RCA	
Carlos Galhardo	Eu não existo sem você	ACJ-VM	LP	1524
Nelson Gonçalves	Insensatez	ACJ-VM	LP	1540
			Stylo	
Edison Machado	Corcovado	ACJ	LP	SSLP2
	Outra vez	ACJ		
			Tropicana	
Samba 5	Wave	ACJ	LP	1018
Bill Bell	Chega de saudade	ACJ-VM	LP	1023
	Desafinado	ACJ-NM		
	Desafinado	ACJ-NM		
	Meditação	ACJ-NM		
	Samba de uma nota só	ACJ-NM		
1970 EXTERIOR			**Philips**	
João Gilberto	JOÃO GILBERTO EN MEXICO		LP	199055
			CD	8484262
	Ela é carioca	ACJ-VM		
	Esperança perdida	ACJ-BB		

INTÉRPRETE	TÍTULO DO DISCO TÍTULO DO CD TÍTULO DA MÚSICA TÍTULO DA MÚSICA	AUTORES AUTORES	OBS	TP CD	GRAVADORA Nº DO DISCO Nº DO CD
					A & M
The Sandpipers	Wave	ACJ		LP	2052
A.C.Jobim	TIDE		ar E.Deodato	LP	3031
				CD	3930312
	Garota de Ipanema	ACJ-VM			
	Carinhoso	Pxn			
	Tema jazz	ACJ			
	Sue Ann	ACJ			
	Remember	ACJ			
	Tide	ACJ			
	Takatanga	ACJ			
	Caribe	ACJ			
	Rockanália	ACJ			
					CBS
Johnny Mathis	Wave	ACJ		LP	56395
					CRS
Anita O'Day	Meditação	ACJ-NM		LP	2126
Walter Wanderley	Wave	ACJ		LP	2137
					CTI
A.C.Jobim	STONE FLOWER		ar E.Deodato	LP	6002
				CD	Epi-ZK45480
	Tereza meu amor	ACJ			
	Children's games	ACJ			
	Choro	ACJ			
	Aquarela do Brasil (Brazil)	AB			
	Stone flower	ACJ			

	Amparo (Olha Maria)	ACJ		
	Andorinha	ACJ		
	God and the devil in the land of the sun	ACJ		
	Sabiá	ACJ-CB		
				Decca
Ted Heath	Garota de Ipanema	ACJ-VM	LP	SPA54
				Fantasy
Charlie Byrd	Wave	ACJ	LP	F9466
				Glendale
Anita O'Day	Garota de Ipanema	ACJ-VM	LP	6000
Anita O'Day	Corcovado	ACJ	LP	6001
				Halcyon
Teddy Wilson+Marian Mc Partland	Corcovado	ACJ	LP	106
				Jazzum
Barney Kessel+Reo Mitchell	Wave	ACJ	LP	2025
				Outstanding
Paul Smith	Garota de Ipanema	ACJ-VM	LP	22
				Pausa
Joe Pass	Meditação	ACJ-NM	LP	7043
				Philips
Elis Regina+Toots Thielemans	Wave	ACJ	LP	8125681
				Prestige
Jack Mc Duff	Garota de Ipanema	ACJ-VM	LP	7362
				Project 3
Enoch Light+The Light Brigade	Se todos fossem iguais a você	ACJ-VM	LP	82521
Enoch Light+The Light Brigade	Garota de Ipanema	ACJ-VM	LP	82567
				RCA
Henry Mancini	Olha Maria	ACJ-VM-CB	LP	227
				Reprise
Morgana King	Insensatez	ACJ-VM	LP	RS6192

Intérprete	TÍTULO DO DISCO TÍTULO DO CD Título da música Título da música	Autores Autores	Obs	GRAVADORA Tp CD	 Nº do Disco Nº do CD
				Stash	
Dardanelle	Corcovado	ACJ		LP	ST202
				Storyville	
Karin Krog+Dexter Gordon	How insensitive	ACJ-VM-NG		LP	SLP4045
				Zyzzle	
Brett Hornby	Insensatez	ACJ-VM		LP	4
1971 BRASIL				**CBS**	
Dionysio	Se todos fossem iguais a você	ACJ-VM		LP	1093
Dionysio	Meditação	ACJ-NM		LP	1097
Claudia Telles	Dindi	ACJ-AO		LP	33960
				EMI-Odeon	
Marta Mendonça	O que tinha de ser	ACJ-VM		LP	MOFB3687
Wilson Simonal	Fotografia	ACJ		LP	MOFB3702
				Festival	
Baden Powell	E preciso dizer adeus	ACJ-VM		LP	624
Baden Powell	Corcovado	ACJ		LP	627
				London	
Os Três Morais	Desafinado	ACJ-NM		LP	1068
Tito Madi	Esquecendo você	ACJ		LP	1077
	Sucedeu assim	ACJ-MP			
				Philips	
Elis Regina	Estrada do sol	ACJ-DD		LP	6349003
				CD	8114692
Claudette Soares	Por causa de você	ACJ-DD		LP	6349016
Chico Buarque+A.C.Jobim	Olha Maria	ACJ-VM-CB		LP	6349017

				CD	8360132
Maysa	Demais	ACJ-AO		LP	9299219
				CD	Mer-5269572
Chico Buarque	Sabiá	ACJ-CB		LP	6328348
					RCA
Herondy Bueno	Incerteza	ACJ-NM		LP	1535
Luiz Gonzaga	Caminho de pedra	ACJ-VM		LP	1556
					Som Livre
Osmar Milito	Chovendo na roseira	ACJ		LP	4036004
1971 EXTERIOR					**A & M**
Pete Jolly	Dindi	ACJ-AO		LP	2074
					CBS
Percy Faith	Wave	ACJ		LP	137756
					Columbia
Tony Bennett	Wave	ACJ		LP	30280
					Emily
Anita D'Day	Wave	ACJ		LP	9578
					Liberty
Felix Slatkin	Meditação	ACJ-NM		LP	3287
Bill Perkins	Meditação	ACJ-NM		LP	3293
					Pablo
Ella Fitzgerald	Garota de Ipanema	ACJ-VM		LP	2308234
	O nosso amor	ACJ-VM			
					Reprise
Frank Sinatra	SINATRA & COMPANY		ar E.Deodato	LP	FS1033
				CD	91033-2
+A.C.Jobim	Driking water	ACJ-VM-NG			
+A.C.Jobim	Someone to light up my life	ACJ-VM-GL			
+A.C.Jobim	Triste	ACJ			
+A.C.Jobim	Don't ever go away	ACJ-DD-RG			

Intérprete	Título do Disco / Título do CD / Título da Música	Autores	Obs	Gravadora Tp / CD	Nº do Disco / Nº do CD
+A.C.Jobim	This happy madness	ACJ-VM-GL			
+A.C.Jobim	Wave	ACJ			
+A.C.Jobim	One note samba	ACJ-NM			
1972 BRASIL				**CBS**	
Baden Powell				LP	137817
	Por causa de você	ACJ-DD		CD	850107
	Se todos fossem iguais a você	ACJ-VM			
				Columbia	
Santana	Stone flower	ACJ		LP	31610
				CD	700493
				Continental	
Célia	E preciso dizer adeus	ACJ-VM		LP	10070
				EMI-Odeon	
Milton Banana Trio	Águas de março	ACJ		LP	SMOFB3723
Cauby Peixoto	Se todos fossem iguais a você	ACJ-VM		LP	SMOFB3729
Luiz Eça+Quinteto Villa-Lobos	Chovendo na roseira	ACJ		LP	SMOFB3730
	Olha Maria	ACJ-VM-CB			
Pery Ribeiro+Leny Andrade	Águas de março	ACJ		LP	SMOFB3736
				Festival	
Baden Powell	Eu sei que vou te amar	ACJ-VM		LP	627
				London	
Tito Madi				LP	1079
				CD	EMI-7956042
	Eu sei que vou te amar	ACJ-VM			
	Por causa de você	ACJ-DD			

Intérprete	Título	Autoria	Formato	Número
Dick Farney	PENUMBRA ROMANCE		LP	1081
	Este seu olhar	ACJ		
Lúcio Alves	Tereza da praia	ACJ-BB		
Meireles	Águas de março	ACJ	LP	1086
			Pasquim	
A.C.Jobim	Águas de março	ACJ	C	SN
			Philips	
Elis Regina	Águas de março	ACJ	LP	6349032
			CD	5229542
Chico Buarque	Frevo	ACJ-VM	LP	6349038
			RCA	
Aurea Martins	Insensatez	ACJ-VM	LP	1070129
	O amor em paz	ACJ		
	O que tinha de ser	ACJ-VM		
			RGE	
M.Creusa+Toquinho+Vinícius	A felicidade	ACJ-VM	LP	3030011
	Chega de saudade	ACJ-VM		
	Estrada do sol	ACJ-DD		
	Eu sei que vou te amar	ACJ-VM		
	Por causa de você	ACJ-DD		
	Se todos fossem iguais a você	ACJ-VM		
Maria Creuza	Foi a noite	ACJ-NM	LP	3030014
	Insensatez	ACJ-VM		
Maria Creuza	Chega de saudade	ACJ-VM	LP	5036014
1972 EXTERIOR			**Telefunken**	
Klaus Wunderlich	A felicidade	ACJ-VM	LP	621083
	Desafinado	ACJ-NM		
			CBS	
Stan Getz+João Gilberto	THE BEST OF TWO WORLDS		LP	137940
+Miúcha	Águas de março	ACJ		
+Miúcha	Chovendo na roseira	ACJ		

Intérprete	TÍTULO DO DISCO TÍTULO DO CD Título da música Título da música	Autores Autores	Obs	GRAVADORA Tp / CD	Nº do Disco Nº do CD
	Lígia Retrato em branco e preto	ACJ ACJ-CB			
Morgana King	Meditação	ACJ-NM		**Mainstream** LP	3555
Phil Upchurch	Corcovado	ACJ		**Milestone** LP	M9010
Oscar Peterson	Wave	ACJ	ar C.Ogerman	**MPS** LP	20713
Pat Martino Cedar Walton+Hank Mobley	Insensatez Sabiá	ACJ-VM ACJ-CB		**Muse** LP LP	5096 5132
Paul Smith	Meditação	ACJ-NM		**Outstanding** LP	12
Buddy Rich+William Reichbach	Wave	ACJ		**RCA** LP	4802
1973 BRASIL Baden Powell	Garota de Ipanema	ACJ-VM		**Barclay** LP	1048008
Som Nove	Wave	ACJ		**Codil** LP	13010
Agostinho dos Santos	A felicidade Estrada do sol Foi a noite Lamento no morro	ACJ-VM ACJ-DD ACJ-NM ACJ-VM		**Continental** LP	10118

	O nosso amor	ACJ-VM		
	Se todos fossem iguais a você	ACJ-VM		
			EMI-Odeon	
Meireles	Nuvens douradas	ACJ	LP	EMCB7002
Alvarado	Águas de março	ACJ	LP	SC10002
Cláudia	Chega de saudade	ACJ-VM	LP	SMOFB3724
Luiz Claudio	CANTIGAS		LP	SMOFB3745
	A correnteza	ACJ		
	Estrada branca	ACJ-VM		
Alaíde Costa+Oscar C.Neves	Cala meu amor	ACJ	LP	SMOFB3802
	Retrato em branco e preto	ACJ-CB		
Márcia	Demais	ACJ-AO	LP	SMOFB3823
			Festival	
Baden Powell	Samba do avião	ACJ	LP	5047
	Triste	ACJ		
			London	
Tito Madi	Demais	ACJ-AO	LP	1087
Dick Farney	Fotografia	ACJ	LP	10895
			Microfon	
Atilio Stampone	Olha Maria	ACJ-VM-CB	LP	434
			MIT	
Orq.Erlon Chaves	Águas de março	ACJ	LP	6300084
			Philips	
Gal Costa	Desafinado	ACJ-NM	LP	6349077
			CD	5149942
			RCA	
Os Incríveis	Estrada do sol	ACJ-DD	LP	1030085
			Trova	
Nana Caymmi	Por causa de você	ACJ-DD	LP	XT80062

Intérprete	TÍTULO DO DISCO TÍTULO DO CD Título da música Título da música	Autores Autores	Obs	GRAVADORA Tp / CD	Nº do Disco Nº do CD
1973 EXTERIOR				**A & M**	
Sergio Mendes	Garota de Ipanema	ACJ-VM		LP	2106
				CRS	
Walter Wanderley	Corcovado	ACJ		LP	2137
				Inner City	
Drew+Niels+Orsted+Pederson	Wave	ACJ		LP	2002
				MCA	
Xavier Cugat	Triste	ACJ		LP	2369151
	Wave	ACJ			
A.C.Jobim	MATITA PERÊ		ar C.Ogerman	LP	MCA350
				CD	Mer-8268562
	Águas de março	ACJ			
	Ana Luiza	ACJ			
	Matita Perê	ACJ-PCP			
	Tempo do mar	ACJ			
	Mantiqueira range	PJ			
	Trem para Cordisburgo	ACJ			
	Chora coração	ACJ-VM			
	O jardim abandonado	ACJ			
	Milagre e palhaços	ACJ			
	Rancho nas nuvens	ACJ			
	Nuvens douradas	ACJ			
				Milestone	
Flora Purim	Dindi	ACJ-AO		LP	M9052
Flora Purim	Insensatez	ACJ-VM		LP	M9058

				MPS
Oscar Peterson+S.Unlimited	Chovendo na roseira	ACJ	LP	21209059
				Muse
Al Cohn+Zoot Sims	Garota de Ipanema	ACJ-VM	LP	5016
	Samba de uma nota só	ACJ-NM		
				Onyx
Flip Phillips	Garota de Ipanema	ACJ-VM	LP	214
				Pablo
Ella Fitzgerald+Joe Pass	O amor em paz	ACJ	LP	2310702
				Philips
Nelson Riddle+Orq.	Surfboard	ACJ	LP	6448092
				Polydor
João Gilberto	Águas de março	ACJ	LP	2451037
			CD	Ver-8375892
				Vanguard
Stephane Grappelli	Garota de Ipanema	ACJ-VM	LP	8182
				World Artists
Walter Zuber Armstrong	Meditação	ACJ-NM	LP	WA1001
1974 BRASIL				**CBS**
Sílvio Caldas	Se todos fossem iguais a você	ACJ-VM	LP	104289
				CID
George Brass	Chega de saudade	ACJ-VM	LP	8048
				Continental
Titulares do Ritmo	Águas de março	ACJ	LP	119405028
Osmar Milito	Bonita	ACJ-GL-RG	LP	10135
				EMI-Odeon
Maysa	O grande amor	ACJ-VM	LP	SE11004
Clara Nunes	BRASILEIRO, PROFISSÃO ESPERANÇA		LP	SMOFB3838
	Estrada do sol	ACJ-DD		
+Paulo Gracindo	Por causa de você	ACJ-DD		

INTÉRPRETE	TÍTULO DO DISCO TÍTULO DO CD TÍTULO DA MÚSICA TÍTULO DA MÚSICA	AUTORES AUTORES	OBS	GRAVADORA TP CD	 Nº DO DISCO Nº DO CD
Marisa	Só saudade	ACJ-NM		LP	SMOFB3840
				Festival	
Baden Powell	Meditação	ACJ-NM		LP	627
				Philips	
Zimbo Trio	Ana Luiza	ACJ		LP	6349109
Chico Buarque	Lígia	ACJ		LP	6349122
				CD	5182172
Quarteto em Cy	Eu sei que vou te amar	ACJ-VM		LP	6448093
				CD	Mer-5289312
				RCA	
Cristina	Isto eu não faço não	ACJ		LP	1030088
Maria Creuza	O que tinha de ser	ACJ-VM		LP	1100004
1974 EXTERIOR				**Ensayo**	
Tete Montoliu	Corcovado	ACJ		LP	303
	Desafinado	ACJ-NM			
	Garota de Ipanema	ACJ-VM			
	Meditação	ACJ-NM			
	Samba de uma nota só	ACJ-NM			
	Só danço samba	ACJ-VM			
	Wave	ACJ			
				bell	
Michel Legrand	Samba de uma nota só	ACJ-NM		LP	4200
Sergio Mendes	VINTAGE 74		ar D.Grusin	LP	1305
	NOVOS CAMINHOS			CD	A&M-5259982
	Águas de março	ACJ			

Intérprete	Música	Autores	Formato	Número
	Double rainbow	ACJ-GL		
			Chiaroscuro	
Earl Hines	Garota de Ipanema	ACJ-VM	LP	180
			Evento	
Lee Ritenour+Oscar C.Neves	Wave	ACJ	LP	11005
			Fantasy	
Bill Evans	Saudade do Brasil (Chora Coração)	ACJ	LP	F9618
			Festival	
Baden Powell+Stephane Grappelli	Desafinado	ACJ-NM	LP	634
	Meditação	ACJ-NM		
	O amor em paz	ACJ		
	Samba de uma nota só	ACJ-NM		
			Pausa	
Van Damme+Singers Unlimited	Wave	ACJ	LP	7066
			Philips	
Elis+A.C.Jobim	ELIS & TOM		LP	6349112
			CD	8244182
	Brigas nunca mais	ACJ-VM		
	Por toda a minha vida	ACJ-VM		
	Triste	ACJ		
	O que tinha de ser	ACJ-VM		
	Fotografia	ACJ		
	Pois é	ACJ-CB		
	Só tinha de ser com você	ACJ-AO		
	Chovendo na roseira	ACJ		
	Retrato em branco e preto	ACJ-CB		
	Inútil paisagem	ACJ-AO		
	Soneto de separação	ACJ-VM		
	Corcovado	ACJ		
	Modinha	ACJ-VM		
	Águas de março	ACJ		

Intérprete	TÍTULO DO DISCO TÍTULO DO CD Título da música Título da música	Autores Autores	Obs	GRAVADORA Tp CD	 Nº do Disco Nº do CD
1975 BRASIL				**CBS**	
Telma	Garota de Ipanema	ACJ-VM		LP	104326
	Samba de uma nota só	ACJ-NM			
				CID	
Nana Caymmi	Canção em modo menor	ACJ-VM	pn ACJ	LP	8007
				Eldorado	
Manfredo Fest	O amor em paz	ACJ		LP	3790326
				EMI-Odeon	
Les Reed	Desafinado	ACJ-NM		LP	SC15009
Geraldo Vespar	Garota de Ipanema	ACJ-VM		LP	SMOFB3860
	Samba de uma nota só	ACJ-NM			
	Wave	ACJ			
Paulo Gracindo	Estrada branca	ACJ-VM		LP	SMOFB3870
João Dias	Lígia	ACJ		LP	SMOFB3881
	Retrato em branco e preto	ACJ-CB			
Luiz Claudio	Esperança perdida	ACJ-BB		LP	XSMOFB3882
				Fontana	
Baden Powell	Samba de uma nota só	ACJ-NM		LP	6470534
				Musidisc-Soma	
Turma da Gafieira	Foi a noite	ACJ-NM		LP	6076078
				Philips	
MPB4	PERSONALIDADE-MPB 4			LP	6349144
				CD	5101772
	Ana Luiza	ACJ			
	As praias desertas	ACJ			

Quarteto em Cy	Se todos fossem iguais a você	ACJ-VM	LP	6448093
			CD	Mer-5289312
				Phillips
Miúcha	Correnteza	ACJ-LB	C	6245041
				RCA
Carlos José	O que tinha de ser	ACJ-VM	LP	1030141
Tamba Trio	Olha Maria	ACJ-VM-CB	LP	1030143
			CD	74321339872
Lúcio Alves			LP	1030144
	LUCIO ALVES — Série Acervo		CD	M60049
	Lígia	ACJ		
	Ana Luiza	ACJ		
Edson Frederico	Lígia	ACJ	LP	1070231
				Som Livre
Copinha	Chega de saudade	ACJ-VM	LP	4036069
	Samba de uma nota só	ACJ-NM		
				Soma
Maria Creuza	Por causa de você	ACJ-DD	LP	409605
				Tapecar
Vários				
Lúcio Alves	A felicidade	ACJ-VM	LP	6076083
Alaíde Costa	Desafinado	ACJ-NM		
Alaíde Costa	Eu não existo sem você	ACJ-VM		
Lúcio Alves	Eu sei que vou te amar	ACJ-VM		
Lúcio Alves	Foi a noite	ACJ-NM		
L.Alves+A.Costa	Garota de Ipanema	ACJ-VM		
Doris Monteiro	Se é por falta de adeus	ACJ-DD		
Lúcio Alves	Se todos fossem iguais a você	ACJ-VM		
1975 EXTERIOR				**Telefunken**
Klaus Wunderlich	Garota de Ipanema	ACJ-VM	LP	622278

Intérprete	TÍTULO DO DISCO TÍTULO DO CD Título da música Título da música	Autores Autores	Obs	GRAVADORA Tp CD	 Nº do Disco Nº do CD
				A & M	
Paul Desmond	Wave	ACJ		LP	850
				CBS	
Art Garfunkel	Waters of March	ACJ		LP	137912
				Classic Jazz	
Eddie Davis	Meditação	ACJ-NM		LP	116
				Crescendo	
Les Baxter	O morro não tem vez	ACJ-VM		LP	2036
				CRS	
Walter Wanderley	Desafinado	ACJ-NM		LP	2137
				EMI-Odeon	
Golden Sax	Garota de Ipanema	ACJ-VM		LP	SC12019
				Evento	
Lee Ritenour+Oscar Castro Neves	Corcovado	ACJ		LP	11005
				Fantasy	
Vince Guaraldi+Bola Sete	Garota de Ipanema	ACJ-VM		LP	F8362
				Inner City	
Dexter Gordon		Wave	ACJ		LP 2050
				MCA	
Ahmad Jamal	Wave	ACJ		LP	22042
				Milestone	
McCoy Tyner	O amor em paz Wave	ACJ ACJ		LP	M9063

				MPS
Oscar Peterson	Triste	ACJ	LP	20734
Frank Rosolino+Conte Candoli	Corcovado	ACJ	LP	99585
				Pablo
Milt Jackson+Joe Pass+Ray Brown	Wave	ACJ	LP	2310757
				Polyfar
Stan Getz+João Gilberto	STAN GETZ-JOAO GILBERTO		LP	2494312
	O grande amor	ACJ-VM		
	Só danço samba	ACJ-VM		
	The girl from Ipanema	ACJ-VM-NG		
	Vivo sonhando	ACJ		
				Project 3
Urbie Green	Ana Luiza	ACJ	LP	11983
				Steeplechase
Niels+Orsted+Pedersen	A felicidade	ACJ-VM	LP	1041
1976 BRASIL				**CBS**
Orq. Serenata	A felicidade	ACJ-VM	LP	137961
	Garota de Ipanema	ACJ-VM		
				Continental
Aquarius	Chega de saudade	ACJ-VM	LP	107702102
				EMI-Odeon
Dick Farney	Inútil paisagem	ACJ-AO	LP	EMCB7012
Marisa	Por causa de você	ACJ-DD	LP	SMOFB3888
D.Farney+Claudette Soares	TUDO ISSO É AMOR		LP	SMOFB3904
	De você eu gosto	ACJ-AO	CD	3647981492
	E preciso dizer adeus	ACJ-VM		
	Este seu olhar	ACJ		
	Fotografia	ACJ		
Isaura Garcia	Eu sei que vou te amar	ACJ-VM	LP	SMOFB3921
	Por causa de você	ACJ-DD		

INTÉRPRETE	TÍTULO DO DISCO TÍTULO DO CD TÍTULO DA MÚSICA TÍTULO DA MÚSICA	AUTORES AUTORES	OBS	GRAVADORA TP CD	 Nº DO DISCO Nº DO CD
				London	
Joel Nascimento	Wave	ACJ		LP	15025
Tito Madi	Lígia	ACJ		LP	1104
				Marcus Pereira	
José Tobias	Se todos fossem iguais a você	ACJ-VM		LP	1
				Nucleus	
Lenita Bruno	Dindi	ACJ-AO		LP	121
	Wave	ACJ			
				Philips	
Emilio Santiago	Olha Maria	ACJ-VM-CB		LP	1385
Luiz Eça	Olha Maria	ACJ-VM-CB		LP	6349313
Vários				LP	9299224
Nara Leão	Águas de março	ACJ		CD	8268542
Caetano Veloso	Por causa de você	ACJ-DD			
				RCA	
Altemar Dutra	Por causa de você	ACJ-DD		LP	1030166
1976 EXTERIOR				**Telefunken**	
Klaus Wunderlich	Samba de uma nota só	ACJ-NM		LP	622594
				Concord	
Los Angeles 4	Dindi	ACJ-AO		LP	18
				EMI-Odeon	
David Whitaker	Meditação	ACJ-NM		LP	SC15015
Les Reed	Corcovado	ACJ		LP	SC15016
				Gateway	
H.Gordon+Hollywood Jazz	O amor em paz	ACJ		LP	7018

					Improv
Charlie Byrd	Triste	ACJ		LP	7116
					Inner City
Eddie Davis	Wave	ACJ		LP	2058
					Livia
Louis Stewart	Wave	ACJ		LP	1
					Outstanding
Paul Smith	Wave	ACJ		LP	22
					Pablo
Ella Fitzgerald	Samba de uma nota só	ACJ-NM		LP	2310772
Eddie Davis	Wave	ACJ		LP	2310778
					Spotlite
Norman Simmons	Insensatez	ACJ-VM		LP	13
					Warner Bros
A.C.Jobim	URUBU			LP	BS2928
				CD	22928
+Miúcha	Boto	ACJ-Jrrc			
	Lígia	ACJ			
	Correnteza	ACJ-LB			
	Angela	ACJ			
	Saudade do Brasil	ACJ			
	Valse	PJ			
	Arquitetura de morar	ACJ			
	O Homem	ACJ-VM			
					Xanadu
Charles Mc Pherson	Desafinado	ACJ-NM		LP	131
1977 BRASIL					
					CBS
Tião Motorista	A felicidade	ACJ-VM		LP	138017
					CID
Nana Caymmi	Pois é	ACJ-CB	ar Dori Caymmi	LP	8016

INTÉRPRETE	TÍTULO DO DISCO / TÍTULO DO CD / TÍTULO DA MÚSICA / TÍTULO DA MÚSICA	AUTORES / AUTORES	OBS	GRAVADORA TP / CD	Nº DO DISCO / Nº DO CD
				Copacabana	
Elizete Cardoso	Outra vez	ACJ		LP	12183
				EMI-Odeon	
Luiz Carlos Vinhas	Águas de março	ACJ		LP	SC15028
José Milton	Demais	ACJ-AO		LP	SMOFB3930
Doris Monteiro	Lamento no morro	ACJ-VM		LP	SMOFB3933
Dick Farney+Claudette Soares				LP	SMOFB3935
	Demais	ACJ-AO		CD	3647981492
	O amor em paz	ACJ			
Agnaldo Timóteo	Por causa de você	ACJ-DD		LP	SMOFB3947
				Equipe	
Paulo Moura Quarteto	Lamento no morro	ACJ-VM		LP	EJ6003
				Philips	
A.C.Jobim+Vinícius	Soneto de separação	ACJ-VM		LP	632829
				CD	Mer-5280732
Marlene	Eu preciso de você	ACJ-AO		LP	634933
	Frevo	ACJ-VM			
O Quarteto	Corcovado	ACJ		LP	6349301
	Desafinado	ACJ-NM			
	Insensatez	ACJ-VM			
Nara Leão+A.C.Jobim	Fotografia	ACJ		LP	6349338
				RCA	
Miúcha+A.C.Jobim	MIÚCHA E A.C.JOBIM			LP	1030213
	Samba do avião	ACJ		CD	M60051
	Olhos nos olhos	CB		CD	M60051
	Pela luz dos olhos teus	VM		CD	M60051

	Comigo é assim	JM-RaB		CD	M60051
+Chico	Maninha	CB		CD	M60051
	Na batucada da vida	AB-LP		CD	M60051
+Chico	Vai levando	CB-CV		CD	M10004
+Chico	Sei lá (A vida tem sempre razão)	Tq-VM		CD	M60051
	Tiro cruzado	NA-MB		CD	M60051
	Choro de nada	ESN-GC		CD	M60051
	É preciso dizer adeus	ACJ-VM		CD	M60051
	Saia do caminho	CM-ER		CD	
Nana Caymmi	Modinha	ACJ-VM		LP	1030224
				CD	74321305502
					RGE
Maria Creuza	Corcovado	ACJ		LP	3030044
	Dindi	ACJ-AO			
	Garota de Ipanema	ACJ-VM			
	Lamento no morro	ACJ-VM			
					Som Livre
Tom+Vinícius+Toquinho+Miúcha	AO VIVO NO CANECÃO		ar E.Frederico	LP	4036142
				CD	4030007
	Estamos aí	ACJ-VM-CB-AO			
A.C.Jobim	Carta do Tom	Tq-VM-ACJ-CB			
	Corcovado	ACJ			
	Wave	ACJ			
Miúcha+A.C.Jobim	Pela luz dos olhos teus	VM			
Miúcha+A.C.Jobim	Saia do caminho	CM-ER			
	Vai levando	CB-CV			
A.C.Jobim+Vinícius	Água de beber	ACJ-VM			
	Sei lá (A vida tem sempre razão)	Tq-VM			
A.C.Jobim+Vinícius	Garota de Ipanema	ACJ-VM			
	Chega de saudade	ACJ-VM			
Toquinho+Miúcha	Se todos fossem iguais a você	ACJ-VM			
	Estamos aí	ACJ-VM-CB-AO			

Intérprete	Título do Disco / Título do CD / Título da Música	Autores	Obs	Gravadora: Tp / CD	Nº do Disco / Nº do CD
1977 EXTERIOR				**Philips**	
George Moustaki	Les eux de Mars	ACJ-GM		LP	1385
Sergio Endrigo	Ana Luiza	ACJ		LP	1385
				Alamo	
Tommy Whittle	Triste	ACJ		LP	4501
				Arista	
Stephane Grappelli	Wave	ACJ		LP	1033
				Blue Note	
Stanley Turrentine	Wave	ACJ		LP	1095
				Concord	
Charlie Byrd	Triste	ACJ		LP	114
	Muse				
Walter Bishop Jr.	Wave	ACJ		LP	5183
				Pablo	
Benny Carter	Wave	ACJ		LP	2308204
Zoot Sims	The girl from Ipanema	ACJ-VM-NG		LP	2310783
Milt Jackson	O amor em paz	ACJ		LP	2310804
				Timeless	
George Coleman+Tete Montoliu	Meditação	ACJ-NM		LP	TI312
				Warner Bros	
João Gilberto	AMOROSO			LP	36022
				CD	23053
	Caminhos cruzados	ACJ-NM			
	Retrato em branco e preto	ACJ-CB			

	Triste	ACJ		
	Wave	ACJ		
			Xanadu	
Earl Coleman	Wave	ACJ	LP	147
1978 BRASIL			**América**	
Getúlio dos Santos	Samba de uma nota só	ACJ-NM	LP	8213
			CID	
Orq. Estúdio	A felicidade	ACJ-VM	LP	4046
	Água de beber	ACJ-VM		
	Águas de março	ACJ		
	Boto	ACJ-Jrrc		
	Chega de saudade	ACJ-VM		
	Chovendo na roseira	ACJ		
	Desafinado	ACJ-NM		
	Estrada do sol	ACJ-DD		
	Garota de Ipanema	ACJ-VM		
	Insensatez	ACJ-VM		
	Lígia	ACJ		
	O morro não tem vez	ACJ-VM		
	Só tinha de ser com você	ACJ-AO		
			Continental	
Agostinho dos Santos	Dindi	ACJ-AO	LP	10118
			Copacabana	
Elizete Cardoso	Sem você	ACJ-VM	LP	12335
Elizete Cardoso	O amor em paz	ACJ	LP	12336
Guerra Peixe	A GRANDE MÚSICA DE TOM JOBIM		LP	12373
	Águas de março	ACJ		
	Chega de saudade	ACJ-VM		
	Chovendo na roseira	ACJ		
	Corcovado	ACJ		
	Garota de Ipanema	ACJ-VM		

Intérprete	Título do disco / Título do CD / Título da música	Autores	Obs	Tp / CD	Nº do Disco / Nº do CD
	Insensatez	ACJ-VM			
	Olha Maria	ACJ-VM-CB			
	Se todos fossem iguais a você	ACJ-VM			
				Eldorado	
Paulo R.do Espírito Santo	Dindi	ACJ-AO		LP	2780320
				EMI-Odeon	
Joel Nascimento	A felicidade	ACJ-VM		LP	52422025
Lúcio Alves	Garota de Ipanema	ACJ-VM		LP	52422027
				CD	3547956782
				Imagem	
Roberto Tostes Martins	Demais	ACJ-AO		LP	5085
	Dindi	ACJ-AO			
	Garota de Ipanema	ACJ-VM			
	Samba de uma nota só	ACJ-NM			
				MPS	
Super Sax	Wave	ACJ		LP	15492
				Philips	
Boca Livre	A correnteza	ACJ		LP	632842
				CD	5224082
Caetano Veloso	Eu sei que vou te amar	ACJ-VM		LP	6349382
				CD	8469162
Elis Regina	Boto	ACJ-Jrrc		LP	6349384
				CD	8382852
Maria Bethania	O que tinha de ser	ACJ-VM		LP	6349386
Gal Costa	Pois é	ACJ-CB		LP	6349394

				CD	5100042
Gilberto Gil	Samba do avião	ACJ		LP	6328325
				RCA	
Miúcha+A.C.Jobim	O sol da meia noite	SB-LH-AO	fl ACJ	C	1010592
Milton Banana Trio	A felicidade	ACJ-VM		LP	1030335
Milton Banana Trio	Chega de saudade	ACJ-VM		LP	1070287
				CD	74321288492
1978 EXTERIOR				**Black&Blue**	
Harold Ashby	Corcovado	ACJ		LP	33139
				CBS	
Percy Faith	Garota de Ipanema	ACJ-VM		LP	930
Dexter Gordon	How insensitive	ACJ-VM-NG		LP	225001
				Cherry Pie	
Don Burrows	Insensatez	ACJ-VM		LP	10352
				Classic Jazz	
Ron Odrich	Insensatez	ACJ-VM		LP	35
				Flying Fish	
Ira Sullivan	Garota de Ipanema	ACJ-VM		LP	27075
				Gateway	
Harold Betters	Garota de Ipanema	ACJ-VM		LP	7017
				Inner City	
The Great Jazz Trio	Wave	ACJ		LP	6030
Laurindo de Almeida	A felicidade	ACJ-VM		LP	IC6031
	Insensatez	ACJ-VM			
				Muse	
Mark Murphy	Waters of March	ACJ		LP	5102
Bill Hardman	O amor em paz	ACJ		LP	5152
				Pablo	
Joe Pass+Paulinho da Costa	Wave	ACJ		LP	2310824

INTÉRPRETE	TÍTULO DO DISCO TÍTULO DO CD TÍTULO DA MÚSICA TÍTULO DA MÚSICA	AUTORES AUTORES	OBS	GRAVADORA TP / CD	Nº DO DISCO Nº DO CD
				Prestige	
Ahmad Jamal	Wave	ACJ		LP	24052
				RCA	
Sara Vaughan	O SOM BRASILEIRO DE SARAH VAUGHAN			LP	1100008
				CD	Mar-10027
	Triste	ACJ			
	Someone to light up my life	ACJ-VM-GL			
				Vanguard	
Dob Mover	Inútil paisagem	ACJ-AO		LP	79408
1979 BRASIL				**CBS**	
Claudia Telles	Demais	ACJ-AO		LP	138151
Geraldo Azevedo	Águas de março	ACJ		LP	144325
				Clam	
Zimbo Trio+Sonny Stitt	Corcovado	ACJ		LP	147404002
				Clark	
Banda Bandeirantes	Chovendo na roseira	ACJ		LP	33039
				Copacabana	
Pery Ribeiro	Sem você	ACJ-VM		LP	12390
Pery Ribeiro	Vivo sonhando	ACJ		LP	12494
Pery Ribeiro	Estrada branca	ACJ-VM		LP	12499
	Garota de Ipanema	ACJ-VM			
	Samba do avião	ACJ			
				Eldorado	
Manfredo Fest	Bonita	ACJ-GL-RG		LP	3790326
	Triste	ACJ			

Moacir Peixoto	Triste	ACJ	LP	16790336
			EMI-Odeon	
Celeste	Samba de uma nota só	ACJ-NM	LP	62421158
	Triste	ACJ		
			Fontana	
Sylvia Telles	A ARTE DE SYLVIA TELLES		LP	6470621
	Este seu olhar	ACJ		
	Useless landscape	ACJ-AO-RG		
	Vivo sonhando	ACJ		
			Philips	
Quarteto em Cy	Sabiá	ACJ-CB	LP	6349407
			CD	5144392
Gal Costa	Estrada do sol	ACJ-DD	LP	6349412
			CD	5229702
Elis Regina	Bonita	ACJ-GL-RG	LP	6349413
			CD	5180572
Maria Lúcia Godoy	Sabiá	ACJ-CB	LP	6598313
			RCA	
Maria Marta	Caminhos cruzados	ACJ-NM	LP	1020313
Wilson Simonal			LP	1030279
	WILSON SIMONAL - SÉRIE APLAUSO		CD	74321314632
	Lígia	ACJ		
	Ana Luiza	ACJ		
Maria Creuza	De você eu gosto	ACJ-AO	LP	1030306
Milton Nascimento	A felicidade	ACJ-VM	LP	1110001
			Warner Bros	
Ney Matogrosso	Falando de amor	ACJ	LP	32041
			CD	172973-2
1979 EXTERIOR			**CBS**	
Willie Bobo	Dindi	ACJ-AO	LP	138108

Intérprete	Título do disco / Título do CD / Título da música	Autores	Obs	Gravadora Tp / CD	Nº do Disco / Nº do CD
				Concord	
Herb Ellis	Wave	ACJ		LP	77
Lorrane Feather	Wave	ACJ		LP	78
Jackie Cain+Roy Kral	Dindi	ACJ-AO		LP	115
	Samba do avião	ACJ			
				Elektra	
Elis Regina+Hermeto Pascoal	13TH MONTREUX JAZZ FESTIVAL			LP	22032
				CD	229254933-2
	Corcovado	ACJ			
	Garota de Ipanema	ACJ-VM			
				Galaxy	
Art Pepper	Desafinado	ACJ-NM		LP	5148
				High Energy	
Lou Mac Connell	O grande amor	ACJ-VM		LP	44
				Inner City	
Helen Merrill	Insensatez	ACJ-VM		LP	1125
	Wave	ACJ			
				JTC	
Martin Taylor+Ike Isaacs	Wave	ACJ		LP	JTC1
				Liberty	
Bill Perkins	O amor em paz	ACJ		LP	3293
				MPS	
The Singers Unlimited	Se todos fossem iguais a você	ACJ-VM		LP	12716
				Pablo	
Joe Pass+Paulinho da Costa	TUDO BEM			LP	2310824

	Corcovado	ACJ			
	Luciana	ACJ-VM			
Oscar Peterson	Wave	ACJ		LP	2625711
				RCA	
Miucha+A.C.Jobim	MIÚCHA E TOM JOBIM			LP	1031314
	Falando de amor	ACJ		CD	M60051
	Samba do carioca	CL-VM		CD	M60051
	Aula de matemática	ACJ-MP		CD	M10004
+Chico	Turma do funil	Mrb-MO-UC	adp ACJ-CB	CD	M60051
+Chico	Dinheiro em penca	ACJ-Ccs			
	Madrugada	Cnd-MP			
	Nó cego	Tq-Ccs			
	Sublime tortura	Brr			
	Triste alegria	Mch			
				Som Livre	
Billy Eckstyne	MOMENTO BRASILEIRO			LP	4047124
	Corcovado	ACJ			
	Dindi	ACJ-AO			
	Insensatez	ACJ-VM			
	Vivo sonhando	ACJ			
1980 BRASIL				**Atlantic**	
Baden Powell	Se todos fossem iguais a você	ACJ-VM		LP	30153
				Banco do Brasil	
Fernando Gallo	Dindi	ACJ-AO		LP	SN
				Barclay	
MPB4	Tema de amor de Grabriela	ACJ		LP	8233301
				CD	Mer-5289372
				Clark	
Mozart Terra	A felicidade	ACJ-VM		LP	33080
	Brigas nunca mais	ACJ-VM			
	Falando de amor	ACJ			

Intérprete	Título do disco Título do CD Título da música Título da música	Autores Autores	Obs	Gravadora Tp CD	 Nº do Disco Nº do CD
				Codil	
Roberto Nunes	Inútil paisagem	ACJ-AO		LP	13022
				Concord	
Tânia Maria	Triste	ACJ		LP	151
				Eldorado	
Guilherme Vergueiro	Estrada branca	ACJ-VM		LP	33800366
				Elektra	
Elis Regina	Sabiá	ACJ-CB		LP	52004
				CD	177104-2
				EMI-Odeon	
Paulo César Pinheiro	Matita Perê	ACJ-PCP		LP	64422867
Dick Farney	Este seu olhar	ACJ		LP	162421195
				FG	
Fernando Gallo	Se todos fossem iguais a você	ACJ-VM		LP	4
				Philips	
C.Buarque+T.Costa+A.C.Jobim	Eu te amo	ACJ-CB		LP	6349435
				CD	5229592
				Polydor	
Metalúrgica Dragão de Ipanema	Garota de Ipanema	ACJ-VM		LP	2451141
				RCA	
Milton Banana Trio	AO MEU AMIGO TOM			LP	1030335
				CD	74321288492
	Samba do avião	ACJ			
	Água de beber	ACJ-VM			
	Águas de março	ACJ			

	Brigas nunca mais	ACJ-VM		
	Chega de saudade	ACJ-VM		
	Chovendo na roseira	ACJ		
	Corcovado	ACJ		
	Demais	ACJ-AO		
	Desafinado	ACJ-NM		
	Dindi	ACJ-AO		
	É preciso dizer adeus	ACJ-VM		
	Ela é carioca	ACJ-VM		
	Este seu olhar	ACJ		
	Estrada branca	ACJ-VM		
	Estrada do sol	ACJ-DD		
	Eu sei que vou te amar	ACJ-VM		
	Foi a noite	ACJ-NM		
	Garota de Ipanema	ACJ-VM		
	Insensatez	ACJ-VM		
	Inútil paisagem	ACJ-AO		
	Lígia	ACJ		
	Meditação	ACJ-NM		
	O amor em paz	ACJ		
	O morro não tem vez	ACJ-VM		
	Samba de uma nota só	ACJ-NM		
	Se todos fossem iguais a você	ACJ-VM		
	Só danço samba	ACJ-VM		
	Só em teus braços	ACJ		
	Só tinha de ser com você	ACJ-AO		
	Triste	ACJ		
	Wave	ACJ		
				SAV
Sávio Araújo	Fotografia	ACJ	LP	1
				Som Livre
Cauby Peixoto	Oficina	ACJ	LP	4036218

Intérprete	Título do Disco Título do CD Título da música Título da música	Autores Autores	Obs	Gravadora Tp CD	 Nº do Disco Nº do CD
Vários	MARCUS VINICIUS DA CRUZ MELLO DE MORAES			LP	9630006
Paulo de Moraes S.Dantas	Cidadão da Gávea	ACJ-VM			
A.C.Jobim	Depoimento de A.C.Jobim	ACJ			
				Warner Bros	
João Gilberto	JOÃO GILBERTO PRADO PEREIRA DE OLIVEIRA			LP	36164
+Bebel Gilberto	Chega de saudade	ACJ-VM		CD	M063011346-2
	Desafinado	ACJ-NM			
	Retrato em branco e preto	ACJ-CB			
1980 EXTERIOR				**BBG**	
Al Jarreau	Samba de uma nota só	ACJ-NM		LP	6237
				Bee Hive	
Jonny Hartman	Wave	ACJ		LP	7012
				Concord	
Charlie Byrd+Bud Shank	Insensatez	ACJ-VM		LP	173
Marian McPartland	Meditação	ACJ-NM		LP	202
Rosemary Clooney	Meditation	ACJ-NM-NG		LP	144
L.Almeida+Charlie Byrd	Stone flower	ACJ		LP	15O
G.Shearing+M.McPartland	O grande amor	ACJ-VM		LP	171
Herb Ellis+Remo Palmieri	Triste	ACJ		LP	56
				Famous Door	
Bill Watrous	Chega de saudade	ACJ-VM		LP	HL136
				HEP	
Buddy de Franco	Triste	ACJ		LP	2014

Intérprete	Música	Autores	Gravadora	
			MPS	
Vários				
The Hi-Lo's	Chega de saudade	ACJ-VM	LP	12711
The Hi-Lo's	Corcovado	ACJ		
The Singers Unlimited	Corcovado	ACJ		
			Muse	
Cedar Walton+Abbey Lincoln	Sabiá	ACJ-CB	LP	5244
			Pausa	
Oscar Peterson	Corcovado	ACJ	LP	7044
			Philips	
Paul Mauriat	Estrada do sol	ACJ-DD	LP	6313025
			Prestige	
Bobby Timmons	O grande amor	ACJ-VM	LP	7351
			Progressive	
Dorothy Donegan	Wave	ACJ	LP	7056
			RCA	
Sara Vaughan	COPACABANA		LP	6485202
			CD	Pab-23121252
	Dreamer	ACJ-GL		
	Dindi	ACJ-AO		
	Double rainbow	ACJ-GL		
	Bonita	ACJ-GL-RG		
			Red Records	
Ronnie Mathews	O amor em paz	ACJ	LP	VPA162
			Storyville	
Jesper Thilo Quartet	Wave	ACJ	LP	SLP4065
			Warner Bros	
A.C.Jobim	TERRA BRASILIS		LP	2B3409
			CD	75673409-2
	Vivo sonhando	ACJ		

Intérprete	TÍTULO DO DISCO TÍTULO DO CD Título da música Título da música	Autores Autores	Obs	GRAVADORA Tp CD	 Nº do Disco Nº do CD
	Canta, canta mais	ACJ-VM			
	Olha Maria	ACJ-VM-CB			
	Samba de uma nota só	ACJ-NM			
	Dindi	ACJ-AO			
	Corcovado	ACJ			
	Marina del Rey	ACJ			
	Desafinado	ACJ-NM			
	Você vai ver	ACJ			
	Estrada do sol	ACJ-DD			
	Garota de Ipanema	ACJ-VM			
	Chovendo na roseira	ACJ			
	Triste	ACJ			
	Wave	ACJ			
	Se todos fossem iguais a você	ACJ-VM			
	Falando de amor	ACJ			
	Two kites	ACJ			
	Modinha	ACJ-VM			
	Sabiá	ACJ-CB			
	Estrada branca	ACJ-VM			
				Un Deux	
Steve Heuben	O amor em paz	ACJ		LP	8001
1981 BRASIL				**Ariola**	
Toquinho	A felicidade	ACJ-VM		LP	201900
				CBS	
Simone	Espelho das águas	ACJ		LP	138247
				CD	850057

Orq. e Coral Bacarelli	Eu sei que vou te amar	ACJ-VM	LP	620024
	Por causa de você	ACJ-DD		
	Se todos fossem iguais a você	ACJ-VM		
Sergio Murilo	Chega de saudade	ACJ-VM	LP	620026
	Desafinado	ACJ-NM		
				CID
Ivanildo	A felicidade	ACJ-VM	LP	4107
	Chega de saudade	ACJ-VM		
	O morro não tem vez	ACJ-VM		
				Melodia
Victor Misail	Garota de Ipanema	ACJ-VM	LP	60157678
				Philips
A.C.Jobim+Edu Lobo	EDU E TOM		LP	6328378
	Ai quem me dera	ACJ-MP		
	Pra dizer adeus	EL-TN		
	Chovendo na roseira	ACJ		
	Moto contínuo	EL-CB		
	Angela	ACJ		
	Luiza	ACJ	CD	5104732
	Canção do amanhecer	EL-VM		
	Vento bravo	EL-PCP		
	É preciso dizer adeus	ACJ-VM	CD	Mer-5280722
	Canto triste	EL-VM		
Chico Buarque	Retrato em branco e preto	ACJ-CB	LP	6328351
A.C.Jobim	Frevo	ACJ-VM	LP	6448091
A.C.Jobim	Luciana	ACJ-VM	LP	6448092
A.C.Jobim	Pois é	ACJ-CB	LP	6448094
				RCA
Joanna	Eu te amo	ACJ-CB	LP	103042
			CD	74321231512
Maria Creuza			LP	103051
	MARIA CREUZA - Série Aplauso II		CD	74321305572

Intérprete	Título do disco / Título do CD / Título da música	Autores	Obs	Tp / CD	Gravadora / Nº do Disco / Nº do CD
	A felicidade	ACJ-VM			
	Caminhos cruzados	ACJ-NM			
					RGE
Quarteto em Cy	Borzeguim	ACJ		LP	202061
	Caminhos cruzados	ACJ-NM			
Quarteto em Cy	Ai quem me dera	ACJ-MP		LP	2020610
Pedrinho Mattar	Garota de Ipanema	ACJ-VM		LP	3086013
Quarteto em Cy	Maria é dia	ACJ-PJ-RB		LP	202061O
					S. da Gente
Dick Farney	Se todos fossem iguais a você	ACJ-VM		LP	004/81
					Som Livre
Elizete Cardoso	ELIZETHISSIMA			LP	4036227
	Eu não existo sem você	ACJ-VM			
	Se todos fossem iguais a você	ACJ-VM			
	Sem você	ACJ-VM			
A.C.Jobim	Luiza	ACJ		LP	4036240
Cauby Peixoto	Luiza	ACJ		LP	4036251
1981 EXTERIOR					**Concord**
Tsuyoshi Yamamoto	Águas de março	ACJ		LP	218
					Famous Door
George Masso	Só danço samba	ACJ-VM		LP	HL138
					Pablo
Ella Fitzgerald	ELLA ABRAÇA JOBIM			LP	2630201
	Dreamer	ACJ-GL		CD	Pab-2630201
	This love that I've found	ACJ-AO		CD	Pab-2630201

	The girl from Ipanema	ACJ-VM-NG	CD	Pab-2630201
	Somewhere in the hills	ACJ-RG	CD	Pab-2630201
	Photograph	ACJ-RG	CD	Pab-2630201
	Wave	ACJ	CD	Pab-2630201
	Triste	ACJ	CD	Pab-2630201
	Quiet nights	ACJ-GL	CD	Pab-2630201
	Water to drink	ACJ-VM-NG	CD	Pab-2630201
	Bonita	ACJ-GL-RG	CD	Pab-2630201
	Off key	ACJ-NM-GL	CD	Pab-2630201
	He's a carioca	ACJ-VM-RG	CD	Pab-2630201
	Dindi	ACJ-AO	CD	Pab-2630201
	How insensitive	ACJ-VM-NG	CD	Pab-2630201
	One note samba	ACJ-NM	CD	Pab-2630201
	A felicidade	ACJ-VM	CD	Pab-2630201
	Useless landscape	ACJ-AO-RG	CD	Pab-2630201
	Por causa de você	ACJ-DD		
	Samba do avião	ACJ		
			Palo Alto	
Terry Gibbs+Buddy de Franco	Triste	ACJ	LP	PA8011
1982 BRASIL			**CBS**	
Tonny Benet	How insensitive	ACJ-VM-NG	LP	620035
			Eldorado	
Pietro Maranca	Eu sei que vou te amar	ACJ-VM	LP	63830411
			EMI-Odeon	
Angela Maria+Cauby Peixoto	Eu não existo sem você	ACJ-VM	LP	62421239
			Fontana	
Raphael Rabello	SETE CORDAS		LP	6488174
	Garoto	ACJ		
	Gracioso	ACJ		
			Philips	
Gal Costa	Borzeguim	ACJ	LP	6328523

Intérprete	TÍTULO DO DISCO TÍTULO DO CD Título da música Título da música	Autores Autores	Obs	GRAVADORA Tp CD	Nº do Disco Nº do CD
				CD	5102202
C.Buarque+T.Costa+A.C.Jobim	Eu te amo (Te amo)	ACJ-CB		CD	5182192
				CD	5182192
Elis Regina	Modinha	ACJ-VM		LP	6328402
Elis Regina	Chovendo na roseira	ACJ		LP	6328403
				Raio	
Aline	Canta, canta mais	ACJ-VM		LP	2
				RCA	
Altemar Dutra	Luiza	ACJ		LP	103054
Maria Creuza	Água de beber	ACJ-VM		LP	1030523
	Chora coração	ACJ-VM			
	Garota de Ipanema	ACJ-VM			
Tamba Trio	Só danço samba	ACJ-VM		LP	1030548
				CD	74321339872
José Briamonte	Luiza	ACJ		LP	1090101
				RGE	
Raul Mascarenhas	Por causa de você	ACJ-DD		LP	3086004
	Wave	ACJ			
				Rizo	
Marco Rizo	Garota de Ipanema	ACJ-VM		LP	19821
1982 EXTERIOR				**Warner Bros**	
José Carreras	Insensatez	ACJ-VM		CD	990256-2
				London	
Caterina Valente	The girl from Ipanema	ACJ-VM-NG		LP	24012

			Audio Fidelity	
Astrud Gilberto	Garota de Ipanema	ACJ-VM	LP	82598
			Concord	
Herb Ellis	Garota de Ipanema	ACJ-VM	LP	181
Carlos Barbosa Lima	THE MUSIC OF A.C.			
	JOBIM & G.GERSHIWIN		LP	2005
			CD	CCD42005
	Caminho de pedra	ACJ-VM		
	Desafinado	ACJ-NM		
	Estrada branca	ACJ-VM		
	Quebra-pedra	ACJ		
	Corcovado	ACJ		
	Olha Maria	ACJ-VM-CB		
	One note samba	ACJ-NM		
	Modinha	ACJ-VM		
	Canta, canta mais	ACJ-VM		
Los Angeles 4	Chega de saudade	ACJ-VM	LP	215
			Elektra	
Bobby Short	Se todos fossem iguais a você	ACJ-VM	LP	22041
			Fontana	
Paul Mauriat+Erlon Chaves	Águas de março	ACJ	LP	6498210
Pablo				
Zoot Sims+Joe Pass	Dindi	ACJ-AO	LP	2310879
1983 BRASIL			**CBS**	
Vários	PARA VIVER UM GRANDE AMOR		LP	138259
Elba Ramalho	A violeira	ACJ-CB		
Djavan+Olívia Byington	Meninos, eu vi	ACJ-CB	CD	850107
Vários				
Djavan+Olívia Byington	Imagina	ACJ-CB	LP	138959
			CD	850107

Intérprete	Título do disco / Título do CD / Título da música	Autores	Obs	Tp / CD	Nº do disco / Nº do CD
				GRAVADORA	
				Eldorado	
Vários					
Paulo César Gomes	Olha pro céu	ACJ		LP	63830411
Vários					
Eliane Elias	Estrada branca	ACJ-VM		LP	68830411
Marina Brandão	O que tinha de ser	ACJ-VM			
Roberto Sion+Nelson Aires	Pois é	ACJ-CB		LP	77830421
				EMI-Odeon	
Nana Caymmi	Por toda a minha vida	ACJ-DD	pn ACJ	LP	64422932
				CD	5667928502
				Fontana	
Dick Farney	Meu mundo é você	ACJ-AO		LP	6488166
Elis Regina	Retrato em branco e preto	ACJ-CB		LP	8111631
				Indep.	
Orlando+Patrícia	Só danço samba	ACJ-VM		LP	121080
				Nilva	
Junior Mange	Wave	ACJ		LP	3405
				Petrobrás	
Coral da Petrobrás	Corcovado	ACJ		LP	4
				Philips	
Agostinho Santos+S.Telles	ETERNAMENTE			LP	8111981
	Dindi	ACJ-AO			
	Este seu olhar	ACJ			
	Estrada do sol	ACJ-DD			

					Polyfar
Djalma	Se todos fossem iguais a você	ACJ-VM		LP	6488213
					RCA
A.C.Jobim	GABRIELA		ar O.C.Neves	LP	1030585
				CD	M10069
	Chegada dos retirantes	ACJ			
+Gal Costa	Tema de amor de Grabriela	ACJ			
	Pulando carniça	ACJ			
	Pensando na vida	ACJ			
+Gal Costa	Casório	ACJ			
+Gal Costa	Origens	ACJ			
	Ataque dos jagunços	ACJ			
+Gal Costa	Caminho da mata	ACJ			
	Ilhéus	ACJ-VM			
+Gal Costa	Tema de amor de Grabriela	ACJ			
					SAV
Sávio Araújo	Triste	ACJ		LP	1
					Som Livre
Olívia Byington	Se todos fossem iguais a você	ACJ-VM		LP	4036276
Fafá de Belém	Só em teus braços	ACJ		LP	4036292
Edu Lobo+A.C.Jobim	Choro bandido	EL-CB		LP	4036275
				CD	RCA-7432123151
Fafá de Belém	Promessas	ACJ-NM		LP	4036292
					Vento do Raio
Guilherme Rodrigues Quarteto	Brigas nunca mais	ACJ-VM		LP	10
1983 EXTERIOR					**Ballad**
Dick Haymes	Wave	ACJ		LP	7
					Concord
Laurindo de Almeida	Chega de saudade	ACJ-VM		LP	215
Woody Herman	Wave	ACJ		LP	220
Al Cohn	O grande amor	ACJ-VM		LP	241

INTÉRPRETE	TÍTULO DO DISCO TÍTULO DO CD TÍTULO DA MÚSICA TÍTULO DA MÚSICA	AUTORES AUTORES	OBS	GRAVADORA TP CD	 Nº DO DISCO Nº DO CD
Scott Hamilton	How insensitive	ACJ-VM-NG		LP	254
				Muse	
Mark Murphy	Desafinado	ACJ-NM		LP	5297
	Se todos fossem iguais a você	ACJ-VM			
				Pablo	
Joe Pass+J.J.Johnson	Wave	ACJ		LP	2310911
				Pop	
Reuben Ristrom	Dindi	ACJ-AO		LP	1004
1984 BRASIL				**Bemol**	
Waldir Silva	Eu sei que vou te amar	ACJ-VM		LP	8251321
				CID	
Sexto Sentido	Garota de Ipanema	ACJ-VM		LP	8074
				Libertas	
Radamés Gnatalli	RADAMÉS GNATALLI			LP	5
	Chovendo na roseira	ACJ			
	Corcovado	ACJ			
				Philips	
Nara Leão	Soneto de separação	ACJ-VM		LP	8143391
Nara Leão	Pra mode chatear	ACJ		LP	8143401
Nara Leão	ABRAÇOS E BEIJINHOS...			LP	8223171
	Caminhos cruzados	ACJ-NM			
	Este seu olhar	ACJ		CD	8328072
	Eu preciso de você	ACJ-AO			
	Mágoa	ACJ-MP			
	Outra vez	ACJ		CD	8328072

Intérprete	Música	Autoria	Formato	Número
	Por causa de você	ACJ-DD		
	Wave	ACJ	CD	8268542
			RCA	
Espósito	Garota de Ipanema	ACJ-VM	LP	1267
			Som Livre	
Vários			LP	4066015
Nana Caymmi	Eu sei que vou te amar	ACJ-VM		
Leny Andrade	Eu te amo	ACJ-CB		
Edson Frederico	Tereza meu amor	ACJ		
1984 EXTERIOR			**Capitol**	
Laurindo de Almeida	Corcovado	ACJ	LP	2197
			Philips	
Paul Mauriat	Tema de amor de Grabriela	ACJ	LP	8148741
1985 BRASIL			**Barclay**	
Marçal	Samba do avião	ACJ	LP	8258641
Trio Irakitan	Por causa de você	ACJ-DD	LP	8270271
			CBS	
Stan Getz	Águas de março	ACJ	LP	620093
			Continental	
Pery Ribeiro+Luís Eça	PRA TANTO VIVER		LP	177405004
	Chega de saudade	ACJ-VM		
	Por causa de você	ACJ-DD		
			Eldorado	
Vários			LP	98850471
Paulo César Gomes	Estrada do sol	ACJ-DD		
Antônio Bruno	Luiza	ACJ		
Antônio Bruno	Retrato em branco e preto	ACJ-CB		
Paulo César Gomes	Só danço samba	ACJ-VM		
			EMI-Odeon	
Nana Caymmi	Derradeira primavera	ACJ-VM	LP	64422949

Intérprete	Título do Disco / Título do CD / Título da Música	Autores	Obs	Gravadora Tp / CD	Nº do Disco / Nº do CD
Gal Costa	Tema de amor de Grabriela	ACJ		LP	**Fontana** 8261621
Clebanoff	Garota de Ipanema	ACJ-VM		LP	**Imagem** 5090
R.Gnatalli	Chovendo na roseira	ACJ		LP	**Libertas** 5
	Corcovado	ACJ			
Xuxa+Vários	Pra mode chatear	ACJ		LP	**Philips** 8264301
Leny Andrade	Dindi	ACJ-AO		LP	**Pointer** 2030019
A.C.Jobim	O TEMPO E O VENTO			LP	**Som Livre** 4036323
	Bangzália	ACJ	ar Dori Caymmi		
	Chanson pour Michelle	ACJ	ar Dori Caymmi		
	Passarim	ACJ	ar P.Jobim		
+Zé Renato	Rodrigo, meu capitão	ACJ-RB	ar Morelenbaum		
+Zé Renato	Senhora dona Bibiana	ACJ-RB	ar Morelenbaum		
+Kleiton e Kledir	Um certo capitão Rodrigo	ACJ-RB	ar P.Jobim		
A.C.Jobim	MÚSICA EM PESSOA			LP	530016
	Cavaleiro Monge	FP-ACJ	ar Morelenbaum		
	O rio da minha aldeia	ACJ-ACr	ar P.Jobim		
1985 EXTERIOR					
George Shearing	Insensatez	ACJ-VM		LP	**Concord** 281

			Empathy	
Cecil Payne	Wave	ACJ	LP	E1005
			Sahara	
Erroll Parker	Chega de saudade	ACJ-VM	LP	1014
1986 BRASIL			**ARCA**	
Elizete Cardoso	Se todos fossem iguais a você	ACJ-VM	LP	8031008
			CBS	
Cesar Camargo Mariano	Sabiá	ACJ-CB	LP	138291
			CD	850021
			Coca-Cola	
Gilson Peranzetta+Artur Maia	Águas de março	ACJ	LP	SN
	Ana Luiza	ACJ		
	Choro	ACJ		
	Corcovado	ACJ		
	Estrada do sol	ACJ-DD		
	Falando de amor	ACJ		
	Insensatez	ACJ-VM		
	Olha Maria	ACJ-VM-CB		
	Tema de amor de Grabriela	ACJ		
	Wave	ACJ		
			Continental	
Olívia Hime+A.C.Jobim	Trem de ferro	ACJ-MB	LP	135404031
			CD	Leb-028
			Dacapo	
Alberto Coronel	Corcovado	ACJ	LP	142300946
			Eldorado	
Roberto Sion	O dia que você gostar de mim	ACJ	LP	860509
Araken Peixoto	Bonita	ACJ-GL-RG	LP	109860494
			Fama	
Banda do Corpo de Bombeiros	Corcovado	ACJ	LP	90000

Intérprete	TÍTULO DO DISCO TÍTULO DO CD Título da música Título da música	Autores Autores	Obs	GRAVADORA Tp CD	Nº do Disco Nº do CD
	Garota de Ipanema	ACJ-VM			
	Sabiá	ACJ-CB			
	Samba de uma nota só	ACJ-NM			
Fogueira Três	Água de beber	ACJ-VM		LP	90006
	Corcovado	ACJ			
	Ela é carioca	ACJ-VM			
	Garota de Ipanema	ACJ-VM			
	Wave	ACJ			
				Fontana	
Claudete Soares	Por causa de você	ACJ-DD		LP	8262271
				Philips	
Caetano Veloso	Solidão	ACJ-AF		LP	8301451
				CD	8301452
Chico Buarque	Frevo	ACJ-VM		CD	8264112
Nara Leão	GAROTA DE IPANEMA			CD	8268542
	A felicidade	ACJ-VM			
	Água de beber	ACJ-VM			
	Chega de saudade	ACJ-VM			
	Corcovado	ACJ			
	Garota de Ipanema	ACJ-VM			
	Meditação	ACJ-NM			
	Samba de uma nota só	ACJ-NM			
	Samba do avião	ACJ			
				RCA	
Maria Bethania	Anos dourados	ACJ-CB		LP	1100026
				CD	74321231512

Intérprete	Título	Autores	Formato	Número
Beth Carvalho	Chega de saudade	ACJ-VM	LP	7180027
			RGE	
Raul de Souza	O amor em paz	ACJ-VM	CD	3426126
			Som Livre	
A.C.Jobim+Chico+Caetano	Águas de março	ACJ	LP	530045
A.C.Jobim	Anos dourados	ACJ-CB	LP	530025
1986 EXTERIOR			**Warner Bros**	
João Gilberto	LIVE AT 19TH MONTREUX JAZZ FESTIVAL		LP	36215/16
			CD	254728-2
	A felicidade	ACJ-VM		
	Desafinado	ACJ-NM		
	Garota de Ipanema	ACJ-VM		
	Retrato em branco e preto	ACJ-CB		
			Polydor	
Astrud Gilberto+James Last	PLUS		LP	8311231
	Água de beber	ACJ-VM		
	Eu não existo sem você	ACJ-VM		
Max Greger	Desafinado	ACJ-NM	MC	3195651
Connie Francis	CONNIE FRANCIS		LP	8276351
	Corcovado	ACJ		
	Desafinado	ACJ-NM		
	Garota de Ipanema	ACJ-VM		
	Meditation	ACJ-NM-NG		
			RCA	
Phil Woods	O morro não tem vez	ACJ-VM	LP	1044139
1987 BRASIL			**CBS**	
Simone	Eu sei que vou te amar	ACJ-VM	LP	231037
			CD	850067
			Discoban	
Dick Farney	AO VIVO		LP	8327191
	Este seu olhar	ACJ		

Intérprete	Título do disco / Título do CD / Título da música	Autores	Obs	Tp / CD	Gravadora – Nº do disco / Nº do CD
	Tereza da praia	ACJ-BB			
					Philips
Nara Leão	Ela é carioca	ACJ-VM		CD	8326392
					Sabiá
A.C.Jobim	A.C.JOBIM (CBPO)			LP	87001
	INÉDITO			CD	BMG-21329202
	Wave	ACJ			
	Chega de saudade	ACJ-VM			
	Sabiá	ACJ-CB			
Danilo Caymmi	Samba do avião	ACJ			
	Garota de Ipanema	ACJ-VM			
	Retrato em branco e preto	ACJ-CB			
Danilo Caymmi	Modinha (Seresta N 5)	VL			
Danilo Caymmi	Modinha	ACJ-VM			
E.Jobim+P.Morelenbaum	Canta, canta mais	ACJ-VM			
Ana Jobim	Eu não existo sem você	ACJ-VM			
P.Morelenbaum	Por causa de você	ACJ-DD			
	Sucedeu assim	ACJ-MP			
	Imagina	ACJ-CB			
	Eu sei que vou te amar	ACJ-VM			
P.Morelenbaum	Canção do amor demais	ACJ-VM			
Simone+D.Caymmi	Falando de amor	ACJ			
Maúcha Adnet	Inútil paisagem	ACJ-AO			
P.Morelenbaum	Derradeira primavera	ACJ-VM			
	Canção em modo menor	ACJ-VM			
	Estrada do sol	ACJ-DD			

	Águas de março	ACJ		
	Samba de uma nota só	ACJ-NM		
	Desafinado	ACJ-NM		
Danilo Caymmi	A felicidade	ACJ-VM		
				Songs
Joyce	JOYCE/JOBIM		LP	106002
	A felicidade	ACJ-VM		
	Bonita	ACJ-GL-RG		
	Chega de saudade	ACJ-VM		
	Corcovado	ACJ		
	Desafinado	ACJ-NM		
	Ela é carioca	ACJ-VM		
	Garota de Ipanema	ACJ-VM		
	Insensatez	ACJ-VM		
	Meditação	ACJ-NM		
	O amor em paz	ACJ		
	Retrato em branco e preto	ACJ-CB		
	Samba de uma nota só	ACJ-NM		
	Wave	ACJ		
1987 EXTERIOR				**CBS**
Stan Getz	Lígia	ACJ	LP	225155
			CD	700261
				Concord
C.Barbosa Lima+Sharon Isbin	A felicidade	ACJ-VM	LP	320
	Estrada do sol	ACJ-DD		
	Gabriela	ACJ		
	Luiza	ACJ-VM		
	Chovendo na roseira	ACJ		
	Garoto	ACJ		
				Verve
A.C.Jobim	PASSARIM		LP	8332341
			CD	8332342

Intérprete	Título do Disco Título do CD Título da música Título da música	Autores Autores	Obs	Gravadora Tp CD	 Nº do Disco Nº do CD
	Passarim	ACJ	ar P.Jobim		
	Bebel	ACJ			
	Borzeguim	ACJ	ar Morelenbaum		
	Anos dourados	ACJ-CB			
P.Jobim+P.Morelenbaum	Isabella	PJ-GGs	ar P.Jobim		
	Fascinating rhythm	GIG			
	Chansong	ACJ	ar P.Jobim		
P.Jobim	Samba do Soho	PJ-RB			
	Luiza	ACJ	ar Morelenbaum		
Danilo Caymmi	Brasil nativo	DaC-PCP	ar Morelenbaum		
	Tema de amor de Grabriela	ACJ			
Stan Getz	O grande amor	ACJ-VM		LP	V8693
				Visom	
Jorge Degas+Marcelo Salazar	Triste	ACJ		LP	9
1988 BRASIL				**CBS**	
Zezé Gonzaga	Eu sei que vou te amar	ACJ-VM		LP	138740
Baden Powell+Dick Farney	Por causa de você	ACJ-DD		LP	138803
	Se todos fossem iguais a você	ACJ-VM			
Cesar Camargo	Amor em paz	ACJ-VM		LP	231077
				CD	850021
Nicolas de Angelis	Garota de Ipanema	ACJ-VM		LP	231114
Joyce	Garota de Ipanema	ACJ-VM		LP	620115
Vários					
João Bosco	A felicidade	ACJ-VM		CD	850022
MPB4	Chega de saudade	ACJ-VM			
Nara Leão	Corcovado	ACJ			

Leny Andrade	Ela é carioca	ACJ-VM		
Leny Andrade	Garota de Ipanema	ACJ-VM		
Nara Leão	Insensatez	ACJ-VM		
Emilio Santiago	Meditação	ACJ-NM		
João Bosco	O nosso amor	ACJ-VM		
Quarteto em Cy	Samba de uma nota só	ACJ-NM		
Emilio Santiago	Triste	ACJ		
Emilio Santiago	Vivo sonhando	ACJ		
Guilherme Arantes	Wave	ACJ		
			SBK	
Joyce	NEGRO DEMAIS NO CORAÇÃO		LP	320055
	Estrada branca	ACJ-VM		
	Eu sei que vou te amar	ACJ-VM		
			Som Livre	
Emilio Santiago	AQUARELA BRASILEIRA		CD	4010015
	Anos dourados	ACJ-CB		
	Eu sei que vou te amar	ACJ-VM		
Grupo Chovendo na roseira	INTERPRETA A.C.JOBIM		LP	4020016
	Anos dourados	ACJ-CB		
	Aula de matemática	ACJ-MP		
	Chovendo na roseira	ACJ		
	Correnteza	ACJ-LB		
	Dindi	ACJ-AO		
	Ela é carioca	ACJ-VM		
	Estrada do sol	ACJ-DD		
	Eu te amo	ACJ-CB		
	Janelas abertas	ACJ-VM		
	Lígia	ACJ		
	Pra mode chatear	ACJ		
	Samba do avião	ACJ		
	Samba torto	ACJ-AO		
	Tema de amor de Gabriela	ACJ		

Intérprete	Título do Disco / Título do CD / Título da Música	Autores	Obs	Tp / CD	Gravadora / Nº do Disco / Nº do CD
Os mulheres negras	Samba do avião	ACJ		LP	**Warner Bros** 6704237
1988 EXTERIOR					**CBS**
Percy Faith	Samba de uma nota só	ACJ-NM		LP	138788
A.C.Jobim	RIO REVISITED			CD	**Verve** 841286-2
	One note samba	ACJ-NM			
	Desafinado	ACJ-NM			
	Água de Beber	ACJ-VM			
+Gal Costa	Dindi	ACJ-AO			
+Gal Costa	Wave	ACJ			
	Chega de saudade	ACJ-VM			
	Two kites	ACJ			
+Paulo Jobim	Samba do Soho	PJ-RB			
	Sabiá	ACJ-CB			
+Danilo Caymmi	Samba do avião	ACJ			
	Águas de março	ACJ			
+Gal Costa	Corcovado	ACJ			
1989 BRASIL					**Amazonas**
Banda Nova	FAMÍLIA JOBIM			CD	SN
	Sabiá	ACJ-CB			
	Pato preto	ACJ			
	O boto	ACJ			
	Correnteza	ACJ-LB			
	Estrada do sol	ACJ-DD			
+Paulo Jobim	Matita Perê	ACJ-PCP			

+Danilo Caymmi	Águas de março	ACJ		
	Borzeguim	ACJ		
	Chovendo na roseira	ACJ		
+Paulo Jobim	Passarim	ACJ		
			CBS	
Simone			LP	177217
			CD	850097
	Lígia	ACJ		
	Luiza	ACJ		
Vários			LP	231211
Os Cariocas	Chega de saudade	ACJ-VM	CD	850107
Dóris Monteiro	Eu não existo sem você	ACJ-VM		
Joyce	Eu sei que vou te amar	ACJ-VM	CD	850053
Leo Jaime	Lígia	ACJ	CD	850069
			EMI-Odeon	
Joyce	Águas de março	ACJ	CD	3647932272
	Triste	ACJ		
	Vivo sonhando	ACJ		
Nana Caymmi+Wagner Tiso	Se todos fossem iguais a você	ACJ-VM	CD	5667934032
			Philips	
Marina	Garota de Ipanema	ACJ-VM	CD	8382982
Maria Bethania+Caetano	O que tinha de ser	ACJ-VM	CD	8385602
Leila Pinheiro	BÊNÇÃO, BOSSA NOVA		CD	8420362
	Corcovado	ACJ		
	Ela é carioca	ACJ-VM		
	Meditação	ACJ-NM		
	O amor em paz	ACJ		
			RCA	
Dick Farney	Garota de Ipanema	ACJ-VM	CD	10004
Milton Banana Trio	Retrato em branco e preto	ACJ-CB	CD	10030
Nelson Goncalves	Falando de amor	ACJ	CD	10034

Intérprete	Título do disco Título do CD Título da música Título da música	Autores Autores	Obs	Gravadora Tp CD	Nº do Disco Nº do CD
				Som Livre	
Victor Biglione	Quebra-pedra	ACJ		CD	4001228
Irene Singery	IRENE SINGERY			CD	4010038
	Esquecendo você	ACJ			
	Fotografia	ACJ			
	Insensatez	ACJ-VM			
	Você vai ver	ACJ			
Maria Creusa	DA COR DO PECADO			CD	4010040
	Eu não existo sem você	ACJ-VM			
	Eu sei que vou te amar	ACJ-VM			
	Se todos fossem iguais a você	ACJ-VM			
A.C.Jobim	O trem azul	LBr-RB		LP	4070015
				Velas	
Fátima Guedes	Retrato em branco e preto	ACJ-CB		LP	8413321
1989 EXTERIOR				**Chesky**	
Ana Caram	RIO AFTER DARK			CD	28
	Anos dourados	ACJ-CB			
	Meditation	ACJ-NM-NG			
				RCA	
Chet Baker	Retrato em branco e preto	ACJ-CB		CD	20018
1990 BRASIL				**CBS**	
Olivia Byington				LP	248015
	Anos dourados	ACJ-CB		CD	850104
	Canta, canta mais	ACJ-VM		CD	850104
	Meditação	ACJ-NM			

Intérprete	Título	Autores	Formato	Número
	Por toda a minha vida	ACJ-VM	CD	850104
João Carlos Assis Brasil	Anos dourados	ACJ-CB	CD	850107
	Canta, canta mais	ACJ-VM		
	Por toda a minha vida	ACJ-VM		
			EMI-Odeon	
Marília Pêra	Demais	ACJ-AO	CD	3647940342
			Maracujazz	
Marcos Resende	Insensatez	ACJ-VM	LP	8470131
			Philips	
João Gilberto	PERSONALIDADE-J.GILBERTO		CD	8422922
	Corcovado	ACJ		
	Desafinado	ACJ-NM		
	The girl from Ipanema	ACJ-VM-NG		
Caetano Veloso	Dindi	ACJ-AO	CD	8469162
Banda do Jacaré	DISCOTRONICS		CD	8480912
	Águas de março	ACJ		
	Ela é carioca	ACJ-VM		
	Garota de Ipanema	ACJ-VM		
	Wave	ACJ		
			Som Livre	
Os Cariocas	MINHA NAMORADA		CD	4010090
	Águas de março	ACJ		
	Ela é carioca	ACJ-VM		
	Samba do avião	ACJ		
	Wave	ACJ		
Emilio Santiago	Esse seu olhar	ACJ	CD	4010107
Raul Mascarenhas	Brigas nunca mais	ACJ-VM	CD	4010115
Ney Matogrosso+R Rabello	A FLOR DA PELE		LP	4070038
			CD	Phi-5182252
	Modinha	ACJ-VM		
	Retrato em branco e preto	ACJ-CB		

Intérprete	Título do Disco / Título do CD / Título da música	Autores	Obs	Tp / CD	Nº do Disco / Nº do CD
					GRAVADORA
					Warner Bros
Pepeu Gomes	Garota de Ipanema	ACJ-VM		CD	171464-2
1990 EXTERIOR					**Philips**
Ventura Six	Caminhos cruzados	ACJ-NM		LP	9927811
1991 BRASIL					**Caju**
Baden Powell	O que tinha de ser	ACJ-VM		CD	5114032
					CBS
Milton Nascimento	Estrada do sol	ACJ-DD		LP	188231
Elizabeth Cardoso					
+R.Rabelo	Janelas abertas	ACJ-VM		CD	852004
	Modinha	ACJ-VM			
					EMI-Odeon
Marisa Monte	A felicidade	ACJ-VM		CD	687960812
					Lumiar
Vários	SONGBOOK NOEL ROSA			CD	107127
A.C.Jobim	João Ninguém	NR			
A.C.Jobim	Três apitos	NR			
					Philips
Wagner Tiso	Por causa de você	ACJ-DD		CD	5105582
Toquinho	A felicidade	ACJ-VM		CD	8386192
					RCA
Five Tracks	FIVE TRACKS			CD	120011
	Garota de Ipanema	ACJ-VM			
	Anos dourados	ACJ-CB			
	Wave	ACJ			

	Chega de saudade	ACJ-VM		
	Corcovado	ACJ		
	Desafinado	ACJ-NM		
			Som Livre	
Copatrio	HAPPY HOURS-PIANO		CD	4001005
	Anos dourados	ACJ-CB		
	Corcovado	ACJ		
	Dindi	ACJ-AO		
	Esse seu olhar	ACJ		
	Eu sei que vou te amar	ACJ-VM		
	Lígia	ACJ		
	Se todos fossem iguais a você	ACJ-VM		
	Wave	ACJ		
A.C.Jobim	Querida	ACJ	CD	4001017
Canto Quatro	Estrada do sol	ACJ-DD	CD	4001033
Vários	A NOITE DA BOSSA NOVA		CD	4001046
Leila Pinheiro	Brigas nunca mais	ACJ-VM		
Veronica Sabino	Esse seu olhar	ACJ		
L.Pinheiro+Cariocas	Samba do avião	ACJ		
Veronica Sabino	Só em teus braços	ACJ		
Leila Pinheiro	Triste	ACJ		
Leila Pinheiro	Vivo sonhando	ACJ		
MPB4	Samba do avião	ACJ	CD	4001054
			Verve	
Joyce	Chansong	ACJ	CD	8493462
			Vitória Régia	
Tim Maia	INTERPRETA CLÁSSICOS DA BOSSA NOVA		LP	SN
	The girl from Ipanema	ACJ-VM-NG		
	Meditação	ACJ-NM		
	Useless landscape	ACJ-AO-RG		
	Wave	ACJ		

Intérprete	Título do Disco Título do CD Título da música Título da música	Autores Autores	Obs	Gravadora Tp	Nº do Disco Nº do CD
				Warner Bros	
Nouvelle Cuisine	Power Flower (C.cruzados)	ACJ-NM	adp S.Wonder	CD	175372-2
Tom Zé	A felicidade	ACJ-VM		CD	926396-2
1991 EXTERIOR				**CBS**	
Julio Iglesias	Desafinado	ACJ-NM		CD	700274
Lester Lanin	Desafinado	ACJ-NM		CD	700592
				GRP	
Lee Ritenour	Children's games	ACJ		CD	30011
				Philips	
John Williams+The Boston Pops	The girl from Ipanema	ACJ-VM-NG		CD	4220642
				Virgin	
Sharon Isbin	Canta, canta mais	ACJ-VM		CD	91750
				Warner Bros	
Al Jarreau	Água de beber	ACJ-VM		CD	92248-2
Ornella Vanoni+Vinicius+Toquinho	LA VOGLIA, LA PAZZIA, L'INCONCIENZA			LP	6709309
	Io so che ti amero	ACJ-VM-SBr			
	Un altro addio	ACJ-VM-SBr			
1992 BRASIL				**Caju**	
Paulo Moura+Raphael Rabelo	Luiza	ACJ		CD	5172592
				Camerati	
Paula Morelenbaum	PAULA MORELENBAUM			CD	TCD-1006
	Bonita	ACJ-GL-RG			
+A.C.Jobim	Canção do amor demais	ACJ-VM			
+A.C.Jobim	Piano na Mangueira	ACJ-CB			

Intérprete	Música	Autores	Formato	Número
				CBS
Doris Monteiro+Tito Madi			LP	283008
			CD	852016
	Dindi	ACJ-AO		
	Por causa de você	ACJ-DD		
	Se todos fossem iguais a você	ACJ-VM		
Nana Caymmi			LP	283009
			CD	852017
	Eu sei que vou te amar	ACJ-VM		
	Insensatez	ACJ-VM		
	Outra vez	ACJ		
Sylvia Telles	Discussão	ACJ-NM	LP	421051
Roberto Carlos	Outra vez	ACJ	CD	850001
Verônica Sabino	Anos dourados	ACJ-CB	CD	852011
	Demais	ACJ-AO		
Vanda Sá+Peri Ribeiro	Águas de março	ACJ	CD	852012
	Chega de saudade	ACJ-VM		
	Corcovado	ACJ		
	Desafinado	ACJ-NM		
	Este seu olhar	ACJ		
	Garota de Ipanema	ACJ-VM		
	Insensatez	ACJ-VM		
	Meditação	ACJ-NM		
	Samba de uma nota só	ACJ-NM		
	Só em teus braços	ACJ		
	Só tinha de ser com você	ACJ-AO		
				Mercury
Sylvia Telles	O amor em paz	ACJ	CD	5120542
				NANÃ
Quarteto em Cy	BOSSA EM CY		CD	BVCR-81
	A felicidade	ACJ-VM		
	Água de beber	ACJ-VM		

Intérprete	Título do disco / Título do CD / Título da música	Autores	Obs	Gravadora Tp / CD	Nº do Disco / Nº do CD
	Chega de saudade	ACJ-VM			
	Desafinado	ACJ-NM			
	Dindi	ACJ-AO			
	Eu sei que vou te amar	ACJ-VM			
	Por toda a minha vida	ACJ-VM			
	Samba de uma nota só	ACJ-NM			
				Philips	
Elis Regina	Só tinha de ser com você	ACJ-AO		CD	5141192
				RCA	
Gal Costa+A.C.Jobim	Caminhos cruzados	ACJ-NM		CD	120028
				Som Livre	
Emilio Santiago	AQUARELA BRASILEIRA 5			CD	4001166
	Chega de Saudade	ACJ-VM			
	Demais	ACJ-AO			
	Wave	ACJ			
				Warner Bros	
Roberto Menescal	Anos dourados	ACJ-CB		CD	176012-2
Os Cariocas	RECONQUISTAR			CD	176578-2
	Bebel	ACJ			
	Luiza	ACJ			
Tim Maia	TIM MAIA AO VIVO			CD	990342-2
	Garota de Ipanema	ACJ-VM			
	Wave	ACJ			
Vários	Sabiá	ACJ-CB		CD	99047-2

Intérprete	Título	Autores	Formato	Gravadora / Número
1992 EXTERIOR				**CBS**
Richard Clayderman	Se todos fossem iguais a você	ACJ-VM	CD	419006
				Philips
Rosa Maria	Meditation	ACJ-NM-NG	CD	5126722
1993 BRASIL				**Camerati**
Tetê Spinola+Arrigo Barnabé	Imagina		CD	TCD-1010
				CBS
Gal Costa	Dindi	ACJ-AO	CD	752193
	Eu sei que vou te amar	ACJ-VM		
Rosana	Fotografia	ACJ	CD	850196
Pery Ribeiro	Samba de uma nota só	ACJ-NM	CD	981864
				Imagem
Itamara Koorax	ITAMARA KOORAX AO VIVO		CD	2007
	Derradeira primavera	ACJ-VM		
	Luiza	ACJ		
	Sabiá	ACJ-CB		
				Lumiar
Vários				
A.C.Jobim	SONGBOOK CARLOS LYRA		CD	107410
	Samba do carioca	CL-VM		
Vários	SONGBOOK DORIVAL CAYMMI		CD	107403-4-5
A.C.Jobim	Milagre	DC		
A.C.Jobim+Ana Jobim	O bem do mar	DC		
Vários	SONGBOOK VINICIUS		CD	107407-8-9
Ivan Lins	A felicidade	ACJ-VM		
Os Cariocas	Água de beber	ACJ-VM		
H.Delmiro+A.Calcanhoto	Amor em paz	ACJ-VM		
Joyce+Hélio Delmiro	Caminho de pedra	ACJ-VM		
A.C.Jobim	Chega de saudade	ACJ-VM		
E.Lobo+G.Peranzzetta	Chora coração	ACJ-VM		
E.Gismonti+Joyce	Derradeira primavera	ACJ-VM		

Intérprete	Título do disco Título do CD Título da música Título da música	Autores Autores	Obs	Gravadora Tp CD	Nº do Disco Nº do CD
A.C.Jobim+Gal Costa	É preciso dizer adeus	ACJ-VM			
Be Happy+N.Assumpção	Ela é carioca	ACJ-VM			
N.Matogrosso+L.Avellar	Estrada branca	ACJ-VM			
Nana Caymmi	Eu não existo sem você	ACJ-VM			
Ângela RôRô+A.Adolfo	Eu sei que vou te amar	ACJ-VM			
C.Eller+N.Faria	Garota de Ipanema	ACJ-VM			
R.Menescal+C.Fernando	Insensatez	ACJ-VM			
A.C.Jobim+Gal Costa	Janelas abertas	ACJ-VM			
Hermeto+Jane Duboc	Modinha	ACJ-VM			
Jards Macalé	O morro não tem vez	ACJ-VM			
Beth Carvalho	O nosso amor	ACJ-VM			
R.Arruda+J.Collins	O que tinha de ser	ACJ-VM			
Sérgio Ricardo	Olha, Maria	ACJ-VM-CB			
J+P.Morelenbaum	Por toda a minha vida	ACJ-VM			
Simone+Wagner Tiso	Se todos fossem iguais a você	ACJ-VM			
A.C.Jobim+C.Buarque	Sem você	ACJ-VM			
Moraes Moreira	Só danço samba	ACJ-VM			
P.Jobim+Olívia Byington	Soneto de separação	ACJ-VM			
					NANÃ
Mario Adnet+A.C.Jobim	Maracangalha	DC		CD	BVCR-680
					Philips
Zizi Possi	Luiza	ACJ		CD	5104662
A.C.Jobim	Eu sei que vou te amar	ACJ-VM		CD	5104732
Cesar Camargo Mariano	NATURAL			CD	5148512
	A felicidade	ACJ-VM			
	O nosso amor	ACJ-VM			

Angela Roro	Demais	ACJ-AO	CD	5186612
Elba Ramalho	Wave	ACJ	CD	5199012
			RCA	
Raphael Rabello	TODOS OS TONS		CD	10105
	Samba do avião	ACJ		
	Samba de uma nota só	ACJ-NM		
	Passarim	ACJ		
	Retrato em branco e preto	ACJ-CB		
	Modinha	ACJ-VM		
	Garota de Ipanema	ACJ-VM		
	Anos dourados	ACJ-CB		
+A.C.Jobim	Garoto	ACJ		
	Pois é	ACJ-CB		
	Luiza	ACJ		
Fagner	DEMAIS		CD	10142
	Eu sei que vou te amar	ACJ-VM		
	Dindi	ACJ-AO		
	Demais	ACJ-AO		
Adilson Ramos	Eu sei que vou te amar	ACJ-VM	CD	60020
			Som Livre	
Emilio Santiago	AQUARELA BRASILEIRA 6		CD	4001232
	Eu não existo sem você	ACJ-VM		
	Retrato em branco e preto	ACJ-CB		
	Se todos fossem iguais a você	ACJ-VM		
Watuzi	Por causa de você	ACJ-DD	CD	4001246
			Warner Bros	
Veronica Sabino	Por causa de você	ACJ-DD	CD	V994411-2
1993 EXTERIOR				
			CBS	
Richard Clayderman	Garota de Ipanema	ACJ-VM	LP	423027
			Private	
Toots Thielemans	THE BRASIL PROJECT VOL. II		CD	130071

Intérprete	TÍTULO DO DISCO TÍTULO DO CD Título da música Título da música	Autores Autores	Obs	GRAVADORA Tp / Nº do Disco CD / Nº do CD
	Retrato em branco e preto	ACJ-CB		
	Samba de uma nota só	ACJ-NM		
				Verve
A.C.Jobim	CARNEGIE HALL SALUTES THE JAZZ MASTERS			CD 314523150
+Joe Henderson	Desafinado	ACJ-NM		
+Pat Metheny	How insensitive	ACJ-VM-NG		
				Warner Bros
Lalo Schifrin	Brazilian impressions	ACJ-LB		CD M662004-2
				CBS
Claude Bolling	Children's games	ACJ		CD 758133
1994 BRASIL				**Camerati**
Vários	TRILHAS			CD 199000407
Anima	Chovendo na roseira	ACJ		
Oficina de cordas	Luiza	ACJ		
Oficina de cordas	Retrato em branco e preto	ACJ-CB		
				CID
Quarteto em Cy	Imagina	ACJ-CB		CD 152/8
				Dubas
C.Fernando+Toninho Horta	Retrato em branco e preto	ACJ-CB		CD M996144-2
				Gl. Columbia
A.C.Jobim	ANTONIO BRASILEIRO			CD 419058
	Só danço samba	ACJ-VM		
	Piano na Mangueira	ACJ-CB		
+Sting	How insensitive	ACJ-VM-NG		

Artist	Title	Authors	Format	Label / No.
	Querida	ACJ		
	Surfboard	ACJ		
+M.L.Jobim	Samba de Maria Luiza	ACJ		
	Forever green	ACJ-PJ		
	Maracangalha	DC		
+Dorival Caymmi	Maricotinha	DC		
	Pato preto	ACJ		
	Meu amigo Radamés	ACJ		
	Blue train (Trem azul)	LBr-RB-ACJ		
	Radamés y Pelé	ACJ		
+P.Morelenbaum	Chora coração	ACJ		
	Trem de ferro	ACJ-MB		
				JVC
Salena Jones	SINGS JOBIM WITH THE JOBIM'S		CD	VICJ-202
	Water to drink	ACJ-VM-NG		
+P.Jobim	Bonita	ACJ-GL-RG		
	Desafinado	ACJ-NM		
+P.Jobim	Dindi	ACJ-AO-RG		
+A.C.Jobim	The girl from Ipanema	ACJ-VM-NG		
	How insensitive	ACJ-VM-NG		
+A.C.Jobim	I was just one more for you	ACJ-BB-RG		
	Meditation	ACJ-NM-NG		
	Once I loved	ACJ-RG		
	One note samba	ACJ-NM		
	Quiet nigths	ACJ-GL		
	Somewhere in the hills	ACJ-RG		
+P.Jobim	Song of the jet	ACJ-GL		
	Useless landscape	ACJ-AO-RG		
				Lumiar
Vários	SONGBOOK EDU LOBO		CD	107441-42
A.C.Jobim+C.Buarque	Choro bandido	EL-CB		
A.C.Jobim+L.Pinheiro	Valsa brasileira	EL-CB		

Intérprete	TÍTULO DO DISCO TÍTULO DO CD Título da música Título da música	Autores Autores	Obs	GRAVADORA Tp CD	Nº do Disco Nº do CD
Vários	SONGBOOK ARI BARROSO			CD	107446-7
A.C.Jobim	Na batucada da vida	AB-LP			
Edu Lobo+A.C.Jobim	Pra machucar meu coração	AB			
				Philips	
Selma Reis	Por toda a minha vida	ACJ-VM		CD	5180662
Leila Pinheiro	Garota de Ipanema	ACJ-VM		CD	5181372
Cesar Camargo Mariano	Por toda a minha vida	ACJ-VM		CD	5188742
R.Gerra+Helena V.+Lena D'A	AS CANÇÕES DO SÉCULO			CD	5189512
	Desafinado	ACJ-NM			
	Insensatez	ACJ-VM			
Rita de Cassia	OUÇA			CD	5220102
	Demais	ACJ-AO			
	Por causa de você	ACJ-DD			
Hebe Camargo	Esquecendo você	ACJ		CD	5225162
				RCA	
Johnny Alf+Leny	Samba de uma nota só	ACJ-NM		CD	100018
Os Cariocas	Wave	ACJ		CD	100019
Lúcio Alves	Um nome de mulher	ACJ-VM		CD	60049
				Tinitus	
Música Ligeira	Desafinado	ACJ-NM		CD	5235592
				Warner Bros	
Gilberto Gil	Samba do avião	ACJ		CD	M994642-2
Wilson Simonal	A BOSSA E O BALANÇO DE WILSON SIMONAL			CD	M997092-2
	Ela é carioca	ACJ-VM			

	Garota de Ipanema	ACJ-VM		
	O morro não tem vez	ACJ-VM		
	Samba do avião	ACJ		
Vários	ESTE É O VINICIUS QUE EU GOSTO		CD	M997738-2
Sylvia Telles	Eu sei que vou te amar	ACJ-VM		
Zezé Motta	O nosso amor	ACJ-VM		
1994 EXTERIOR				**Arista**
Dionne Warwick	AQUARELA DO BRASIL		CD	7822187772
	Retrato em branco e preto	ACJ-CB		
	How insensitive	ACJ-VM-NG		
	Quiet nights	ACJ-GL		
	Wave	ACJ		
	Waters of March	ACJ		
	Piano na Mangueira	ACJ-CB		
				Capitol
Frank Sinatra+A.C.Jobim	Fly me to the Moon	BH	CD	8312522
				Verve
Laura Fygi	Corcovado	ACJ	CD	314522438-2
	Dindi	ACJ-AO		
	Triste	ACJ		
	How insensitive	ACJ-VM-NG		
Stan Getz	Desafinado	ACJ-NM	CD	5198232
Astrud Gilberto	VERVE JAZZ MASTERS 9		CD	5198242
	A felicidade	ACJ-VM		
	Quiet nights	ACJ-GL		
	Frevo	ACJ-VM		
				Warner Bros
Stan Getz	JAZZ MASTERS SERIES VOL.2		VHS	174509-3
	Desafinado	ACJ-NM		
	The girl from Ipanema	ACJ-VM-NG		
Earl Klugh	E. TRIO VOL.I		CD	759926750-2

INTÉRPRETE	TÍTULO DO DISCO TÍTULO DO CD TÍTULO DA MÚSICA TÍTULO DA MÚSICA	AUTORES AUTORES	OBS	GRAVADORA TP / CD	Nº DO DISCO Nº DO CD
	Insensatez	ACJ-VM			
	One note samba	ACJ-NM			
Herbie Mann	One note samba	ACJ-NM		CD	812271634-2
1995 BRASIL				**Compact Club**	
Brazillian Tropical Orchestra	THE MUSIC OF ANTONIO C.JOBIM			CD	CCV8905
	Gabriela	ACJ			
	Anos dourados	ACJ-CB			
	Borzeguim	ACJ			
	Passarim	ACJ			
	Samba de uma nota só	ACJ-NM			
	Desafinado	ACJ-NM			
	Dindi	ACJ-AO			
	Corcovado	ACJ			
	Só em teus braços	ACJ			
	Este teu olhar	ACJ			
	Garota de Ipanema	ACJ-VM			
	Águas de março	ACJ			
	Eu sei que vou te amar	ACJ-VM			
	Retrato em branco e preto	ACJ-CB			
	Bebel	ACJ			
	Se todos fossem iguais a você	ACJ-VM			
	Luiza	ACJ			
	Chovendo na roseira	ACJ			
	Insensatez	ACJ-VM			
				Dubas	
Família Roitman	Ai quem me dera	ACJ-MP		CD	M450999463-2

Artista	Disco / Música	Autoria	Gravadora / Formato	Número
			EMI-Odeon	
Leila Pinheiro	ISSO É BOSSA NOVA		CD	360971
	Caminhos cruzados	ACJ-NM		
	Chega de saudade	ACJ-VM		
	Desafinado	ACJ-NM		
	Discussão	ACJ-NM		
	Ela é carioca	ACJ-VM		
	Este seu olhar	ACJ		
	Garota de Ipanema	ACJ-VM		
	Samba do avião	ACJ		
Marina Lima	MARINA LIMA		CD	836253
	O que tinha de ser	ACJ-VM		
	Samba do avião	ACJ		
			EPM	
Juarez Moreira	NUVENS DOURADAS		CD	3
	Desafinado	ACJ-NM		
	Antigua	ACJ		
	Wave	ACJ		
	Mojave	ACJ		
	Corcovado	ACJ		
	Passarim	ACJ		
	Tema jazz	ACJ		
	Nuvens douradas	ACJ		
	Garoto	ACJ		
	Triste	ACJ		
	Surfboard	ACJ		
	A felicidade	ACJ-VM		
			Jazzmania	
Wagner Tiso	WAGNER TISO+RIO CELLO ENSAMBLE		CD	1
	Eu sei que vou te amar	ACJ-VM		
	Por causa de você	ACJ-DD		

Intérprete	Título do disco Título do CD Título da música Título da música	Autores Autores	Obs	Gravadora Tp CD	Nº do Disco Nº do CD
				Lumiar	
Leny Andrade+Cristovão Bastos	LENY ANDRADE CRISTOVÃO BASTOS			CD	107655
	Águas de março	ACJ			
	Ana Luiza	ACJ			
	Angela	ACJ			
	As praias desertas	ACJ			
	Corcovado	ACJ			
	Esquecendo você	ACJ			
	Este seu olhar	ACJ			
	Fotografia	ACJ			
	Lígia	ACJ			
	Luiza	ACJ			
	Olha pro céu	ACJ			
	Outra vez	ACJ			
	Samba do avião	ACJ			
	Vivo sonhando	ACJ			
	Você vai ver	ACJ			
	Wave	ACJ			
Luiz Avellar	Chovendo na roseira	ACJ		CD	107684
Vários	SONGBOOK INSTRUMENTAL			CD	354742
M.Rezende+P.Trompete	Andorinha	ACJ			
Quarteto Livre	Antigua	ACJ			
L.Braga+Cia. de Cordas	Arquitetura de morar	ACJ			
P.Bellinati+N.Ayres	Bangzália	ACJ			
R.Menescal+C.Malta	Batidinha	ACJ			
R.Silveira+M.Senise	Capitain Bacardi	ACJ			
P.Jobim+J.Morelenbaum	Caribe	ACJ			

Sebastião Tapajós	Chanson pour Michelle	ACJ		
Luiz Avellar	Choro	ACJ		
M.Sève+C.Braga	Deus e o diabo na terra do sol	ACJ		
Sivuca+V.Santos	Diálogo	ACJ		
João Donato	Look to the sky (Olha pro céu)	ACJ		
R.Leão+N.Ornelas	Marina del Rey	ACJ		
L.Braga+O Trio	Meu amigo Radamés	ACJ		
A.Adolfo+S.Trombone	Mojave	ACJ		
L.Braga+Zé Nogueira	Nuvens douradas	ACJ		
L.Braga+Cello Ensemble	O homem	ACJ-VM		
D.Jobim+Franklin	Paulo vôo livre (A lenda dos homens-asa)	ACJ		
M.Pereira+C.Bastos	Radamés y Pelé	ACJ		
R.Hora+Nó em Pingo d'Água	Rancho nas nuvens	ACJ		
N.Faria+N.Assumpção	Remember	ACJ		
V.Biglione+L.Gandelman	Rockanalia	ACJ		
Egberto Gismonti	Stone flower	ACJ		
M.Adnet+P.Guimarães	Sue Ann	ACJ		
G.Peranzzetta+Montarroyos	Surfboard	ACJ		
M.Boffa+R.Mascarenhas	Takatanga	ACJ		
Hermeto+Osmar Milito	Tema jazz	ACJ		
A.C.Jobim	Tema para Ana	ACJ		
L.Braga+Q.Villa-Lobos	Tempo do mar	ACJ		
U.Rocha+T.Cardoso	Tereza my love	ACJ		
R.Silveira+Ed Motta	The red blouse	ACJ		
J.R.Bertrami	Tide	ACJ		
				Mercury
Belchior	Água de beber	ACJ-VM	CD	5121252
MPB4	Lamento no morro	ACJ-VM	CD	5269562
Maysa	MAYSA		CD	5269572
	Dindi	ACJ-AO		
	Por causa de você	ACJ-DD		
Netinho	Este seu olhar	ACJ	CD	5286132

Intérprete	Título do Disco Título do CD Título da música Título da música	Autores Autores	Obs	GRAVADORA Tp CD	 Nº do Disco Nº do CD
					MZA
Selma Reis	Por toda a minha vida	ACJ-VM		CD	63010892
					Philips
Trio Esperança	SEGUNDO			CD	5265772
	A felicidade	ACJ-VM			
	Águas de março	ACJ			
	Garota de Ipanema	ACJ-VM			
	Samba de uma nota só	ACJ-NM			
					RCA
Milton Banana Trio	Discussão	ACJ-NM		CD	74321288492
Chico Buarque	Piano na Mangueira	ACJ-CB		CD	74321336412
					Som Livre
Watuzi	Se todos fossem iguais a você	ACJ-VM		CD	2011-2
Eugenia Mello e Castro	CANTA VINICIUS			CD	2012-2
E.Gismonti	Canção do amor demais	ACJ-VM			
A.C.Jobim	Canta, canta mais	ACJ-VM			
	Chora coração	ACJ-VM			
	Derradeira primavera	ACJ-VM			
	Eu sei que vou te amar	ACJ-VM			
E.Gismonti	Modinha	ACJ-VM			
	O que tinha de ser	ACJ-VM			
	Por toda a minha vida	ACJ-VM			
	Soneto de separação	ACJ-VM			
Emilio Santiago	Tereza da Praia	ACJ-BB		CD	2068-2
					Velas
Vania Bastos	CANÇÕES DE TOM JOBIM & CORDAS		ar F.Hime	CD	IIV077

	Eu sei que vou te amar	ACJ-VM	
	Bonita	ACJ-GL-RG	
	Dindi	ACJ-AO	
	Luiza	ACJ	
	As praias desertas	ACJ	
	Derradeira primavera	ACJ-VM	
	Eu não existo sem você	ACJ-VM	
	Olha Maria	ACJ-CB	
	Correnteza	ACJ-LB	
	Retrato em branco e preto	ACJ-CB	
	Estrada brança	ACJ-VM	
	Sabiá	ACJ-CB	
			Warner Bros
Milton Nascimento	Eu sei que vou te amar	ACJ-VM	CD M450998651-2
1995 EXTERIOR			**Columbia**
Josee Koning+Dori Caymmi	TRIBUTE TO A.C.JOBIM		CD 4810942
	Samba de uma nota só	ACJ-NM	
	Piano na Mangueira	ACJ-CB	
	A felicidade	ACJ-VM	
	Só danço samba	ACJ-VM	
	Águas de março	ACJ	
	Lígia	ACJ	
	Chega de saudade	ACJ-VM	
	Corcovado	ACJ	
	Pato preto	ACJ	
	Sem você	ACJ-VM	
	Chovendo na roseira	ACJ	
	Água de beber	ACJ-VM	
	Anos dourados	ACJ-CB	
	Correnteza	ACJ-LB	
			Omagatoki
Joyce+Toninho Horta	SEM VOCÊ		CD SC3147

Intérprete	Título do disco / Título do CD / Título da música	Autores	Obs	Tp / CD	Gravadora / Nº do disco / Nº do CD
	Ela é carioca	ACJ-VM			
	Correnteza	ACJ-LB			
	Inútil paisagem	ACJ-AO			
	Frevo	ACJ-VM			
	Lígia	ACJ			
	Vivo sonhando	ACJ			
	Dindi	ACJ-AO			
	Só danço samba	ACJ-VM			
	Outra vez	ACJ			
	Sem você	ACJ			
	Este seu olhar+Só em teus braços	ACJ-VM			
	Estrada do sol	ACJ-DD			
	Ela é carioca	ACJ-VM			
Joe Henderson	DOUBLE RAINBOW			CD	**Verve** 5272222
	A felicidade	ACJ-VM			
	No more blues	ACJ-VM-JH			
	Estrada branca	ACJ-VM			
	Fotografia	ACJ			
	Lígia	ACJ			
	Modinha	ACJ-VM			
	Once I loved	ACJ-VM-RG			
	Passarim	ACJ			
	Retrato em branco e preto	ACJ-CB			
	Triste	ACJ			
	Dreamer	ACJ-GL			

Intérprete	Título	Autoria	Obs.	Formato	Número
The Rosenberg trio	How insensitive	ACJ-VM-NG		CD	5278062
				Windham Hill	
Liz Story+J.D.Bartolo	How insensitive	ACJ-VM-NG		CD	1934111152
1996 BRASIL				**Som Livre**	
Djavan	Correnteza	ACJ-LB		CD	2102-2
				Warner Bros	
Maria Mariana	Garota de Ipanema	ACJ-VM		CD	M954834096-2
1996 BRASIL				**RCA**	
Henry Mancini	Quiet nights	ACJ-GL		CD	7863666032
				Verve	
Astrud Gilberto	LOOK TO THE RAINBOW		ar Gil Evans	CD	821556
	A felicidade	ACJ-VM			
	Frevo	ACJ-VM			
	She's a Carioca	ACJ-VM			
Lou Levy	O grande amor	ACJ-VM		CD	5225102
Stan Getz	Quiet nights	ACJ-GL		CD	5351192
SEM DATA BRASIL				**3M**	
Wauke	ONDA			LP	7M80003
	Águas de março	ACJ			
	Chora coração	ACJ-VM			
	Espelho das águas	ACJ			
	Falando de amor	ACJ			
	O nosso amor	ACJ-VM			
	Pois é	ACJ-CB			
	Vivo sonhando	ACJ			
	Wave	ACJ			
				CID	
Wanda Sá+Célia Vaz	BRASILEIRAS			CD	118/0
	Água de beber	ACJ-VM			
	Ai quem me dera	ACJ-MP			
	Frevo	ACJ-VM			

Intérprete	Título do disco / Título do CD / Título da música	Autores	Obs	Gravadora Tp / CD	Nº do Disco / Nº do CD
Clara Sverner	DE CHOPIN A JOBIM			**E.Eldorado** LP	157890559
	Anos dourados	ACJ-CB			
	Luiza	ACJ			
Vera Versianne		Andorinha	ACJ	**Independente**	LP SN
J.C.Assis Brasil	Estrada branca	ACJ-VM		**Jazz Brasil** LP	KLP022
	Eu preciso de você	ACJ-AO			
	Eu te amo	ACJ-CB			
	Moonlight Daiquiri	ACJ			
	Samba de uma nota só	ACJ-NM			
	Wave	ACJ			
Juarez Santana +Astrid	Corcovado	ACJ		**JBM** LP	101
	Samba do avião	ACJ			
Maria Bethania	Modinha	ACJ-VM		**Mercury** CD	5229752
Quarteto em Cy	Canta, canta mais	ACJ-VM		CD	5289302
Quarteto em Cy	Dindi	ACJ-AO		CD	5289312
Caetano Veloso	Chega de saudade	ACJ-VM		**Philips** CD	5104632
Gabriela	SE TODOS FOSSEM IGUAIS...			**Polydor** CD	8433902

	Este seu olhar	ACJ		
	Samba do avião	ACJ		
	Se todos fossem iguais a você	ACJ-VM		
	Só em teus braços	ACJ		
	Vivo sonhando	ACJ		
	Wave	ACJ		
Os Caretas	100 ANOS DE SAMBA		CD	8478042
	A felicidade	ACJ-VM		
	Se todos fossem iguais a você	ACJ-VM		
SEM DATA EXTERIOR				**Accoustic Rec.**
Baden Powell	A felicidade	ACJ-VM		NA
	Só danço samba	ACJ-VM		
				AH Records
E. "Sweets" Edison	Wave	ACJ		NA
				Bassic-Sound
T.Stabenow	O grande amor	ACJ-VM		NA
				bell
C.Antolini	Quiet nights	ACJ-GL		NA
				Black Saint
L.Jenkins+M.R.Abrams	Meditation	ACJ-NM-NG		NA
				Blue Note
B.Lagreno		How insensitive	ACJ-VM-NG	NA
Eliane Elias		Água de beber	ACJ-VM	NA
	Waters of March	ACJ		
	Angela	ACJ		
	No more blues	ACJ-VM		
	Dindi	ACJ-AO		
	Passarim	ACJ		
	Samba de uma nota só	ACJ-NM		
	The girl from Ipanema	ACJ-VM-NG		
	Wave	ACJ		

INTÉRPRETE	TÍTULO DO DISCO TÍTULO DO CD TÍTULO DA MÚSICA TÍTULO DA MÚSICA	AUTORES AUTORES	OBS	GRAVADORA TP CD	 Nº DO DISCO Nº DO CD
	Zingaro	ACJ			
				Chesky	
La Verne Butler	Photograph	ACJ-RG			NA
Leny Andrade+F.Hersch	Wave	ACJ			NA
				Concord	
Al Cohn	The girl from Ipanema	ACJ-VM-NG			NA
Astrud Gilberto	No more blues	ACJ-VM			NA
C.Flory	Só danço samba	ACJ-VM			NA
C.Walton	Caminhos cruzados	ACJ-NM			NA
Charlie Byrd	Corcovado	ACJ			NA
	Correnteza	ACJ-LB			
	Dindi	ACJ-AO			
	Favela	ACJ-VM			
	How insensitive	ACJ-VM-NG			
Charlie Byrd+Bud Shank	Zingaro	ACJ			NA
Charlie Byrd+K.Pelpowski	Meditation	ACJ-NM-NG			NA
	Samba de uma nota só	ACJ-NM			
	The girl from Ipanema	ACJ-VM-NG			
	Triste	ACJ			
Charlie.Byrd	Wave	ACJ			NA
E.Remler	Look to the sky	ACJ			NA
E.Remler+L.Coryell	How insensitive	ACJ-VM-NG			NA
F.Vignola	Lígia	ACJ			NA
George Shearing+H.Jones	Triste	ACJ			NA
Great Guitars	Amparo (Olha Maria)	ACJ			NA
	Só danço samba	ACJ-VM			

J.A.Brackeen	Waters of March	ACJ	NA
	Anos dourados	ACJ-CB	
	Zingaro	ACJ	
J.Bunch	Wave	ACJ	NA
J.McNeely	Zingaro	ACJ	NA
K.Allyson	How insensitive	ACJ-VM-NG	NA
Laurindo de Almeida	Desafinado	ACJ-NM	NA
	Jobim-medley	ACJ	
	Outra vez	ACJ	
	The girl from Ipanema	ACJ-VM-NG	
Los Angeles 4	How insensitive	ACJ-VM-NG	NA
M.Alexander	Once I loved	ACJ-VM-RG	NA
M.Santamaria	Bonita	ACJ-GL-RG	NA
M.Torme	How insensitive	ACJ-VM-NG	NA
	Samba de uma nota só	ACJ-NM	
Manfredo Fest	Passarim	ACJ	NA
P.Minger	Look to the sky	ACJ	NA
R.Barreto	Gabriela	ACJ	NA
R.Brown	Meditation	ACJ-NM-NG	NA
Rosemary Clooney	Wave	ACJ	NA
S.Kuhn	How insensitive	ACJ-VM-NG	NA
	Zingaro	ACJ	
S.McCorkle	Waters of March	ACJ	NA
	Só danço samba	ACJ-VM	
	Vivo sonhando	ACJ	
S.McCorkle+K.Peplowski	No more blues	ACJ-VM	NA
			CTI
J.Wilkins	O grande amor	ACJ-VM	NA
Wes Montgomery	O morro (SRJ)	ACJ-BB	NA
			Denon
De Novo	How insensitive	ACJ-VM-NG	NA
	Wave	ACJ	

Intérprete	Título do disco Título do CD Título da música Título da música	Autores Autores	Obs	Gravadora Tp CD	 Nº do Disco Nº do CD
Marano+Monteiro	This happy madness	ACJ-VM-GL			NA
	Passarim	ACJ			
	Samba de uma nota só	ACJ-NM			
S.Watanabe	A felicidade	ACJ-VM			NA
	Água de beber	ACJ-VM			
	Waters of March	ACJ			
	Bonita	ACJ-GL-RG			
	Corcovado	ACJ			
	Favela	ACJ-VM			
	Meditation	ACJ-NM-NG			
	O grande amor	ACJ-VM			
	Só danço samba	ACJ-VM			
	The girl from Ipanema	ACJ-VM-NG			
The Ritz+C.Terry	Meditation	ACJ-NM-NG			NA
				DMP	
Double Image	O grande amor	ACJ-VM			NA
Manfredo Fest	No more blues	ACJ-VM			NA
	Once I loved	ACJ-VM-RG			
	O morro (SRJ)	ACJ-BB			
				ECM	
P.Bley	Triste	ACJ			NA
				Edition Collage	
F.Poser		Once I loved	ACJ-VM-RG		NA
M.Geller+M.Bong		How insensitive	ACJ-VM-NG		NA
				Enja	
F.Hubbard	Lamento	ACJ-VM			NA

H.Galper	Once I loved	ACJ-VM-RG	NA
I.Perlman	O morro (SRJ)	ACJ-BB	NA
O.Jones	How insensitive	ACJ-VM-NG	NA
			ESP
Levitts	O amor em paz	ACJ	NA
			Fantasy
Charlie Byrd	Tereza my love	ACJ	NA
			GRP
The Ripingtons	Angela	ACJ	NA
			Imak Records
M.Lewis	Once I loved	ACJ-VM-RG	NA
			ITM
U.Kropinski	Wave	ACJ	NA
			Jazz City
A.Laverne	Once I loved	ACJ-VM-RG	NA
			Jazz Door
Stan Getz	A felicidade	ACJ-VM	NA
			Jazzmen
J.Bryson	Samba de uma nota só	ACJ-NM	NA
			Justice Records
Herb Ellis	Once I loved	ACJ-VM-RG	NA
			Landmark
B.Hutcherson	Zingaro	ACJ	NA
			M.A. Music
T.Clausen	O grande amor	ACJ-VM	NA
			Melos
S.Schwab	Meditation	ACJ-NM-NG	NA
			Milestone
J.Smith	Quiet nights	ACJ-GL	NA

INTÉRPRETE	TÍTULO DO DISCO TÍTULO DO CD TÍTULO DA MÚSICA TÍTULO DA MÚSICA	AUTORES AUTORES	OBS	GRAVADORA TP CD	 Nº DO DISCO Nº DO CD
				Mobile Fidelity	
Sara Vaughan	Wave	ACJ			NA
				MPS	
Baden Powell	Dindi	ACJ-AO			NA
				Muse	
Eddie Daniels	Lígia	ACJ			NA
H.Person	Triste	ACJ			NA
H.Person+R.Carter	Quiet nights	ACJ-GL			NA
L.Alexandra	Wave	ACJ			NA
L.Keel	Quiet nights	ACJ-GL			NA
M.Hendricks	How insensitive	ACJ-VM-NG			NA
				Orig. Jazz Classics	
J.Griffin	Meditation	ACJ-NM-NG			NA
Vince Guaraldi+Bola Sete	Favela	ACJ-VM			NA
				Pablo	
Ella Fitzgerald	Waters of March	ACJ			NA
B.Carter	Wave	ACJ			NA
M.Jackson+M.Alexander	Once I loved	ACJ-VM-RG			NA
E. "Lockjaw" Davis	Wave	ACJ			NA
				Paddle Wheel	
R.Brown	How insensitive	ACJ-VM-NG			NA
				Philips	
B.Dearie	Samba de uma nota só	ACJ-NM			NA
				Polydor	
D.D.Bridgewater	How insensitive	ACJ-VM-NG			NA

			RAM
J.Diorio	How insensitive	ACJ-VM-NG	NA
	O grande amor	ACJ-VM	
J.Diorio+I.Sullivan	Look to the sky	ACJ	NA
			Red Records
D.Liebman	How insensitive	ACJ-VM-NG	NA
			Steeplechase
G.Christian	How insensitive	ACJ-VM-NG	NA
K.Drew	A felicidade	ACJ-VM	NA
	Wave	ACJ	
L.Smith	Quiet nights	ACJ-GL	NA
R.Beirach+A.La Verne	Zingaro	ACJ	NA
R.Perry	Retrato em branco e preto	ACJ-CB	NA
Shirley Horn	How insensitive	ACJ-VM-NG	NA
	Meditation	ACJ-NM-NG	
			Stunt Records
Boel-Emborg-Vinding	How insensitive	ACJ-VM-NG	NA
Boel-Emborg-Vinding-Riel	No more blues	ACJ-VM	NA
			Telarc
G.Mulligan	Wave	ACJ	NA
George Shearing	Zingaro	ACJ	NA
Paul Desmond	Meditation	ACJ-NM-NG	NA
			Timeless
J.Hicks	How insensitive	ACJ-VM-NG	NA
P.Guidi+M.Herr+R.Del Fra	O grande amor	ACJ-VM	NA
			Verve
Cal Tjader	Triste	ACJ	NA
L.Konitz+G.Evans	How insensitive	ACJ-VM-NG	NA

Premiações

1956 — O Globo nos Discos Populares
Melhor arranjador para pequeno conjunto.

1957 — Cidade de São Sebastião do Rio de Janeiro
Prefeitura do Distrito Federal
Melhor compositor.

1958 — Radiolândia — Microfones de Ouro
Melhor compositor.
Diário da noite — O jornal Femino — Disco de Ouro
Melhor compositor.
Cidade de São Sebastião do Rio de Janeiro
Prefeitura do Distrito Federal
Melhor compositor.

1959 — Idem
O Globo Radiolândia — Disco de Ouro
Melhor compositor.

1960 — Cidade de São Sebastião do Rio de Janeiro
Prefeitura do Distrito Federal
Melhor compositor.

1961 — Rádio Jornal do Brasil — Dia do Compositor
Melhores compositores.

1962 — Medalha Estácio de Sá.
The National Academy of Recording Arts and Sciences
Best Background Arrangement *João Gilberto.*

1963 — Associação Brasileira de Críticos de Discos
Melhor compositor.
Rádio Jornal do Brasil
Melhor música: *Garota de Ipanema.*

1964 — Membro da American Society of Composers Authors and Publishers.
Voto de Louvor da Assembléia Legislativa do Estado de São Paulo
Saci de Cinema — O Estado de São Paulo
Melhor comentário musical *Porto das Caixas.*
I Festival de Cinema da Bahia
Melhor música.

1965 — TV Excelsior Rio — Campeões de Popularidade
Cinco prêmios no mesmo ano.
Voto de Congratulações da Assembléia Legislativa do Estado da Guanabara pelo sucesso obtido nos EUA com a gravação de suas composições por Frank Sinatra.

1967 — Grammy — The National Academy of Recording Arts and Sciences (indicação)
Álbum do Ano: *Francis Albert Sinatra and Antonio Carlos Jobim.*
BMI — Broadcast Music, Inc.
Great National Popularity — *The Girl From Ipanema.*

1968 — Idem.
III Festival Internacional da Canção Popular
Galo de Ouro — 1º Lugar — Compositor — *Sabiá.*

1969 — Troféu Estácio de Sá para Música Popular.

1970 — BMI — Broadcast Music, Inc.
Great National Popularity — *The Girl From Ipanema.*

1971 — Instituto Nacional do Cinema — Coruja de Ouro
Melhor autor de partitura musical.
VII Festival de Brasília do Cinema Brasileiro
Melhor música, no filme *A Casa Assassinada.*

1972 — Voto de Congratulações da Assembléia Legislativa do Estado da Guanabara, pelo troféu concedido às mais destacadas figuras da música popular do continente, por ocasião do IX Congresso Interamericano de Autores e Compositores, no Chile.

1973 — TV Globo
Personalidade Global na Música.

1974 — BMI — Broadcast Music, Inc.
Great National Popularity — *Meditation.*

1975 — Idem — *Garota de Ipanema.*

1976 — Diploma de Honra ao Mérito concedido pelo Presidente do Conselho Regional do Estado do Rio de Janeiro, da Ordem dos Músicos do Brasil, pelos relevantes serviços prestados à classe musical no Estado.

1977 — BMI — Broadcast Music, Inc.
Great National Popularity — *Wave.*
Idem — *Desafinado.*

1982 — Prêmio Shell — Música Popular.

1986 — OEA — Organização dos Estados Americanos
Melhor Compositor.
BMI— Millionaired Songs — Sete canções que foram ao ar mais de um milhão de vezes.
United Nations — Prêmio pela participação em *show* beneficente de ajuda às pesquisas sobre Aids.
Prêmio pela participação em *show* beneficente para Brain Damage Children.

1987 — Grand Award International Film & TV Festival of New York.
Best Foreign Special *Antonio Brasileiro* — TV Globo
Festival de Gramado
Kikito — Melhor música.
Filme: *Fonte da saudade.*

1988 — Prêmio Sharp
Melhor disco MPB, melhor música e música do ano: *Passarim.*

1989 — Ministério da Cultura da França
Legion D'Honeur — Grand Comander des Arts et des Lettres.
Magnífico Reitor da Universidade Livre de Música de São Paulo.

1990 — Ordem do Rio Branco.
Doutor Honoris Causa da Universidade do Rio de Janeiro.

1990 — National Academy of Popular Music
Hall of Fame into the songwriters.
San Remo
Prêmio TENCO.

1993 — Doutor Honoris Causa da Universidade Nova de Lisboa.

1994 — Prefeitura da Cidade do Rio de Janeiro
Medalha Pedro Ernesto.

94 — Prêmio Sharp — Melhor disco MPB, "Antonio Brasileiro"
Melhor Música-Samba, "Piano na Mangueira".

95 — National Academy of Recording Arts and Sciences
Grammy pelo disco "Antonio Brasileiro"
Best Latin Jazz Performance.

Fotos:
Capa:
Agência JB
4ª capa:
Arquivo Jobim Music
Orelha:
Ana Lontra Jobim

CIP-Brasil. Catalogação-na-fonte
Sindicato Nacional dos Editores de Livros, RJ.

Jobim, Helena
859a Antonio Carlos Jobim: um homem iluminado / Helena Jobim. — Rio de Janeiro: Nova Fronteira, 1996

ISBN 85-209-0684-2

1. Jobim, Antonio Carlos, 1927–1994 — Biografia. 2. compositores — Brasil — Biografia. I. Título.

CDD 927.8042
96–1857 CDU 92 (JOBIM, A.C.)

Este livro foi impresso na cidade de São Paulo,
em novembro de 1996, pela gráfica Hamburg
para a Editora Nova Fronteira.
O tipo usado no texto foi AGaramond, no corpo 11/16.
Scanner das fotos — CMYK Soluções
A diagramação do miolo e os fotolitos do miolo e da capa
foram feitos pela Minion Tipografia Editorial Ltda.
O papel do miolo é Alta Alvura Alcalino original 75g para o texto
e Couchê Reflex Matte 95g para as fotos, e o da capa, Cartão Supremo 250g,
produtos da Linha Editorial Cia. Suzano de Papel e Celulose
Apoio:

Não encontrando este livro nas livrarias,
pedir pelo Reembolso Postal à
EDITORA NOVA FRONTEIRA S.A.
Rua Bambina, 25 – Botafogo – CEP 22251-050 – Rio de Janeiro